educamos·sm

Caro aluno, seja bem-vindo à sua plataforma do conhecimento!

A partir de agora, você tem à sua disposição uma plataforma que reúne, em um só lugar, recursos educacionais digitais que complementam os livros impressos e são desenvolvidos especialmente para auxiliar você em seus estudos. Veja como é fácil e rápido acessar os recursos deste projeto.

1 Faça a ativação dos códigos dos seus livros.

Se você NÃO tiver cadastro na plataforma:

- Para acessar os recursos digitais, você precisa estar cadastrado na plataforma educamos.sm. Em seu computador, acesse o endereço <br.educamos.sm>.
- No canto superior direito, clique em "**Primeiro acesso? Clique aqui**". Para iniciar o cadastro, insira o código indicado abaixo.
- Depois de incluir todos os códigos, clique em "**Registrar-se**" e, em seguida, preencha o formulário para concluir esta etapa.

Se você JÁ fez cadastro na plataforma:

- Em seu computador, acesse a plataforma e faça o *login* no canto superior direito.
- Em seguida, você visualizará os livros que já estão ativados em seu perfil. Clique no botão "**Adicionar livro**" e insira o código abaixo.

Este é o seu código de ativação! →

2 Acesse os recursos.

Usando um computador

Acesse o endereço <br.educamos.sm> e faça o *login* no canto superior direito. Nessa página, você visualizará todos os seus livros cadastrados. Para acessar o livro desejado, basta clicar na sua capa.

Usando um dispositivo móvel

Instale o aplicativo **educamos.sm**, que está disponível gratuitamente na loja de aplicativos do dispositivo. Utilize o mesmo *login* e a mesma senha da plataforma para acessar o aplicativo.

Importante! Não se esqueça de sempre cadastrar seus livros da SM em seu perfil. Assim, você garante a visualização dos seus conteúdos, seja no computador, seja no dispositivo móvel. Em caso de dúvida, entre em contato com nosso canal de atendimento pelo **telefone 0800 72 54876** ou pelo *e-mail* atendimento@grupo-sm.com.
190987_993

CONVERGÊNCIAS
História 9

Caroline Torres Minorelli
- Bacharela e licenciada em História pela Universidade Estadual de Londrina (UEL-PR).
- Especialista em História e Teorias da Arte: Modernidade e Pós-Modernidade pela UEL-PR.
- Atuou como professora da rede pública de Ensino Fundamental e Ensino Médio.
- Autora de livros didáticos para o Ensino Fundamental.

Charles Hokiti Fukushigue Chiba
- Bacharel e licenciado em História pela Universidade Estadual de Londrina (UEL-PR).
- Especialista em História Social e Ensino de História pela UEL-PR.
- Professor das redes pública e particular de Ensino Fundamental, Ensino Médio e Ensino Superior.
- Autor de livros didáticos para o Ensino Fundamental.

Convergências – História – 9
© Edições SM Ltda.
Todos os direitos reservados

Direção editorial	M. Esther Nejm
Gerência editorial	Cláudia Carvalho Neves
Gerência de *design* e produção	André Monteiro
Edição executiva	Valéria Vaz
Coordenação de *design*	Gilciane Munhoz
Coordenação de arte	Melissa Steiner Rocha Antunes
Assistência de arte	Juliana Cristina Silva Cavalli
Coordenação de iconografia	Josiane Laurentino
Coordenação de preparação e revisão	Cláudia Rodrigues do Espírito Santo
Suporte editorial	Alzira Ap. Bertholim Meana
Projeto e produção editorial	Scriba Soluções Editoriais
Edição	Ana Flávia Dias Zammataro, Alexandre de Paula Gomes
Assistência editorial	Natalia Figueiredo Cirino de Moura
Revisão e preparação	Felipe Santos de Torre, Joyce Graciele Freitas
Projeto gráfico	Dayane Barbieri, Marcela Pialarissi
Capa	João Brito e Tiago Stéfano sobre ilustração de Estevan Silveira
Edição de arte	Cynthia Sekiguchi
Pesquisa iconográfica	Tulio Sanches Esteves Pinto
Tratamento de imagem	Equipe Scriba
Editoração eletrônica	Adenilda Alves de França Pucca (coord.)
Pré-impressão	Américo Jesus
Fabricação	Alexander Maeda
Impressão	Forma Certa Gráfica Digital

Dados Internacionais de Catalogação na Publicação (CIP)
(Câmara Brasileira do Livro, SP, Brasil)

Minorelli, Caroline Torres
  Convergências história : ensino fundamental : anos finais : 9º ano / Caroline Torres Minorelli, Charles Hokiti Fukushigue Chiba. -- 2. ed. -- São Paulo : Edições SM, 2018.

  Bibliografia.
  ISBN 978-85-418-2156-8 (aluno)
  ISBN 978-85-418-2160-5 (professor)

  1. História (Ensino fundamental) I. Chiba, Charles Hokiti Fukushigue. II. Título.

18-20889   CDD-372.89

Índices para catálogo sistemático:

1. História : Ensino fundamental 372.89
Maria Alice Ferreira - Bibliotecária - CRB-8/7964

2ª edição, 2018
3ª impressão, Março 2024

SM Educação
Rua Tenente Lycurgo Lopes da Cruz, 55
Água Branca 05036-120 São Paulo SP Brasil
Tel. 11 2111-7400
atendimento@grupo-sm.com
www.grupo-sm.com/br

Cara aluna, caro aluno,

Tudo o que conhecemos tem história: as construções, os aparelhos que utilizamos no dia a dia, nossos direitos e deveres, nossos hábitos e costumes, nossos valores, nossas famílias, as outras pessoas, entre outros exemplos.

A História existe para nos auxiliar a compreender, por exemplo, como o mundo atual se formou e quais são os nossos vínculos com os nossos antepassados. Dessa maneira, podemos entender as mudanças e as permanências que ocorreram na nossa sociedade ao longo do tempo, nos ajudando a fazer escolhas mais conscientes para a construção de um futuro melhor.

Portanto, esta coleção foi produzida para auxiliar você no estudo da História. Nela, você vai encontrar uma grande variedade de imagens, textos, atividades e outros recursos que o ajudarão a descobrir mais sobre nós, seres humanos, e sobre nossas relações com o tempo passado, presente e futuro.

Bom ano e bons estudos!

Apresentação

Conheça seu livro

Esta coleção apresenta assuntos interessantes e atuais, que o auxiliarão a desenvolver autonomia, criticidade, entre outras habilidades e competências importantes para a sua aprendizagem.

Abertura de unidade

Essas páginas marcam o início de uma nova unidade. Elas apresentam uma imagem instigante, que se relaciona aos assuntos da unidade. Conheça os capítulos que você irá estudar e participe da conversa proposta pelo professor.

Iniciando rota

Ao responder a essas questões, você vai saber mais sobre a imagem de abertura, relembrar os conhecimentos que já tem sobre o tema apresentado e se sentir estimulado a aprofundar-se nos assuntos da unidade.

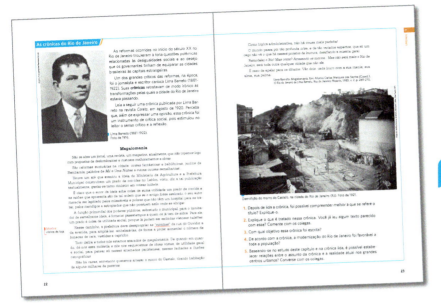

Boxe informativo

Esse boxe apresenta temas atuais e informações que ampliam o assunto estudado.

Para investigar

Nessa seção, você vai ler e analisar, com o auxílio de um roteiro, diferentes fontes históricas, como documentos pessoais, trechos de cartas e diários, entre outras. A análise de fontes históricas pode revelar informações sobre o passado e auxiliar na compreensão do presente.

Boxe complementar

Esse boxe apresenta assuntos que complementam o tema estudado.

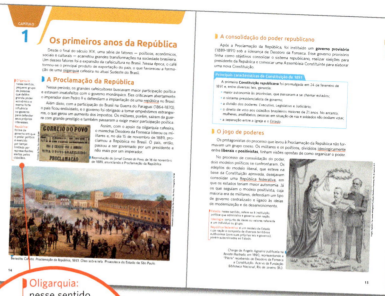

Vocabulário

Algumas palavras menos conhecidas terão seus significados apresentados na página, para que você se familiarize com elas. Essas palavras estarão destacadas no texto.

Oligarquia: nesse sentido, pequeno grupo de pessoas que detém grande poder econômico e exerce forte influência no governo para defender seus próprios interesses.

Ícone pesquisa

Esse ícone marca as atividades em que você deverá fazer uma pesquisa.

Ícone em grupo

Esse ícone marca as atividades que serão realizadas em duplas ou em grupos.

Atividades

Nessa seção, são propostas atividades que irão auxiliá-lo a refletir, a organizar os conhecimentos e a conectar ideias.

Ícone digital

Esse ícone remete a um objeto educacional digital.

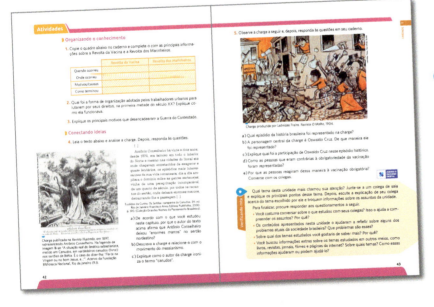

Verificando rota

Aqui você terá a oportunidade de avaliar sua aprendizagem por meio de perguntas que o farão refletir sobre os conhecimentos que você tinha antes de iniciar os estudos, comparando-os com o aprendizado adquirido ao longo da unidade.

Ampliando fronteiras

Nessa seção, você encontrará informações que o levarão a refletir criticamente sobre assuntos relevantes e a estabelecer relações entre diversos temas ou conteúdos. Os assuntos são propostos com base em temas contemporâneos, que contribuem para a sua formação cidadã e podem ser relacionados a outros componentes curriculares.

▶ Aprenda mais

Aproveite as sugestões de livros, filmes, *sites*, vídeos e dicas de visitas para aprender um pouco mais sobre o conteúdo estudado. Essas sugestões aparecerão ao final de cada um dos volumes.

Sumário

UNIDADE 1 — O Brasil República 12

CAPÍTULO 1 — Os primeiros anos da República 14
- A Proclamação da República 14
- As reformas urbanas no Rio de Janeiro 20
- Viver com dignidade 24
- Cotidiano e cultura: esperança de tempos melhores 26
- ▌ Atividades 30

CAPÍTULO 2 — Movimentos sociais e resistências 32
- Mobilizações nas cidades 32
- Mobilizações no campo 38
- ▌ Atividades 42
- ▌ Verificando rota 43
- ▌ Ampliando fronteiras
  Futebol e racismo 44

UNIDADE 2 — O mundo em conflito 46

CAPÍTULO 3 — A Primeira Guerra Mundial 48
- O imperialismo e as tensões nacionalistas 48
- O estopim da Primeira Guerra Mundial 49
- Os relatos da guerra 53
- O uso da tecnologia e a indústria da guerra 54
- Os Estados Unidos entram na guerra 56
- A participação do Brasil 56
- O fim da guerra 57
- ▌ Atividades 60

CAPÍTULO 4 — A Revolução Russa 62
- A Rússia no início do século XX 62
- A Revolução Socialista na Rússia 64
- ▌ Atividades 70
- ▌ Verificando rota 71
- ▌ Ampliando fronteiras
  "Pinturas proletárias": a arte a serviço do Estado 72

Popperfoto/Getty Images

UNIDADE 3 — O totalitarismo e a Segunda Guerra Mundial ... 74

CAPÍTULO 5 — O período entreguerras ... 76
- Os Estados Unidos e o consumo em massa ... 76
- Consumo e consumismo na atualidade ... 77
- A crise de 1929 ... 79
- A Grande Depressão ... 80
- A ascensão dos regimes totalitários na Europa ... 81
- A Guerra Civil espanhola ... 84
- ▌Atividades ... 86

CAPÍTULO 6 — A Segunda Guerra Mundial ... 88
- A expansão nazista e o caminho para a guerra ... 88
- A "Nova Ordem" nazista ... 90
- ▌Para investigar
  Diários de guerra ... 94
- A ofensiva aliada ... 96
- O fim das agressões na Europa ... 97
- O terror atômico ... 98
- Depois da guerra ... 100
- ▌Atividades ... 101
- ▌Verificando rota ... 103
- ▌Ampliando fronteiras
  Em defesa dos direitos humanos ... 104

UNIDADE 4 — Autoritarismo e democracia no Brasil ... 106

CAPÍTULO 7 — O governo Vargas ... 106
- Mudanças políticas e econômicas no Brasil ... 108
- Partidos e movimentos políticos no Brasil ... 111
- O Estado Novo ... 112
- ▌Para investigar
  As charges no governo Vargas ... 114
- O Brasil e a Segunda Guerra Mundial ... 117
- ▌Atividades ... 119

CAPÍTULO 8 — A democracia no Brasil ... 121
- As eleições de 1945 para a presidência da República ... 121
- Vargas de volta ao poder ... 122
- O governo de Juscelino Kubitschek ... 124
- Cultura e sociedade ... 127
- A democracia sob pressão ... 129
- O fim do governo Jango ... 130
- ▌Atividades ... 132
- ▌Verificando rota ... 133
- ▌Ampliando fronteiras
  O respeito à cultura nordestina ... 134

UNIDADE 5 — A divisão do mundo na Guerra Fria — 136

CAPÍTULO 9 — Tensões e conflitos da Guerra Fria — 138
- O mundo depois da Segunda Guerra Mundial — 138
- As rivalidades da Guerra Fria — 140
- A expansão do comunismo — 142
- Movimentos de contracultura — 145
- Movimento negro e a luta por direitos civis — 146
- ▌Atividades — 148

CAPÍTULO 10 — Conflitos entre judeus e palestinos — 150
- A Palestina — 150
- A fundação de Israel — 151
- As guerras árabe-israelenses — 151
- Diálogos para a paz — 155
- ▌Atividades — 157

CAPÍTULO 11 — Independências na África e na Ásia — 158
- A independência na Índia — 158
- Os processos de independência na África — 160
- O *apartheid* na África do Sul — 162
- ▌Atividades — 166
- ▌Verificando rota — 167
- ▌Ampliando fronteiras
  O *provos* de Amsterdã — 168

UNIDADE 6 — Os governos militares no Brasil — 170

CAPÍTULO 12 — O regime militar no Brasil — 172
- As reações ao golpe de 1964 — 172
- A consolidação do regime militar — 174
- Os "anos de chumbo" no Brasil — 178
- O "milagre econômico" — 181
- ▌Para investigar
  O antes e o depois da censura — 184
- ▌Atividades — 186

CAPÍTULO 13 — A resistência contra a ditadura — 188
- Mobilização social — 188
- A resistência indígena na ditadura — 190
- A resistência negra — 191
- Produção cultural brasileira e resistência — 192
- Abertura política — 194
- ▌Atividades — 198
- ▌Verificando rota — 199
- ▌Ampliando fronteiras
  A imprensa alternativa no Brasil — 200

UNIDADE 7 — O Brasil e o mundo contemporâneo 202

CAPÍTULO 14 — A Nova República 204
- Rumo à democracia 204
- Eleições diretas após a ditadura 206
- O começo do século XXI e as expectativas de mudanças no país 209
- ▸ Atividades 214

CAPÍTULO 15 — O mundo contemporâneo 216
- A União Soviética 216
- O fim dos regimes socialistas na Europa Oriental 218
- O mundo após a Guerra Fria 219
- O mundo globalizado 220
- O terror global 224
- A União Europeia 226
- A América Latina no século XXI 228
- ▸ Atividades 231
- ▸ Verificando rota 233
- ▸ Ampliando fronteiras
  Refugiados e deslocados internos 234

UNIDADE 8 — Os desafios do mundo contemporâneo 236

CAPÍTULO 16 — Por um futuro melhor 238
- As desigualdades no Brasil 238
- Preconceito e intolerância 240
- A luta dos povos indígenas 244
- A luta dos quilombolas 246
- ▸ Para investigar
  As tiras e os debates da atualidade 248
- ▸ Atividades 250

CAPÍTULO 17 — Meio ambiente, qualidade de vida e sustentabilidade 252
- O aquecimento global 252
- A produção de resíduos 253
- A alimentação e a produção de alimentos 254
- A expansão da fronteira agrícola 255
- O uso de agrotóxicos 256
- Saúde 257
- Os espaços públicos 260
- ▸ Atividades 264
- ▸ Verificando rota 265
- ▸ Ampliando fronteiras
  Indígenas e sustentabilidade 266

▸ Aprenda mais 268
▸ Referências bibliográficas 271

UNIDADE

1

O Brasil República

Capítulos desta unidade
- **Capítulo 1** - Os primeiros anos da República
- **Capítulo 2** - Movimentos sociais e resistência

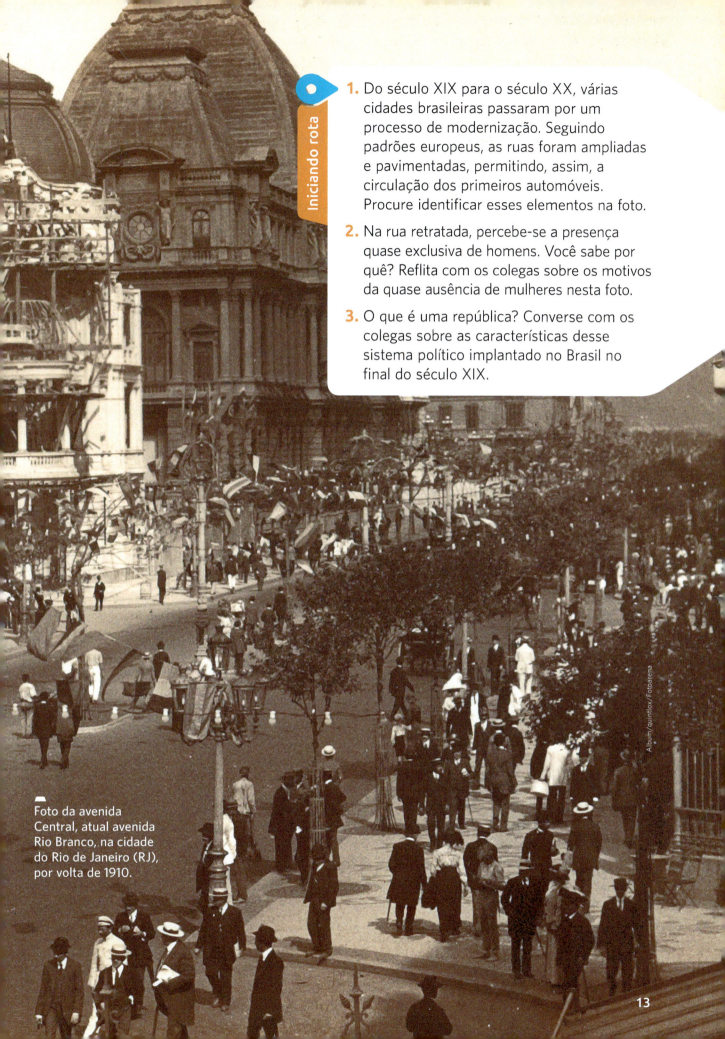

Iniciando rota

1. Do século XIX para o século XX, várias cidades brasileiras passaram por um processo de modernização. Seguindo padrões europeus, as ruas foram ampliadas e pavimentadas, permitindo, assim, a circulação dos primeiros automóveis. Procure identificar esses elementos na foto.

2. Na rua retratada, percebe-se a presença quase exclusiva de homens. Você sabe por quê? Reflita com os colegas sobre os motivos da quase ausência de mulheres nesta foto.

3. O que é uma república? Converse com os colegas sobre as características desse sistema político implantado no Brasil no final do século XIX.

Foto da avenida Central, atual avenida Rio Branco, na cidade do Rio de Janeiro (RJ), por volta de 1910.

CAPÍTULO 1

Os primeiros anos da República

Desde o final do século XIX, uma série de fatores — políticos, econômicos, sociais e culturais — acarretou grandes transformações na sociedade brasileira. Um desses fatores foi a expansão da cafeicultura no Brasil. Nessa época, o café tornou-se o principal produto de exportação do país, o que favoreceu a formação de uma oligarquia cafeeira no atual Sudeste do Brasil.

A Proclamação da República

Nesse período, os grandes cafeicultores buscavam maior participação política e estavam insatisfeitos com o governo monárquico. Eles criticavam abertamente o imperador dom Pedro II e defendiam a implantação de uma república no Brasil.

Além disso, com a participação do Brasil na Guerra do Paraguai (1864-1870), o país ficou endividado, e o governo foi obrigado a tomar empréstimos estrangeiros, o que gerou um aumento dos impostos. Os militares, porém, saíram da guerra com grande prestígio e também passaram a exigir maior participação política.

Assim, com o apoio da oligarquia cafeeira, o marechal Deodoro da Fonseca liderou os militares e, no dia 15 de novembro de 1889, proclamou a República no Brasil. O país, então, passou a ser governado por um presidente e não mais por um imperador.

▎Reprodução do jornal *Correio do Povo*, de 16 de novembro de 1889, anunciando a Proclamação da República.

▎**Oligarquia:** nesse sentido, pequeno grupo de pessoas que detém grande poder econômico e exerce forte influência no governo para defender seus próprios interesses.

▎**República:** forma de governo em que o poder político é exercido por tempo limitado por representantes eleitos pelos cidadãos.

Benedito Calixto. *Proclamação da República*, 1893. Óleo sobre tela. Pinacoteca do Estado de São Paulo.

A consolidação do poder republicano

Após a Proclamação da República, foi instituído um **governo provisório** (1889-1891) sob a liderança de Deodoro da Fonseca. Esse governo provisório tinha como objetivos consolidar o sistema republicano, realizar eleições para presidente da República e convocar uma Assembleia Constituinte para elaborar uma nova Constituição.

Principais características da Constituição de 1891

A primeira **Constituição republicana** foi promulgada em 24 de fevereiro de 1891 e, entre diversas leis, garantia:

- maior autonomia às províncias, que passaram a se chamar estados;
- o sistema presidencialista de governo;
- a divisão dos poderes: Executivo, Legislativo e Judiciário;
- o direito de voto aos cidadãos brasileiros maiores de 21 anos. No entanto, mulheres, analfabetos, pessoas em situação de rua e soldados não podiam votar;
- a separação entre a Igreja e o Estado.

O jogo de poderes

Os protagonistas do processo que levou à Proclamação da República não formavam um grupo coeso. Os militares e os políticos, divididos ideologicamente entre **liberais** e **positivistas**, tinham visões opostas de como organizar o poder.

No processo de consolidação do poder, dois modelos políticos se confrontaram. Os adeptos do modelo liberal, que esteve na base da Constituição aprovada, desejavam consolidar uma República federativa, em que os estados teriam maior autonomia. Já os que seguiam o modelo positivista, cuja maioria era de militares, defendiam um tipo de governo centralizado e ligado às ideias de modernização e de desenvolvimento.

> **Estado:** nesse sentido, refere-se à instituição política que administra e governa uma nação.
> **Ideologia:** conjunto de ideias ou valores referente a um indivíduo ou grupo.
> **República federativa:** é um modelo de Estado cuja nação é composta de diversos territórios autônomos (com suas próprias leis e governo), porém subordinados ao Estado.

Charge de Angelo Agostini publicada na *Revista Illustrada*, em 1890, representando a "Pátria" recebendo de Deodoro da Fonseca a Constituição. Acervo da Fundação Biblioteca Nacional, Rio de Janeiro (RJ).

Democracia para quem?

Embora a nova Constituição Federal tivesse características mais democráticas em relação à anterior, na prática, ela garantiu o fortalecimento das oligarquias estaduais. Isso ocorreu porque, ao conceder maior autonomia aos estados, o governo de cada um deles passou a estabelecer suas próprias políticas de cobrança de impostos e suas próprias leis, desde que subordinada à Constituição. Assim, as elites oligárquicas passaram a ter maior liberdade para fazer uso do governo estadual em benefício próprio, ampliando ainda mais seu poder político e seu domínio econômico.

Membro da oligarquia paulista em automóvel, no interior do estado de São Paulo, acompanhado de um padre e de um policial. Foto de 1903.

O direito das minorias

A Constituição de 1891 garantia o direito de voto a todos os cidadãos brasileiros maiores de 21 anos, porém mulheres, analfabetos, pessoas em situação de rua e soldados continuavam não podendo votar. O fato de o voto não ser secreto também prejudicava a democracia, pois, assim, os votos eram facilmente manipulados durante as eleições. Muitas pessoas vendiam seus votos ou eram forçadas a votar em determinados candidatos sob ameaça.

Com relação aos direitos indígenas, não houve avanços na nova Constituição, somente foram reafirmadas as legislações já existentes, como a Lei Imperial n. 601, que, desde 1850, dava ao governo o direito de usar terras desabilitadas "para a colonização dos indígenas".

Com relação aos afrodescendentes, não foram apresentadas leis que contribuíssem para amenizar os problemas que os recém-libertos passaram a enfrentar após a abolição da escravidão. Desamparados, nenhuma política foi criada para garantir sua participação e seu bem-estar social no novo sistema republicano.

Muitos ex-escravizados continuaram a lutar para conseguir viver de forma digna e livre no início do século XX. Foto de ex-escravizados na cidade de Porto Alegre (RS), em cerca de 1900.

A primeira eleição presidencial

A primeira eleição presidencial foi feita excepcionalmente pelos membros do Congresso formado em 1890. Sendo assim, o primeiro presidente da República, Deodoro da Fonseca, não foi eleito pelo voto direto e popular.

Ao assumir o cargo, Deodoro da Fonseca passou a enfrentar forte resistência dos membros do Congresso, que criticavam duramente o seu conservadorismo e a centralização do poder em suas mãos.

Na tentativa de manter-se no poder, ele dissolveu o Congresso em 3 de novembro de 1891, fato que acarretou muitas reações, como greves e uma revolta militar na Marinha. Impopular e sem apoio político, Deodoro renunciou vinte dias depois da dissolução do Congresso. O vice-presidente, o marechal Floriano Peixoto, assumiu, então, o poder.

Charge de Angelo Agostini publicada na *Revista Illustrada*, em 1890, satirizando a maneira como Deodoro da Fonseca enfrentou os problemas de sua gestão. Acervo da Fundação Biblioteca Nacional, Rio de Janeiro (RJ).

O positivismo no Brasil

O positivismo foi um movimento filosófico que surgiu na Europa no começo do século XIX. O principal pensador positivista foi o filósofo francês Auguste Comte (1798-1857).

Comte afirmava que o verdadeiro conhecimento só poderia ser obtido por meios científicos. Por isso, o positivismo valorizava o pensamento racional, menosprezando questões subjetivas ou religiosas.

No Brasil, diversos políticos e militares seguiram a ideologia positivista e seus ideais de "ordem e progresso". Desse modo, muitos princípios do positivismo influenciaram na organização do Estado republicano, como a separação entre a Igreja e o Estado, a garantia da liberdade religiosa e a instituição do casamento civil.

A influência do positivismo pode ser percebida também na frase "Ordem e progresso" que aparece na bandeira do Brasil, criada e instituída após a Proclamação da República.

O poder das oligarquias

Floriano Peixoto governou de maneira autoritária, contrariando todas as forças políticas dos diferentes grupos no poder, principalmente dos liberais. Ele depôs governadores, suprimiu duramente revoltas civis e militares e adotou medidas rígidas para combater a crise econômica vigente.

No final do mandato de Floriano Peixoto, o civil Prudente de Morais assumiu a presidência, dando início, em 1894, ao período histórico que ficou tradicionalmente conhecido como **República Oligárquica**, quando o Brasil foi governado por presidentes civis que eram aliados às oligarquias latifundiárias.

Essas oligarquias tinham grande poder econômico e político e, naquela época, influenciavam na escolha dos presidentes da República.

A política dos governadores

Para estabelecer um equilíbrio entre as forças políticas regionais e o poder federal, o presidente Campos Sales, eleito em 1898, comprometeu-se a apoiar as oligarquias, favorecendo-as e mantendo seus privilégios, desde que os governadores dos estados garantissem apoio ao presidente da República e a suas decisões políticas. Assim, foi estabelecida a política dos governadores, um acordo entre as oligarquias, os governadores dos estados e o poder federal.

Durante a República Oligárquica, o café era o principal produto agrícola cultivado nos latifúndios. Nesta foto, de 1902, vemos imigrantes italianos trabalhando em um cafezal no interior do estado de São Paulo e sendo inspecionados pelo latifundiário (que aparece de costas e com botas de cano alto, na próxima página).

A política do café com leite

Muitos governadores tinham o apoio dos grandes proprietários de terras, membros da oligarquia latifundiária. Também conhecidos como "coronéis", esses latifundiários exerciam considerável poder e influência regional.

Durante as eleições, os coronéis manipulavam os resultados praticando o chamado **voto de cabresto**. Naquela época, o voto não era secreto e, por isso, era comum que os eleitores votassem nos candidatos indicados pelos coronéis para evitar represálias e também em troca de favores pessoais.

Charge de Alfredo Storni publicada na revista *Careta*, em 1927, ironizando o voto de cabresto. Acervo da Fundação Biblioteca Nacional, Rio de Janeiro (RJ).

A força política dos coronéis garantia a manutenção no poder dos representantes das principais oligarquias brasileiras.

Os estados de São Paulo e de Minas Gerais eram os mais ricos e populosos do Brasil na época. Os paulistas detinham o centro da produção cafeeira; já os mineiros, além de cafeicultores, eram grandes produtores de leite. Para garantir os interesses das oligarquias, foi estabelecida uma aliança entre o governo federal e os representantes desses dois estados, a qual ficou conhecida como **política do café com leite** (café para se referir aos paulistas e leite, aos mineiros). Com essa aliança, políticos mineiros e paulistas sucediam-se na presidência da República até o final da década de 1920.

As reformas urbanas no Rio de Janeiro

Na passagem do século XIX para o XX, houve grande crescimento da população urbana no Brasil. Esse crescimento, no entanto, não foi acompanhado de investimentos em infraestrutura. Desse modo, a precariedade nas condições de vida favoreceu o aumento no número de epidemias e nos índices de criminalidade.

Na metade do século XIX, a cidade era considerada uma das mais insalubres do mundo. Essa situação prejudicava as iniciativas comerciais e a entrada de investimentos estrangeiros. Assim, o governo planejou uma reforma que envolvia várias obras públicas, com o objetivo de modernizar e de revitalizar a cidade do Rio de Janeiro, que era capital do Brasil desde 1763.

O Bota-Abaixo

Em 1902, Rodrigues Alves foi eleito presidente do Brasil. Nesse mesmo ano, foi realizada uma série de reformas no Rio de Janeiro, começando pelo porto da cidade, o ponto de chegada e partida de viajantes de vários lugares do Brasil e do mundo.

Para acelerar as reformas, o engenheiro Pereira Passos foi nomeado prefeito da capital. As reformas urbanas ocorreram de forma tão radical no centro da cidade que eram chamadas pela imprensa de **Bota-Abaixo**, em referência à quantidade de edifícios e de outras estruturas demolidas durante o processo. Entre os edifícios centrais que foram demolidos, estavam diversos cortiços que eram habitados pela população pobre. Após a demolição, muitas dessas pessoas ficaram sem ter onde morar.

> **Insalubre:** que prejudica a saúde, que pode causar doenças.
>
> **Cortiço:** habitação coletiva na qual diversas famílias dividem os cômodos.

Foto da avenida Central, na cidade do Rio de Janeiro (RJ), em 1905.

A modernização da cidade

As reformas urbanas, relacionadas ao ideal de modernização do país, envolveram várias mudanças estruturais na cidade. O governo e as elites tinham a intenção de transformar o centro da cidade em um local onde se concretizassem os ideais de ordem, progresso e civilização.

Veja alguns exemplos de mudanças que ocorreram após as reformas em um dos pontos da cidade, a avenida Central.

- Foram inauguradas várias lojas de artigos de luxo, salões de chá e cafés à moda francesa.
- A avenida foi alargada permitindo a circulação dos primeiros automóveis, e arborizadas.
- Muitos edifícios foram demolidos, os quais eram, em grande parte, moradias coletivas habitadas pela população pobre, dando espaço a suntuosos edifícios de arquitetura de influência europeia.
- O *footing*, que significa "caminhada", em inglês, tornou-se uma prática bem difundida. Passear pela avenida era um novo meio de sociabilidade.
- Ela foi a primeira via da cidade a ter um trecho com iluminação pública elétrica.

A perseguição aos "velhos hábitos"

Além das mudanças na estrutura e na paisagem urbana, eram necessárias mudanças também nos hábitos da população, as quais aconteceram pela imposição de um novo estilo de vida e de novos padrões estéticos. Atividades como o comércio ambulante, as festas populares, a roda de capoeira e as práticas relacionadas às religiosidades tradicionais africanas ou indígenas foram proibidas. Além disso, mendigos foram recolhidos das ruas e levados para prisões e hospícios.

Civilização: nesse sentido, refere-se à urbanização e a práticas consideradas refinadas.

Foto da avenida Central, na cidade do Rio de Janeiro (RJ), em 1910.

As crônicas do Rio de Janeiro

Lima Barreto (1881-1922). Foto de 1916.

As reformas ocorridas no início do século XX no Rio de Janeiro trouxeram à tona questões polêmicas relacionadas às desigualdades sociais e ao desejo que os governantes tinham de equiparar as cidades brasileiras às capitais estrangeiras.

Um dos grandes críticos das reformas, na época, foi o jornalista e escritor carioca Lima Barreto (1881-1922). Suas **crônicas** retratavam de modo irônico as transformações pelas quais a cidade do Rio de Janeiro estava passando.

Leia a seguir uma crônica publicada por Lima Barreto na revista *Careta*, em agosto de 1920. Perceba que, além de expressar uma opinião, essa crônica foi um instrumento de crítica social, pois estimulou no leitor o senso crítico e a reflexão.

Megalomania

Não se abre um jornal, uma revista, um magazine, atualmente, que não topemos logo com propostas de deslumbrantes e custosos melhoramentos e obras.

São reformas suntuárias na cidade; coisas fantásticas e babilônicas, jardins de Semíramis, palácios de *Mil e Uma Noites* e outras cousas semelhantes...

Houve um até que aventou a ideia do Ministério da Agricultura e a Prefeitura Municipal construírem um prado de corridas no Leblon, visto, diz a tal publicação textualmente, gastar-se tanto dinheiro em coisas inúteis.

É claro que o autor da ideia acha coisa de suma utilidade um prado de corrida e as razões que apresenta são de tal ordem que se o artigo fosse assinado, o seu autor merecia ser lapidado pelos miseráveis e pobres que não têm um hospital para se tratar, pelos mendigos e estropiados que não possuem asilo onde se abrigar.

A função primordial dos poderes públicos, sobretudo o municipal, para o incubador de semelhante ideia, é fornecer passatempos a quem os já tem de sobra. Para ele, um prado é coisa de utilidade social, porque lá podem ser exibidas vistosas *toilettes*.

Nesse caminho, a prefeitura deve desapropriar as "montras" da rua do Ouvidor e da avenida, para ampliá-las, embelezá-las, de forma a poder aumentar o número de bonecas de cera, vestidas a capricho.

Tudo delira e todos nós estamos atacados de megalomania. De quando em quando, dá-nos essa moléstia e nós nos esquecemos de obras vistas, de utilidade geral e social, para pensar só nesses arremedos parisienses, nessas fachadas e ilusões cenográficas.

Não há casas, entretanto queremos arrasar o morro do Castelo, tirando habitação de alguns milhares de pessoas.

Montra: vitrine de loja.

Como lógica administrativa, não há cousa mais perfeita!

O mundo passa por tão profunda crise, e de tão variados aspectos, que só um cego não vê o que há nesses projetos de loucura, desafiando a miséria geral.

Remodelar o Rio! Mas como? Arrasando os morros... Mas não será mais o Rio de Janeiro; será toda outra qualquer cidade que não ele.

É caso de apelar para os ditados. Vão dois: cada louco com a sua mania; sua alma, sua palma.

Lima Barreto. Megalomania. Em: Afonso Carlos Marques dos Santos (Coord.). *O Rio de Janeiro de Lima Barreto*. Rio de Janeiro: Rioarte, 1983. v. 2. p. 269-270.

Demolição do morro do Castelo, na cidade do Rio de Janeiro (RJ). Foto de 1921.

1. Depois de lida a crônica, foi possível compreender melhor a que se refere o título? Explique-o.
2. Explique o que é tratado nessa crônica. Você já leu algum texto parecido com esse? Comente com os colegas.
3. Com qual objetivo essa crônica foi escrita?
4. De acordo com a crônica, a modernização do Rio de Janeiro foi favorável a toda a população?
5. Baseando-se no estudo deste capítulo e na crônica lida, é possível estabelecer relações entre o assunto da crônica e a realidade atual nos grandes centros urbanos? Converse com os colegas.

Viver com dignidade

Observe a charge a seguir, feita pelo artista Jean Galvão.

Jean Galvão. *Folha de S.Paulo*, São Paulo, 7 nov. 2008. Opinião, p. 2.

O direito à moradia está previsto na Constituição brasileira vigente, promulgada em 1988. Mas será que esse direito é plenamente respeitado em nosso país atualmente? Você já viu famílias em situação semelhante à que foi representada na charge de Jean Galvão?

Ainda atualmente, no Brasil, milhares de pessoas não possuem uma habitação adequada e são obrigadas a morar em locais precários. A situação faz com que essas pessoas vivam sem dignidade, pois o direito à moradia, um de seus direitos fundamentais, é desrespeitado.

As primeiras favelas no Brasil

As primeiras favelas do Brasil surgiram no final do século XIX. No contexto das reformas urbanas na cidade do Rio de Janeiro, no início do século XX, houve um grande aumento na quantidade de favelas. Por causa das obras, a população pobre que habitava a região central da cidade foi expulsa e teve suas moradias destruídas.

A maioria das pessoas passou a viver em locais precários, muitas vezes nas periferias, em colinas e morros, formando assentamentos que ficaram conhecidos como favelas. Esses locais eram desprovidos de condições adequadas de vida. As habitações, como barracos e casebres, geralmente eram improvisadas, feitas com materiais dos edifícios demolidos no centro da cidade.

Atualmente, existem favelas em quase todas as grandes cidades do Brasil. As pessoas que vivem nesses lugares ainda enfrentam muita pobreza e dificuldades. Por isso, várias organizações não governamentais, movimentos sociais e os próprios moradores se mobilizam, promovendo diversas ações que visam melhorar as condições de vida nesses locais.

Os projetos sociais desenvolvidos nas favelas, sejam eles promovidos pelo governo, sejam liderados por instituições não governamentais, envolvem diversas atividades no campo da educação, da cultura e do esporte. São realizados cursos profissionalizantes; oficinas de teatro, de música e de dança; práticas esportivas como artes marciais, futebol e ginástica olímpica; entre outros. Essas atividades costumam revelar grandes talentos e formar bons profissionais.

É importante que os próprios moradores participem da organização e do desenvolvimento desses projetos, pois eles vivenciam a realidade da favela e conhecem as necessidades da população local.

As pessoas envolvidas na melhoria desses lugares exercem um papel transformador, contribuindo para que os moradores tenham condições de vida mais dignas.

Interior do Museu da Maré, localizado no Complexo da Maré, no Rio de Janeiro (RJ), em foto de 2013. Esse museu foi criado por iniciativa de membros da favela local, com o objetivo de registrar e de divulgar a história dos moradores. No museu, também são desenvolvidas várias atividades lúdicas e educativas.

1 Descreva a charge de Jean Galvão apresentada na página anterior.

2 Identifique a principal crítica feita pelo artista por meio dessa charge. Depois, comente com os colegas.

3 Atualmente, de que maneira as famílias que habitam moradias precárias têm sua dignidade afetada?

4 Em sua opinião, que tipos de iniciativas podem ser adotados para melhorar as condições de vida de pessoas que vivem em favelas?

Cotidiano e cultura: esperança de tempos melhores

O início do século XX no Brasil foi marcado por grande entusiasmo, que se refletiu em diferentes setores da sociedade, principalmente nas elites.

Diversas novidades tecnológicas passaram a fazer parte do cotidiano nas grandes cidades, como o telefone, o automóvel, o avião, a iluminação elétrica, o rádio, o refrigerador e o fogão a gás. O cinema foi uma das inovações de mais destaque na época, com filmes estrangeiros sendo exibidos à população. Assim, artistas europeus e estadunidenses passaram a influenciar a moda e o comportamento dos espectadores brasileiros.

Público aguarda o início de um filme no Cine Íris, na cidade do Rio de Janeiro (RJ). Foto de 1921.

Novos hábitos

Embalados por essas influências e pelo entusiasmo que marcou a entrada do novo século, muitas pessoas começaram a buscar diferentes maneiras de viver e de conviver nos grandes centros urbanos.

Alguns costumes e modismos tornaram-se referência para o estilo de vida das pessoas, sobretudo dos membros da elite, que promoviam festas e bailes com novos tipos de música e dança, como o *charleston* ou o foxtrote.

Homens e mulheres que procuravam seguir as tendências da moda passaram a usar roupas inspiradas nos figurinos usados pelas estrelas do cinema internacional. Isso influenciou também os cortes de cabelo e a maneira de se maquiar de muitas mulheres.

Foto de jovens atrizes da cidade do Rio de Janeiro (RJ) folheando a revista *O Cruzeiro*, em campanha na década de 1920.

A luta das mulheres

A luta pelos direitos das mulheres teve seus primeiros avanços no Brasil no final do século XIX. Nesse período, a atuação da professora Nísia Floresta se destacou. Ela lutou pela emancipação feminina e foi fundadora da primeira escola para meninas no Brasil, garantindo o direito à educação em uma época em que poucas meninas e mulheres jovens frequentavam o ensino público.

Nas primeiras décadas do século XX, a luta pelo direito das mulheres ganhou força. Impulsionada pelo movimento de grupos sindicalistas empenhados na melhoria das condições de trabalho e melhores salários, por exemplo, muitas mulheres operárias se articularam para reivindicar melhores condições de trabalho, com licença-maternidade, melhores salários e jornadas de trabalho menores.

Baltazar da Câmara. Retrato de Nísia Floresta produzido no final do século XIX. Óleo sobre tela. Acervo da Fundação Joaquim Nabuco, Recife (PE).

Foto de tecelãs trabalhando em indústria na cidade de São Paulo (SP), durante a década de 1920.

A imprensa foi um importante meio de divulgação das reivindicações das mulheres e auxiliou na conquista de apoio de políticos e da opinião pública. Fac-símile do jornal *O Brasil*, de 3 de março de 1925.

A participação política também foi uma pauta importante nas reivindicações femininas do início do século XX. Em 1922, por exemplo, a bióloga brasileira Bertha Lutz liderou a **Federação Brasileira Pelo Progresso Feminino**, na cidade do Rio de Janeiro.

Essa e outras associações promoviam campanhas e manifestações pelos direitos das mulheres, como o direito ao voto, buscando apoio de políticos e da opinião pública.

Movimentos modernistas na arte

Na Europa, desde meados do século XIX, o desenvolvimento tecnológico e as mudanças sociais e culturais vinham influenciando diversos movimentos artísticos que buscavam romper com os padrões acadêmicos nas artes visuais, na música e na literatura. Surgiram, então, vários movimentos artísticos de vanguarda, como o Cubismo (1907), o Futurismo (1909), o Expressionismo (1910) e o Dadaísmo (1916). Esses movimentos, também conhecidos como movimentos modernistas, buscavam mais originalidade e liberdade de estilo.

No Brasil, o Modernismo surgiu no início do século XX por meio do contato de artistas brasileiros com movimentos da vanguarda europeia. Diversos intelectuais e artistas do país passaram a defender a ideia de que a arte produzida no Brasil precisava de grande renovação. Por isso, eles ficaram conhecidos como **modernistas**.

Essa tela, do pintor espanhol Juan Gris, é um exemplo de arte cubista. *Retrato de Josette Gris*, 1916. Óleo sobre tela. Acervo do Museu Nacional Centro de Arte Reina Sofia, Madri, Espanha.

Vanguarda: o que está à frente do seu tempo, que é considerado novo, avançado.

Mas afinal, o que é modernidade?

Uma das possíveis respostas a essa pergunta pode ser a que o historiador francês Jacques Le Goff apresentou para definir o conceito de modernidade. Para ele, modernidade tem a ver com um profundo sentimento de ruptura com o passado.

Portanto, podemos definir o moderno como aquele que busca pelo rompimento de valores e conceitos tradicionais, vigentes em uma determinada época. Nesse sentido, os artistas do Modernismo brasileiro procuravam trazer novas ideias e elementos estéticos para suas obras.

As principais características do Modernismo brasileiro foram:

- liberdade de criação;
- rompimento com a tradição;
- experimentalismo;
- valorização de elementos do cotidiano, do comum, do que é banal.

Essa nova perspectiva da arte e da cultura valorizada pelos modernistas estava diretamente ligada à época em que viviam, marcada por grandes transformações políticas, avanços na ciência e tecnologia e outros acontecimentos do início do período republicano.

A pintura modernista no Brasil

Entre as diversas expressões artísticas do movimento modernista brasileiro, como a literatura e a música, a pintura foi um dos destaques. As pinturas modernistas apresentavam características até então pouco exploradas pelos artistas brasileiros. Pinceladas ágeis, cores fortes e mais liberdade de formas passaram a ser muito valorizadas pelos pintores modernistas. Observe as obras a seguir. Procure identificar os elementos modernistas presentes nessas pinturas.

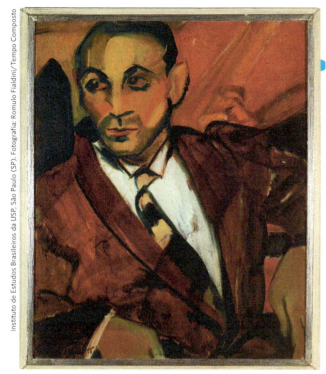

Anita Malfatti. *O homem amarelo*, 1916. Óleo sobre tela. Acervo do Instituto de Estudos Brasileiros da USP, São Paulo (SP).

Tarsila do Amaral. *Abaporu*, 1928. Óleo sobre tela. Acervo do Museu de Arte Latino-americano de Buenos Aires, Argentina.

A Semana de 1922

Para divulgar suas ideias, os modernistas promoveram a **Semana de Arte Moderna**, em fevereiro de 1922, na cidade de São Paulo. Esse evento teve a participação de diversos intelectuais e artistas divulgando suas propostas, como os pintores Anita Malfatti e Di Cavalcanti; os escritores Mario de Andrade, Oswald de Andrade e Manuel Bandeira; e o músico Heitor Villa-Lobos.

As obras de arte e as demais produções apresentadas nesse evento chocaram muitas pessoas, pois os artistas propunham novas ideias e perspectivas sobre a arte, o que era desconhecido até então para grande parte do público. Por causa do impacto que ela provocou, a Semana de 1922 é considerada um marco simbólico para o movimento modernista brasileiro.

Atividades

Organizando o conhecimento

1. A Constituição de 1891 garantia o direito de voto a quais cidadãos brasileiros?

2. Explique o que era a política do café com leite.

3. Leia novamente as páginas **26** a **29** e produza um texto sobre as mudanças no cotidiano da população brasileira no início do século XX. Utilize as palavras do quadro a seguir em seu texto.

| comportamento • hábitos • inovações • Modernismo • tecnologia |

Conectando ideias

4. A capoeira é uma manifestação cultural de origem afro-brasileira que agrega aspectos de dança, música e luta. Em 2014, a capoeira foi reconhecida como Patrimônio Cultural Imaterial da Humanidade. No início do século XX, ela chegou a ser proibida, e sua prática, perseguida pelas autoridades do governo republicano. Leia a seguir um trecho do Código Penal brasileiro de 1890 que trata das punições aos praticantes da capoeira.

Crianças quilombolas praticam capoeira durante Festa de Cultura Afro, realizada no Dia da Consciência Negra, em Araruama (RJ). Foto de 2015.

Dos vadios e capoeiras

[...] Art. 402. Fazer nas ruas e praças públicas exercícios de agilidade e destreza corporal conhecidos pela denominação **capoeiragem**; andar em correrias, com armas ou instrumentos capazes de produzir uma lesão corporal, provocando tumultos ou desordens, ameaçando pessoa certa ou incerta, ou incutindo temor de algum mal:

Pena: de prisão [...] por dous a seis mezes. [...]

Decreto n. 847 de 11 de outubro de 1890. Senado Federal. Secretaria de Informação Legislativa. Disponível em: <https://legis.senado.leg.br/legislacao/ListaTextoSigen.action?norma=389719&id=14444059&idBinario=15629240>. Acesso em: 26 jul. 2018.

a) De acordo com o Código Penal de 1890, como a capoeira é descrita?

b) O artigo 402 agrupa a capoeira com quais outras atividades?

c) Atualmente, a capoeira é praticada em vários países, como Estados Unidos, México, Japão, Israel, alguns países da Europa, entre outros. Em sua opinião, por que a capoeira conquistou adeptos em tantos lugares diferentes? Comente com os colegas.

5. Leia o texto a seguir, que comenta sobre o processo de urbanização da cidade de São Paulo no início do século XX. Depois responda às questões.

> [...] a urbanização paulistana implicou "embelezamento" da cidade, mas, de maneira simétrica, empreendeu nova expulsão da pobreza e das atividades ligadas ao mundo do trabalho, consideradas incompatíveis com a modernidade. Essa é a época da aprovação de uma série de regulamentações oficiais (as chamadas "posturas"), que previam multas e impostos para atividades que, até então, caracterizavam o dia a dia da cidade: venda de galinhas, vassouras, frutas e legumes etc. [...] Por um lado, a infraestrutura da cidade foi alterada, com a abertura de novos bairros e ruas elegantes, que revolucionaram o até então pacato cotidiano paulistano. [...] Por outro lado, foram demolidos muitos casebres e favelas, tudo em nome do prolongamento das ruas e da ampliação de largos e praças. [...]
>
> Lilia Moritz Schwarcz. População e sociedade. Em: Lilia Moritz Schwarcz (Coord.).
> *A abertura para o mundo*: 1889-1930. Rio de Janeiro: Objetiva, 2012. p. 47.
> (História do Brasil Nação 1808-2010).

a) O que eram as "posturas" e o que elas previam?

b) Quais foram as consequências dessas medidas para a população mais pobre?

6. A charge a seguir faz referência a uma medida adotada pelo governo provisório e consolidada pela Constituição de 1891. Analise-a e, depois, responda às questões.

Charge de Pereira Neto publicada na *Revista Illustrada*, em 1890. Acervo da Fundação Biblioteca Nacional do Rio de Janeiro (RJ).

a) O homem que está portando a espada faz referência a que grupo da sociedade brasileira do final do século XIX?

b) Quem são as pessoas representadas do lado direito da imagem e por que elas estão assustadas? Explique.

c) Qual é a medida tratada na charge? Cite elementos da imagem para explicar como você chegou a essa conclusão.

d) A medida identificada no item **c** está presente na Constituição atual do Brasil? Se necessário, faça uma breve pesquisa para responder a essa questão.

CAPÍTULO 2

Movimentos sociais e resistência

A modernização e as melhorias ocorridas nas grandes cidades do Brasil não eram partilhadas por todas as camadas da sociedade. Os grandes centros urbanos atraíam populações que vinham de diferentes regiões do país em busca de trabalho e de melhores condições de vida. No entanto, o número de pessoas desempregadas era cada vez maior. Assim, muitas famílias tinham que viver em cortiços e em outras moradias precárias. Para agravar ainda mais a situação, havia problemas de saúde e higiene. Todos esses fatores contribuíram para o surgimento de diversas mobilizações populares no início do século XX.

▌ Mobilizações nas cidades

Como vimos no capítulo anterior, a cidade do Rio de Janeiro, no começo do século XX, estava passando por um intenso processo de reformas urbanas. Além disso, para combater as frequentes epidemias, como a febre amarela, a varíola e a peste bubônica (também conhecida como peste negra), doenças que causavam grande número de mortes, foi colocada em prática uma política de saneamento e higienização.

O médico sanitarista Oswaldo Cruz foi o encarregado de promover uma série de medidas de combate e erradicação dessas doenças. Entre essas medidas, estava a criação da Brigada Mata-Mosquitos, formada por grupos de funcionários que vistoriavam as moradias da cidade com o objetivo de identificar e eliminar focos de doenças. Os agentes sanitários eram acompanhados de policiais, que muitas vezes utilizavam a violência para, se preciso, invadir as moradias, causando grande insatisfação nas pessoas.

Outra medida que gerou polêmica nessa época foi a criação de uma lei, no início de novembro de 1904, que tornava obrigatória a vacinação contra a varíola. No entanto, o governo não informou adequadamente a população sobre a vacinação. Assim, a população do Rio de Janeiro, que já estava insatisfeita com as reformas urbanas e com a ação da Brigada Mata-Mosquitos, acabou revoltando-se.

▶ Com a criação da lei da vacinação obrigatória, os meios de comunicação da cidade, como revistas e jornais, denunciavam a medida imposta por meio de textos e charges, como essa ao lado. *O espeto obrigatório*, charge publicada em 1904 na revista *A Avenida*.

32

A revolta da vacina

Nos dias seguintes à instituição dessa lei, as ruas da cidade tornaram-se palco de diversas manifestações e protestos que exigiam o fim da obrigatoriedade da vacinação. Foi a chamada **Revolta da Vacina**, ocorrida entre os dias 10 e 16 de novembro de 1904, em que a população derrubou e incendiou bondes, depredou lojas, quebrou postes, montou barricadas com pedras e paus que estavam nas ruas, como pode ser observado nas fotos apresentadas a seguir. A força policial e militar reagiu violentamente, atirando contra os populares.

Após violentos conflitos nas ruas da cidade, a revolta popular foi controlada pelas forças do governo e a obrigatoriedade da vacina foi suspensa. No final do conflito contabilizou-se um saldo de trinta mortos, 110 feridos e 945 presos que foram deportados para trabalhar nos seringais, no estado do Acre, ou enviados para a prisão na ilha das Cobras, no Rio de Janeiro.

Os conflitos se estenderam a diferentes regiões do centro da cidade do Rio de Janeiro (RJ). Um bonde foi tombado na praça da República, esquina com a rua da Alfândega. Foto de novembro de 1904.

A população resistiu de diversas maneiras, construindo barricadas, usando armas de fogo ou atirando objetos. Ao lado, foto de barricada no bairro da Gamboa, Rio de Janeiro (RJ), em novembro de 1904.

A importância da vacina

Atualmente, a vacinação continua sendo um dos principais e mais eficazes métodos de prevenção de doenças no mundo todo. Isso acontece porque, além de nos proteger contra determinadas doenças, protege também a comunidade em que vivemos, impedindo que as doenças se espalhem e se tornem epidemias. Graças às vacinas, doenças como o sarampo, a poliomielite e o tétano estão sob controle e não afetam grande parte da população.

No Brasil, há cerca de 10 vacinas obrigatórias, além de outras opcionais que devem ser aplicadas nas pessoas desde o seu nascimento. Essas vacinas ajudam a controlar os casos de contágio e, mesmo com o passar dos anos, a erradicar doenças como a varíola, que vitimava pessoas no mundo todo desde a Antiguidade.

Embora algumas pessoas ainda resistam à vacinação, o governo e vários profissionais da saúde alertam para a importância da vacinação não só de bebês e crianças, mas também de idosos contra as mais diversas doenças que ainda prejudicam a população. Veja a seguir dados estatísticos sobre a incidência de algumas doenças pelo mundo ao longo dos anos e como as vacinas foram determinantes no combate a cada uma delas.

Material de divulgação da Campanha Nacional de Vacinação de 2018.

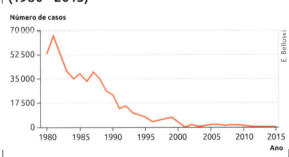

Fonte: Organização Mundial da Saúde.

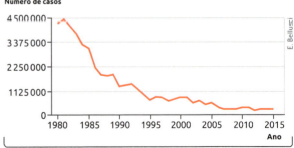

Fonte: Organização Mundial da Saúde.

1. De acordo com os gráficos, o que aconteceu com a incidência das doenças exemplificadas entre os anos de 1980 e 2015?

2. Qual a importância das vacinas para a saúde pública? Converse com os colegas.

A Revolta dos Marinheiros

Outra mobilização que aconteceu no Rio de Janeiro, no começo do século XX, foi a **Revolta dos Marinheiros**, também conhecida como **Revolta da Chibata**, em novembro de 1910. No contexto de modernização que prevalecia no país, a Marinha brasileira também estava se modernizando. O Brasil era uma das maiores potências navais na época, e a Marinha acabara de reaparelhar sua frota com modernos navios, como torpedeiros, cruzadores e encouraçados.

A modernização da Marinha, porém, não foi acompanhada por melhorias nas condições de trabalho dos marinheiros, os quais, de maioria afrodescendente, sofriam com a má alimentação, com o trabalho excessivo e com os baixos salários. Além disso, as normas disciplinares da Marinha ainda eram as mesmas dos tempos da Monarquia, com a aplicação de castigos físicos como a chibatada em caso de desrespeito às regras.

> **Encouraçado:** navio de guerra armado com canhões.
>
> **Anistiar:** ato que anula punições e condenações por motivos políticos praticadas em determinado período.

Diante dessa situação, os marinheiros planejaram uma revolta, que eclodiu quando Marcelino Rodrigues Menezes foi punido com 250 chibatadas a bordo do encouraçado *Minas Gerais*. Os participantes da revolta ocuparam então os navios de guerra e apontaram os canhões para a capital, ameaçando bombardear o Rio de Janeiro. O movimento, que teve a participação de cerca de 2 300 marinheiros, exigia o fim dos castigos físicos, o aumento dos salários e melhores condições de trabalho.

Após alguns dias, a revolta terminou vitoriosa: os castigos físicos e o uso da chibata foram abolidos da Marinha brasileira. Os envolvidos na revolta renderam-se e foram anistiados. Porém, pouco tempo depois, em represália, o governo baixou um decreto permitindo que eles fossem expulsos da Marinha. Com isso, muitos marinheiros foram presos e deportados para o Acre, sendo muitos deles executados ainda no caminho.

Encouraçado *Minas Gerais* retratado em foto de 1909.

Participantes da Revolta da Chibata a bordo do encouraçado *São Paulo*, em foto de 1910. O principal líder da revolta era João Cândido, conhecido como "almirante negro" (ao centro).

O trabalho nas fábricas

No início do período republicano no Brasil, o setor industrial intensificou as suas atividades, atraindo pessoas de diferentes regiões do país, que partiam em busca de emprego e de melhores condições de vida nas cidades industrializadas, principalmente São Paulo. Assim, essas pessoas passaram a trabalhar como operários nas fábricas.

A falta de leis para regulamentar a rotina de trabalho deixava os operários sujeitos às arbitrariedades dos patrões, que estabeleciam as jornadas de trabalho, os salários e os regulamentos internos nas fábricas.

Os operários chegavam a realizar jornadas de catorze horas diárias, seis dias por semana. Às vezes, trabalhavam também em horários noturnos. Algumas fábricas aplicavam multas ou mesmo castigos corporais como forma de punição, caso os operários não cumprissem as metas ou desrespeitassem as regras impostas pelos donos das fábricas.

A remuneração do trabalho nas fábricas era baixa, e mulheres e crianças recebiam salários inferiores aos dos homens. Além dos baixos salários, as condições de trabalho eram bastante difíceis, com longas jornadas e condições insalubres.

Muitas crianças, por terem de trabalhar nas fábricas para complementar a renda familiar, não tinham acesso ao ensino, e às vezes passavam a vida toda sem frequentar a escola. Mulheres e crianças trabalhavam em diferentes setores da indústria, principalmente tecelagem, vestuário, confecções e alimentos.

Mulheres trabalhando em uma fábrica de tecidos em Uruguaiana (RS), em foto de 1916. Acervo da Biblioteca Municipal Mário de Andrade, São Paulo (SP).

A formação de sindicatos

Para garantirem seus direitos, no início do século XX, muitos trabalhadores passaram a se organizar em sindicatos. Essas associações de trabalhadores atuavam na luta por direitos como a regulamentação da jornada de trabalho, salários dignos e melhores condições de trabalho dentro das fábricas.

As maneiras mais comuns de mobilização eram por meio da imprensa escrita; de manifestações, como comícios e passeatas; e de greves, que atingiam diretamente os interesses dos patrões com a paralisação das atividades nas fábricas.

Os sindicatos chegaram a ser perseguidos pelas autoridades policiais, que os viam como organizações que visavam perturbar a ordem, com seus associados sendo considerados "agitadores" e "baderneiros", muitos dos quais foram presos como criminosos. Várias manifestações dos trabalhadores eram dispersas com violência policial.

Apesar das dificuldades enfrentadas na época, a atuação dos sindicatos foi muito importante na conquista de direitos e na regulamentação do trabalho nas fábricas. Muitos direitos, como os de férias e de licença-maternidade, foram conquistados por causa da ação coletiva dos trabalhadores.

O país em greve

Em 1917, os operários conseguiram organizar uma greve geral, que atingiu várias cidades do país e teve a participação de aproximadamente 70 mil trabalhadores. A greve começou em São Paulo e teve a adesão de trabalhadores de outros estados, como Rio de Janeiro, Paraíba, Minas Gerais e Rio Grande do Sul.

Entre as reivindicações dos operários e das operárias, estavam:

- a regulamentação do trabalho de mulheres e menores (proibição do trabalho de menores de 14 anos e abolição do trabalho noturno para mulheres);
- a redução da jornada de trabalho para oito horas;
- o aumento de salários;
- o respeito ao direito de associação para os trabalhadores.

Grevistas no Largo do Palácio, na cidade de São Paulo (SP). Foto de 1917.

Mobilizações no campo

No interior do país, o isolamento e a falta de políticas específicas para o campo levaram à exclusão da população sertaneja do projeto de modernização republicano.

A concentração de terras nas mãos de poucos latifundiários dificultava o acesso à propriedade rural. Muitos camponeses sofriam com a exploração da mão de obra, além de suportarem maus-tratos e péssimas condições de vida. Na região Nordeste atual, essa situação podia piorar com o problema da seca, que causava fome e miséria, gerando conflitos entre camponeses e latifundiários.

Essa situação contribuiu para a eclosão de movimentos sociais no campo em várias regiões, entre eles, a **Guerra de Canudos** e a **Guerra do Contestado**.

A Guerra de Canudos

A Guerra de Canudos, considerada um dos conflitos mais violentos da história do país, aconteceu na Bahia entre os anos de 1896 e 1897. Canudos foi um povoado no interior da Bahia onde Antônio Vicente Mendes Maciel, conhecido como Antônio Conselheiro, passou a viver com seus seguidores em 1893. Conselheiro, que era um peregrino e pregador da região, mudou o nome do povoado para arraial de Belo Monte. Em suas pregações, ele fazia várias críticas à República, principalmente com relação ao aumento de impostos e à situação de miséria do povo.

A comunidade chegou a abrigar cerca de 20 mil moradores. O crescimento do povoado incomodou os latifundiários, pois muitas famílias deixavam suas moradias e o trabalho para viver em Canudos, provocando a diminuição da mão de obra nas fazendas da região. Assim, logo começou a ser difundida a ideia de que Canudos era um reduto onde viviam milhares de "fanáticos", inimigos da República e de seus ideais de "ordem e progresso".

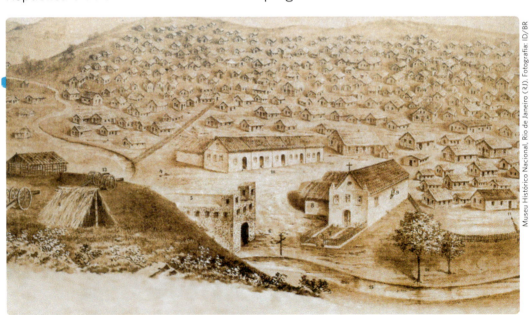

Em Canudos, a economia era baseada no uso comum da terra e no trabalho comunitário. A gravura ao lado, de 1897, representa o arraial de Canudos. Autor desconhecido. Acervo do Museu Histórico Nacional, Rio de Janeiro (RJ).

Em resposta, o governo enviou para o arraial três expedições militares com o objetivo de destruir Canudos, mas o Exército encontrou forte resistência dos sertanejos. Somente na quarta expedição, em 1897, após utilizar quase metade do efetivo do Exército (que era de 20 mil soldados na época), além de homens das polícias estaduais da região, o arraial de Canudos foi completamente destruído e sua população, massacrada.

Mulheres e crianças de Canudos aprisionadas no arraial pelas forças militares nos últimos dias de conflito. Foto de 1897.

A Guerra do Contestado

O Contestado era uma região disputada entre os estados do Paraná e de Santa Catarina. Nessa região, entre os anos de 1912 e 1916, ocorreu outro violento conflito, que ficou conhecido como Guerra do Contestado.

O movimento era formado por seguidores do monge e curandeiro José Maria e por um grupo de posseiros, pequenos lavradores, peões, opositores dos coronéis e pessoas que haviam sido expulsas de suas terras por causa da construção de uma ferrovia ligando os estados de São Paulo e do Rio Grande do Sul.

A empresa que recebeu concessão para a construção e a exploração da estrada de ferro foi a estadunidense Brazil Railway Company. O governo brasileiro cedeu a essa empresa até 15 km de terra para cada margem da linha férrea. Esse território foi utilizado pela empresa para extração de madeira. Assim, muitos sertanejos que viviam havia décadas naquelas terras foram expulsos e obrigados a procurar outros meios de sobrevivência.

Além das motivações sociais, como a pobreza e a dominação dos coronéis, a Guerra do Contestado foi marcada pelo **messianismo** (veja o boxe). Logo, o movimento foi considerado pelo governo contrário à República, por rejeitar os valores do novo regime instaurado no país.

Assim, em 1912 teve início o conflito, com o combate entre os revoltosos e as tropas do governo no município catarinense de Irani, onde o monge José Maria foi morto. A partir de então, os sertanejos tiveram outros líderes, mas sempre mantiveram a esperança do retorno do monge e de seu "exército encantado", como era por eles considerado.

O conflito se estendeu até 1916, após muita resistência e luta dos sertanejos. Assim como em Canudos, os seguidores do monge foram acusados de "fanáticos", e o governo utilizou cerca de 8 mil soldados, além dos vaqueanos, que eram civis contratados por fazendeiros da região, para conter o movimento.

Em 1916, os últimos sertanejos do Contestado foram derrotados pelas tropas do governo, e os redutos sertanejos, ou "cidades santas", como eram chamados, foram totalmente destruídos.

A foto acima retrata um grupo de sertanejos aprisionados em Canoinhas, atual estado de Santa Catarina, em 1916.

O messianismo

As comunidades de Canudos e do Contestado foram fundadas por princípios **messiânicos**. A religiosidade, principalmente o catolicismo popular, exerceu um papel muito importante nessas comunidades.

Os movimentos messiânicos são marcados pela crença em um salvador, alguém enviado pelo divino, com a expectativa de que ele instaure uma nova era de felicidade e paz, colocando fim às opressões e injustiças. Tem como característica líderes religiosos carismáticos, os quais podem ser conhecidos como profetas, monges ou conselheiros.

Mulheres do Contestado

As mulheres tiveram uma atuação muito importante na Guerra do Contestado. Elas preparavam alimentos para todos, cuidavam de crianças, feridos e doentes, além de muitas delas se destacarem nos combates armados ou desempenhando papéis de liderança.

Entre essas mulheres havia as chamadas **virgens**, escolhidas entre as que eram consideradas puras e piedosas, não significando, necessariamente, que não haviam tido relações sexuais, pois muitas eram casadas. Elas acompanhavam o monge José Maria e ajudavam nas rezas, nas pregações e no preparo de bebidas usadas como remédio. As virgens que mais se destacaram durante o conflito eram adolescentes entre 11 e 15 anos de idade.

Após a morte em combate do monge José Maria, as virgens passaram a exercer papel de videntes, realizando a mediação entre o "mundo encantado", mítico, e o mundo dos sertanejos. Em momentos de transe ou por meio de sonhos, elas relatavam visões do monge e transmitiam as supostas ordens dele para os sertanejos.

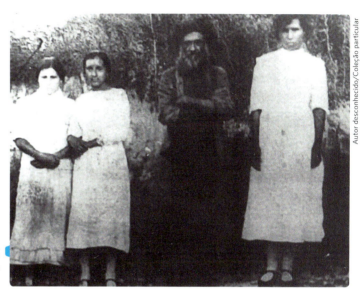

Foto de cerca de 1912 mostrando o monge José Maria e três virgens.

Por causa desse poder simbólico, muitas delas tornaram-se líderes nas comunidades e também nos combates. Entre as virgens, Maria Rosa foi uma das que mais se destacaram. Ela tinha aproximadamente 15 anos e sempre usava roupa branca.

O texto a seguir aborda seu papel de comando nos redutos.

> [...] Maria Rosa foi a personagem feminina de maior destaque da época nos redutos. A ela foram atribuídas qualidades excepcionais enquanto vidente e comandante. Dificilmente alguém fazia algo sem antes consultar "quem tudo sabia". [...]
>
> [...] o povo obedecia cegamente às ordens de Maria Rosa, que era vista como a principal representante da vontade do monge, e dele conhecia os secretos desejos; para tanto, Maria Rosa designava comandantes e sentenciava, se necessário. [...]
>
> Aline Eloíse Trento, Vanessa Maria Ludka e Nilson Cesar Fraga. Guerreiras imortais do Contestado, as que tudo viam e faziam durante a guerra de extermínio. *Geographia Opportuno Tempore*, Londrina, v. 1, número especial, jul./dez. 2014. p. 278-279. Disponível em: <www.uel.br/revistas/uel/index.php/Geographia/article/view/20295/15342>. Acesso em: 23 ago. 2018.

> Em sua opinião, as mulheres foram importantes nesse conflito? E na atualidade, qual é o papel das mulheres nos movimentos sociais? Converse com os colegas.

Atividades

Organizando o conhecimento

1. Copie o quadro abaixo no caderno e complete-o com as principais informações sobre a Revolta da Vacina e a Revolta dos Marinheiros.

	Revolta da Vacina	Revolta dos Marinheiros
Quando ocorreu		
Onde ocorreu		
Motivos/causas		
Como terminou		

2. Qual foi a forma de organização adotada pelos trabalhadores urbanos para lutarem por seus direitos, na primeira metade do século XX? Explique como ela funcionava.

3. Explique os principais motivos que desencadearam a Guerra do Contestado.

Conectando ideias

4. Leia o texto abaixo e analise a charge. Depois, responda às questões.

[...]

Antônio Conselheiro há vinte e dois anos, desde 1874, era famoso em todo o interior do Norte e mesmo nas cidades do litoral até onde chegavam entretecidos de exageros e quase lendários, os episódios mais interessantes de sua vida romanesca; dia a dia ampliara o domínio sobre as gentes sertanejas; vinha de uma peregrinação incomparável, de um quarto de século, por todos os recantos do sertão, onde deixara enormes marcos, demarcando-lhe a passagem [...].

Euclides da Cunha. *Os Sertões*: campanha de Canudos. 39. ed. Rio de Janeiro: Francisco Alves Editora; Publifolha, 2000. p. 190. (Coleção Grandes Nomes do Pensamento Brasileiro).

Charge publicada na *Revista Illustrada*, em 1897, representando Antônio Conselheiro. Na legenda da imagem lê-se: "A situação real do fanático sebastianista, metido em Canudos, em verdadeiros canudos (livra!) nos sertões da Bahia. É o caso de dizer-lhe: 'Fia-te na Virgem ou no bom Jesus, e...'". Acervo da Fundação Biblioteca Nacional, Rio de janeiro (RJ).

a) De acordo com o que você estudou neste capítulo, por que o autor do texto acima afirma que Antônio Conselheiro deixou "enormes marcos" no sertão nordestino?

b) Descreva a charge e relacione-a com o movimento do messianismo.

c) Explique como o autor da charge ironiza o termo "canudos".

5. Observe a charge a seguir e, depois, responda às questões em seu caderno.

Charge produzida por Leônidas Freire. Revista *O Malho*, 1904.

a) Qual episódio da história brasileira foi representado na charge?

b) A personagem central da charge é Oswaldo Cruz. De que maneira ele foi representado?

c) Explique qual foi a participação de Oswaldo Cruz nesse episódio histórico.

d) Como as pessoas que eram contrárias à obrigatoriedade da vacinação foram representadas?

e) Por que as pessoas reagiram dessa maneira à vacinação obrigatória? Converse com os colegas.

Verificando rota

Qual tema desta unidade mais chamou sua atenção? Junte-se a um colega de sala e explique os principais pontos desse tema. Depois, escute a explicação de seu colega acerca do tema escolhido por ele e troquem informações sobre os assuntos da unidade.

Para finalizar, procure responder aos questionamentos a seguir.

- Você costuma conversar sobre o que estudou com seus colegas? Isso o ajuda a compreender os assuntos? Por quê?
- Os conteúdos apresentados nesta unidade o ajudaram a refletir sobre alguns dos problemas atuais da sociedade brasileira? Que problemas são esses?
- Sobre qual dos temas estudados você gostaria de saber mais? Por quê?
- Você buscou informações extras sobre os temas estudados em outros meios, como livros, revistas, jornais, filmes e páginas da internet? Sobre quais temas? Como essas informações ajudaram ou podem ajudá-lo?

43

Ampliando Fronteiras

Futebol e racismo

O futebol é um dos esportes mais populares do mundo. Ele surgiu na Inglaterra, no século XIX, como um desporto praticado por pessoas com grande poder aquisitivo.

No Brasil, o futebol foi introduzido em 1894 por Charles Miller, um brasileiro que teve seu primeiro contato com esse esporte quando morou na Inglaterra.

Os primeiros times de futebol formados no Brasil não tinham jogadores negros.

Para entendermos o surgimento do racismo no futebol brasileiro é fundamental levarmos em consideração o contexto histórico em que o esporte chegou ao Brasil, ou seja, apenas alguns anos após a abolição da escravidão no país. Leia o texto.

> [...] Durante um bom tempo o Brasil ainda viveu o ranço escravagista, e a relação entre antigos senhores e ex-escravizados continuou pautada nas relações que se estabeleciam no regime de escravidão. A nova situação dos negros, de escravizados para libertos, não foi aceita imediatamente pela sociedade brasileira.
>
> O fato de serem libertados por força da lei não garantia aos negros os mesmos direitos de fato e todas as oportunidades dadas aos brancos em nosso país, sobretudo, às camadas mais ricas da população. Por isso, além da libertação oficial, instituída por lei, os negros brasileiros após a abolição tiveram que implementar um longo e árduo processo de construção de igualdade e de acesso aos diversos setores sociais [...]

Kabengele Munanga e Nilma Lino Gomes. *O negro no Brasil de hoje*. São Paulo: Global, 2006. p. 107. (Coleção Para Entender).

Desporto: prática esportiva, de recreação ou lazer.
Ranço: sinal, resto, vestígio.

No início do século XX, poucos times de futebol brasileiros aceitavam a participação de jogadores negros. A Ponte Preta, do estado de São Paulo, e o Bangu, do Rio de Janeiro, foram os primeiros times com jogadores negros.
Na foto, o time do Bangu na cidade do Rio de Janeiro (RJ), em 1911.

Casos de racismo na atualidade

Atualmente, há jogadores negros atuando em praticamente todos os times de futebol do Brasil. Porém, apesar de ser considerado crime em nosso país, muitos jogadores afrodescendentes sofrem racismo dentro e fora de campo.

#DigaNãoAoRacismo

Uma das campanhas contra o preconceito racial no futebol foi promovida pela Federação Internacional de Futebol (FIFA), durante a Copa do Mundo de 2014. A campanha, intitulada "Diga não ao racismo", pedia aos torcedores que publicassem a frase nas redes sociais como forma de manifestação contra a intolerância.

A campanha continua. Na foto, jogadores do México e da Alemanha seguram o cartaz com os dizeres "diga não ao racismo" em inglês, durante a Copa das Confederações, em 2017.

1. Você conhece a campanha #DigaNãoAoRacismo ou outras manifestações sobre esse tema? Você acha que esse tipo de campanha é eficaz para combater o racismo? Explique.

2. Em grupo, reflitam sobre as possibilidades de combater o racismo no futebol brasileiro. Anotem as ideias de vocês em um texto coletivo. Depois, com os demais grupos, promovam um debate em sala de aula sobre o tema. Após o debate, organizem uma campanha de conscientização na escola.

45

UNIDADE 2
O mundo em conflito

Capítulos desta unidade
- **Capítulo 3** - A Primeira Guerra Mundial
- **Capítulo 4** - A Revolução Russa

Foto de soldados alemães em trincheira na Prússia Oriental, no início da Primeira Guerra Mundial, em 1914.

Iniciando rota

1. Observe a foto ao lado e responda: como é o nome da escavação onde os soldados estão? Para que serve essa escavação?

2. Quais motivos podem levar um país a entrar em guerra contra outro? Comente com os colegas.

3. Em sua opinião, como é o dia a dia de pessoas que moram em um país que está em guerra?

CAPÍTULO 3

A Primeira Guerra Mundial

No final do século XIX, a Europa vivia um período de grande entusiasmo, em parte por causa das inovações tecnológicas proporcionadas pela Revolução Industrial. Essa época ficou conhecida como *Belle Époque*, expressão francesa que significa "bela época". No entanto, as mudanças ocorridas nesse período beneficiaram principalmente os membros das elites das grandes cidades.

Apesar desse entusiasmo, essa época foi marcada também por rivalidades entre as potências europeias, como veremos a seguir.

O imperialismo e as tensões nacionalistas

Durante as últimas décadas do século XIX, a recém-unificada Alemanha obteve grande crescimento industrial e rápido desenvolvimento de sua marinha mercantil e de guerra. Esses fatores contribuíram para acirrar a concorrência entre ela e as duas principais potências econômicas europeias do período, Inglaterra e França.

A disputa entre as potências europeias por territórios coloniais na Ásia e na África se intensificou durante as últimas décadas do século XIX. O crescimento industrial desses países levou-os a buscar novos mercados consumidores para seus produtos, assim como novas fontes de matéria-prima para suas indústrias. O domínio de novos territórios coloniais era uma solução para essas questões.

Além disso, o desenvolvimento industrial estava bastante ligado às tensões nacionalistas manifestadas na Europa no período. Nesse sentido, a indústria armamentista desempenhou importante papel, pois cada potência queria demonstrar seu poder bélico, o que gerou uma corrida armamentista entre elas.

Foto de indústria armamentista em Essen, na Alemanha, em 1909.

O crescimento do nacionalismo

Outro fator que contribuiu para ampliar as tensões entre os países europeus foi o forte sentimento nacionalista existente durante esse período na Europa. Esse sentimento estimulou a formação de nações imperialistas, que buscavam expandir seu território dominando outras nações politicamente e economicamente.

Na França, o nacionalismo manifestava-se em um sentimento de revanche em relação à Alemanha que já existia desde a Guerra Franco-Prussiana (1870-1871), quando os franceses perderam a região da Alsácia-Lorena, rica em minérios, para os alemães.

O sentimento nacionalista também fomentou a formação de movimentos como o pan-eslavismo e o pangermanismo, que pretendiam unir povos de uma mesma etnia, mas que viviam em países diferentes, em uma nação.

O pan-eslavismo, liderado pela Rússia, era um movimento que pregava a união dos povos eslavos. Já o pangermanismo era liderado pela Alemanha e pregava a união dos povos de origem germânica em um único Estado.

O estopim da Primeira Guerra Mundial

No início do século XIX, vários países da península Balcânica eram dominados pelo Império Turco-Otomano. No final do século XIX, essa região foi palco de movimentos nacionalistas e de conflitos pela independência dos países, os quais eram estimulados pelas potências europeias, como o Império Austro-Húngaro, que tinham interesses econômicos na região.

Os nacionalistas sérvios, que também apoiavam os movimentos de independência nos Bálcãs, tinham interesses distintos: desejavam formar um Estado, a Grande Sérvia, que seria uma confederação de territórios sérvios e croatas, de acordo com o pan-eslavismo, movimento nacionalista liderado pela Rússia. Para defender seus interesses e manter o domínio sobre a região, os governantes austro-húngaros combatiam os nacionalistas sérvios.

> **Península Balcânica:** localizada na região sudeste da Europa, é formada por países como os atuais Bósnia-Herzegovina, Grécia, Macedônia, Sérvia, Montenegro, Romênia, Croácia e Bulgária.

No dia 28 de junho de 1914, durante visita oficial à cidade de Sarajevo, na Bósnia, o arquiduque austríaco Francisco Ferdinando, sucessor do trono do Império Austro-Húngaro, e sua esposa, Sofia Chotek, foram mortos por Gavrilo Princip, um estudante e nacionalista sérvio que disparou contra eles. Diante desse fato, no dia 28 de julho de 1914 o Império Austro-Húngaro declarou guerra contra a Sérvia.

Foto de 1914 que mostra o momento da prisão de Gavrilo Princip, que assassinou o arquiduque austríaco Francisco Ferdinando e também a esposa dele.

A guerra declarada

A declaração de guerra mobilizou países aliados de ambos os lados. A Rússia, aliada da Sérvia, movimentou suas tropas. A Alemanha, aliada do Império Austro-Húngaro, interveio, exigindo que a Rússia desmobilizasse suas tropas. Como não houve resposta, a Alemanha declarou guerra à Rússia.

Até novembro de 1914, a situação era a seguinte: a Rússia, a França e a Grã-Bretanha estavam unidas no bloco chamado **Potências da Entente** ou Aliados. O Império Austro-Húngaro, a Alemanha e a Itália pertenciam ao bloco que ficou conhecido como **Potências Centrais**. A guerra entre esses países durou quatro anos e, no decorrer desse tempo, outros países se envolveram no conflito.

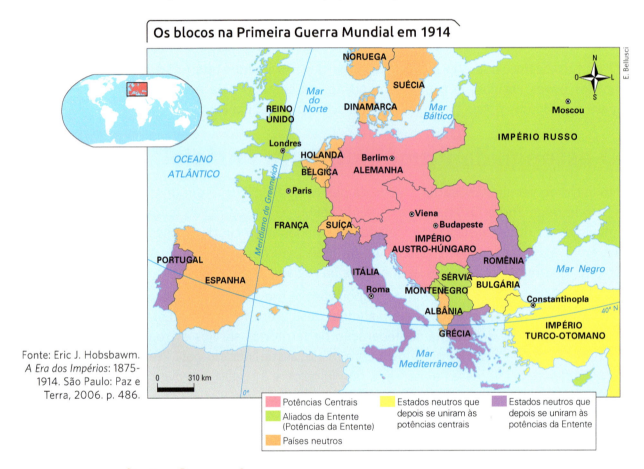

Fonte: Eric J. Hobsbawm. *A Era dos Impérios*: 1875-1914. São Paulo: Paz e Terra, 2006. p. 486.

As fases da guerra

As agressões tiveram início ainda em agosto de 1914, com a invasão alemã em Luxemburgo e na Bélgica, marcando a primeira fase da guerra, que durou até novembro de 1914. Nessa fase, conhecida como **Guerra de Movimento**, houve enorme deslocamento de tropas, principalmente alemãs e francesas.

A segunda fase, conhecida como **Guerra de Posição** ou **Guerra de Trincheiras**, começou em 1915 e durou até o final do conflito, em 1918. Essa fase se iniciou com a instalação de trincheiras para proteger os soldados nas batalhas e abrigá-los do frio durante o inverno. Passada essa estação, a Guerra de Movimento seria retomada, o que, no entanto, não ocorreu. As trincheiras permaneceram, estabelecendo as condições de combate até o final da guerra.

Por dentro das trincheiras

Além da permanência das trincheiras, o aumento do poder de fogo foi outro aspecto que gerou impasse e estabilização de forças de ambos os lados. Fuzis de repetição e metralhadoras, por exemplo, matavam com rapidez e eficiência, forçando os exércitos a permanecer nas trincheiras para se protegerem. Formaram-se linhas de trincheiras nas diversas frentes de batalha.

As condições de vida nesses lugares eram extremamente precárias. Além do risco constante de morte em batalha, os soldados estavam sujeitos à falta de higiene e à má alimentação, o que provocava doenças que se espalhavam facilmente entre as tropas.

Observe, na ilustração, as principais características de uma trincheira.

Esta ilustração é uma representação artística contemporânea produzida com base em estudos históricos.
Fontes de pesquisa: John Keegan. *História ilustrada da Primeira Guerra Mundial*. São Paulo: Ediouro, 2005.
H. P. Willmott. *World War I*. London: Dorling Kindersley, 2007.

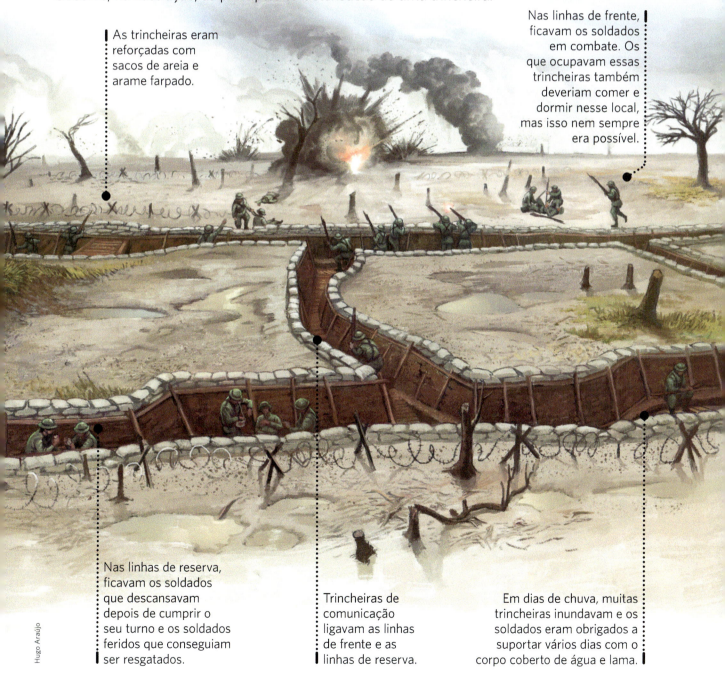

As trincheiras eram reforçadas com sacos de areia e arame farpado.

Nas linhas de frente, ficavam os soldados em combate. Os que ocupavam essas trincheiras também deveriam comer e dormir nesse local, mas isso nem sempre era possível.

Nas linhas de reserva, ficavam os soldados que descansavam depois de cumprir o seu turno e os soldados feridos que conseguiam ser resgatados.

Trincheiras de comunicação ligavam as linhas de frente e as linhas de reserva.

Em dias de chuva, muitas trincheiras inundavam e os soldados eram obrigados a suportar vários dias com o corpo coberto de água e lama.

▌ A "guerra total"

Os conflitos da Primeira Guerra Mundial mobilizaram não somente as forças militares, mas também toda a sociedade civil.

De acordo com muitos historiadores e especialistas, foram conflitos que inauguraram o conceito de "guerra total", que consiste na mobilização completa das forças militares e civis dos países envolvidos, direcionando todos os recursos humanos e materiais possíveis para esses eventos. Voluntários ajudavam militares e civis atingidos pela guerra fornecendo abrigo, cuidados médicos e produtos essenciais, como alimentos, que eram escassos por vários motivos, como a destruição de lavouras inteiras por bombardeios. O texto a seguir apresenta uma definição do conceito de "guerra total".

A I Guerra Mundial foi uma guerra total — abarcou a nação inteira e não teve limites. Os Estados exigiram a vitória total e o compromisso total de seus cidadãos. Regulamentaram a produção industrial, desenvolveram técnicas de propaganda sofisticadas para fortalecer o moral e exerceram um controle cada vez maior sobre as vidas de seu povo, organizando-o, disciplinando-o como soldados. [...]

Marvin Perry. *Civilização ocidental*: uma história concisa.
São Paulo: Martins Fontes, 2002. p. 540.

▌ Muitas mulheres foram engajadas durante a guerra exercendo atividades que antes eram consideradas exclusivamente masculinas. Na foto, vemos mulheres trabalhando em uma fábrica de armamentos na França, em 1914.

Desse modo, a destruição de recursos humanos e materiais também passou a fazer parte das estratégias de guerra, dando início a uma série de atrocidades, que continuaram em prática em diferentes conflitos ao longo do século XX.

▌ Durante o conflito, lavouras inteiras eram bombardeadas e navios mercantes sofriam ataques, o que contribuía para a escassez de alimentos. Até mesmo navios de passageiros passaram a ser atacados, como foi o caso do navio britânico *Lusitânia*, representado ao lado, que em 1915 foi torpedeado por um submarino alemão e naufragou, causando a morte de cerca de 1200 pessoas. Gravura de Norman Wilkinson publicada no jornal *The Illustrated London News*, em 1915.

Os relatos da guerra

Durante a Primeira Guerra Mundial, um dos principais meios de comunicação utilizado foram as cartas. Trocadas entre soldados e familiares ou amigos, elas tratavam dos mais diversos assuntos, como os horrores da guerra, as preocupações e a saudade da família e de amigos.

As cartas fornecem informações importantes sobre as duras condições de vida nas frentes de batalha e sobre os horrores da guerra. Muito do que sabemos atualmente sobre esse conflito é resultado da análise dessas importantes fontes históricas.

Leia a seguir um trecho de uma dessas cartas, escrita pelo soldado canadense Fred Adams a sua tia, em maio de 1915.

Receber uma carta de familiares ou de amigos era um dos raros momentos felizes para os soldados na frente de batalha. A foto acima retrata um soldado italiano lendo uma carta ao lado dos colegas, em 1917.

> Querida tia:
>
> Este é o primeiro dia que nos permitiram escrever cartas desde que esta batalha começou, e não tenho dúvida de que você está ansiosa por saber de mim. Bem, nós perdemos uma quantidade enorme de companheiros, e para nós que ficamos parece um milagre que cada um esteja vivo.
>
> Como não me acertaram eu não sei, mas fui um dos que tiveram sorte de passar sem um arranhão, embora eu tenha vários buracos de bala nas minhas roupas.
>
> [...]
>
> Foi um pesadelo, um inferno, a retirada arrastando pelo chão, com os canhões alemães abrindo grandes buracos e os estilhaços chovendo sobre nós, as balas batendo em todo lugar. Pudemos ver os rapazes caindo em toda a parte, e foi horrível ouvi-los gritar.
>
> Graças a Deus a artilharia e os reforços ingleses chegaram a tempo e expulsaram os alemães.
>
> [...] Bem, todos os rapazes fizeram o melhor que podiam e eu estou pronto para fazer de novo, apenas espero que a guerra termine logo, por causa dos pais, esposas e namoradas de todos os soldados.
>
> Agradeço a Deus por ser poupado e rezo sempre para que Ele acabe logo com a guerra.
>
> Com amor.
>
> Fred.
>
> Fred Adams. Cartas da Primeira Guerra Mundial (tradução nossa). *CBC*. Disponível em: <http://www.cbc.ca/news2/pdf/WWI-letters.pdf>. Acesso em: 16 ago. 2018.

Enfermeira escreve uma carta ditada por um soldado ferido, em 1918.

> Que tipo de informações podemos obter por meio da leitura dessa carta?

O uso da tecnologia e a indústria da guerra

Durante a Primeira Guerra Mundial, houve grande desenvolvimento tecnológico e industrial nos Estados Unidos e na Europa. Alguns países envolvidos no conflito, como a Inglaterra e a Alemanha, destinaram muitos recursos para o desenvolvimento de novas armas e de novas tecnologias.

Conheça um pouco mais sobre as tecnologias desenvolvidas nesse período.

Armas químicas

Diferentes tipos de gases venenosos foram utilizados na guerra, tanto letais como não letais. Os alemães foram os primeiros a introduzir o gás venenoso, em 1915. As armas químicas foram responsáveis pela morte de aproximadamente 90 mil soldados durante o conflito.

Os horrores causados por essas armas levaram à proibição delas após o fim da guerra até os dias de hoje.

Com o desenvolvimento da máscara de gás, muitos soldados puderam proteger-se dos gases venenosos. Foto de soldados utilizando máscaras de gás, em 1918.

Tanques de guerra

O tanque de guerra foi desenvolvido pelos ingleses para auxiliar o avanço das tropas nas batalhas de trincheiras e foi utilizado pela primeira vez em 1916. No início, como ainda estavam em fase de desenvolvimento, eles não foram muito importantes nas batalhas. Com o desenrolar da guerra, no entanto, eles foram aprimorados e passaram a ser mais efetivos, sendo largamente utilizados em 1918, último ano do conflito.

Tanque de guerra alemão durante combate na França, em foto de 1918.

54

Aviões

Durante a Primeira Guerra, a aviação passou por uma fase de grande desenvolvimento. Nos primeiros anos do conflito, os aviões eram usados por alguns países apenas em missões de reconhecimento de territórios e na observação dos movimentos das tropas inimigas. Posteriormente, eles passaram a ser equipados com metralhadoras.

No final do conflito, os aviões eram capazes de carregar até duas toneladas de bombas e voar a aproximadamente 230 quilômetros por hora, praticamente o dobro da velocidade atingida pelos aviões utilizados no início da guerra.

Na foto, combate aéreo entre aviões ingleses e alemães, no início de 1918.

Submarinos

Uma das armas tecnológicas de maior relevância na Primeira Guerra Mundial foi o submarino. Os alemães passaram a usá-lo para afundar navios que levavam suprimentos para a Grã-Bretanha. Os ingleses adotaram a mesma estratégia de maneira muito eficaz contra a Alemanha, causando sérios prejuízos à economia e, consequentemente, à população alemã.

Foto de submarino utilizado pelo exército austro-húngaro por volta de 1915.

Tecnologia e inovação: heranças da indústria de guerra

A tecnologia desenvolvida durante a Primeira Guerra foi utilizada de diferentes maneiras após o término do conflito.

O controle do tráfego aéreo e o sistema de comunicação por meio de rádio, por exemplo, ambos criados durante a guerra, são utilizados na aviação civil até os dias atuais.

Outro exemplo é o aço inoxidável, que foi desenvolvido durante a guerra em uma tentativa fracassada dos ingleses de criar uma liga metálica resistente ao calor.

Atualmente, o aço inoxidável, que não enferruja, é utilizado em instrumentos médicos, como bisturis, e em objetos domésticos, como panelas e talheres, entre outros usos.

Homem trabalhando na torre de controle de voo do Aeroporto Internacional de Miami, Estados Unidos. Foto de 2017.

Os Estados Unidos entram na guerra

Em janeiro de 1917, a Alemanha iniciou um plano de ataque a navios na costa britânica para impedir a chegada de suprimentos bélicos e o abastecimento de bens de consumo à Grã-Bretanha, em uma tentativa de forçar os ingleses à rendição.

Como os Estados Unidos forneciam grande parte dos produtos para a Inglaterra, essa decisão alemã ameaçava também os interesses estadunidenses. Em 3 de abril de 1917, um navio mercante estadunidense foi atacado por um submarino alemão, o que levou os Estados Unidos a declarar guerra à Alemanha três dias depois.

Dotados de grande força militar, os Estados Unidos, ao entrar na guerra, reforçaram os países das Potências da Entente, que estavam havia três anos no conflito e já haviam acumulado muitas perdas humanas e materiais.

Tropas estadunidenses desembarcando na França, em foto de 1918.

A participação do Brasil

No mesmo dia em que os Estados Unidos sofreram o ataque da Alemanha, um navio mercante brasileiro foi alvo de submarinos alemães na costa britânica. Isso fez com que o presidente brasileiro Wenceslau Brás cortasse as relações diplomáticas com a Alemanha e demonstrasse solidariedade aos estadunidenses.

Meses depois, outras embarcações brasileiras foram atacadas pelos alemães. A opinião pública e os jornais da época demonstraram grande indignação e, assim, em 26 de outubro de 1917, o Brasil declarou guerra contra as Potências Centrais.

A participação do Brasil na Primeira Guerra ocorreu até o final do conflito, em novembro de 1918, e limitou-se à abertura dos portos aos países aliados, à cessão de forças navais e à disponibilização de aviadores e soldados para lutarem junto aos britânicos e aos franceses.

O governo brasileiro também mobilizou civis, como médicos, que atuaram no hospital franco-brasileiro, na cidade de Paris, para atender os feridos de guerra.

Grupo de pilotos brasileiros na Inglaterra, em foto de 1918.

> **A Rússia se retira da guerra**
>
> Os altos gastos com a guerra, a fome e o grande número de mortos causaram grande insatisfação na população russa, que já se mostrava descontente com o autoritarismo do governo, além de outras questões, o que levou o país a uma revolução em fevereiro de 1917 (assunto que será estudado no capítulo **4**).
>
> Em março de 1918, os russos assinaram um tratado de não agressão com as Potências Centrais, o **Tratado de Brest-Litovsk**, e se retiraram da guerra.

O fim da guerra

Após uma série de ofensivas dos Aliados, que contavam com o reforço bélico dos Estados Unidos, os alemães não tinham mais condições de se defender. Temendo a invasão de seu território, foram obrigados a assinar um armistício, encerrando o conflito em 11 de novembro de 1918.

> **Armistício:** trégua, suspensão das agressões em uma guerra.

O saldo do conflito

No final da guerra, contabilizou-se uma quantidade de mortos e feridos nunca antes vista. Entre todos os países que lutaram no conflito, somaram-se cerca de 9 milhões de soldados mortos e 21 milhões de soldados gravemente feridos. Entre as vítimas civis, foram 7 milhões de pessoas que morreram durante os conflitos ou por causa das consequências da guerra, como a fome.

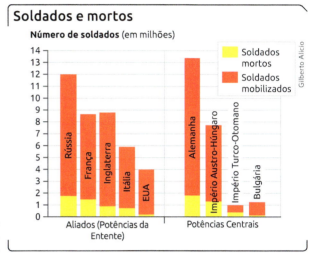

Fonte: Adam Hart-Davis (Ed.). *History*: the definitive visual guide. London: Dorling Kindersley, 2007. p. 375.

Os tratados de paz

Nos anos seguintes ao término da Primeira Guerra Mundial, os países participantes do conflito assinaram vários tratados de paz, sendo o **Tratado de Versalhes** (1919) o mais importante.

Ele foi assinado na cidade de Versalhes, na França, por representantes dos países Aliados e também da Alemanha, considerada pelo tratado a principal responsável pela guerra. Além de ter de admitir a culpa pela deflagração da guerra, os alemães foram obrigados a pagar uma alta indenização aos países vencedores e a restringir drasticamente sua força militar, reduzida a 100 mil soldados e seis navios de guerra. A Alemanha perdeu diversos territórios na Europa e também suas colônias na África e na Ásia.

Por causa das imposições aos alemães e dos benefícios aos países vitoriosos, o Tratado de Versalhes ficou também conhecido como Paz dos Vencedores. Para a população alemã, que se encontrava em situação de extrema pobreza, as cláusulas do Tratado de Versalhes foram consideradas humilhantes.

Alemães reviram o lixo em busca de alimentos. Foto tirada em Berlim, Alemanha, em 1918.

A solidariedade em tempos de guerra

Os voluntários

A Primeira Guerra Mundial teve intensa mobilização da população civil dos países envolvidos no conflito. Além de contribuir no esforço de guerra e na produção de armamentos, por exemplo, muitas pessoas procuravam amenizar as dificuldades enfrentadas pela população no dia a dia.

A situação de guerra fez com que muitos países direcionassem investimentos para os setores militares, o que acabou provocando o racionamento de diversos produtos alimentícios utilizados diariamente pela população. Além disso, as destruições causadas pelos bombardeios deixaram muitas pessoas sem moradia.

Nesse contexto, moradores de cidades atingidas pela guerra, tanto adultos como crianças, atuaram de forma solidária para ajudar pessoas que sofriam com essas condições.

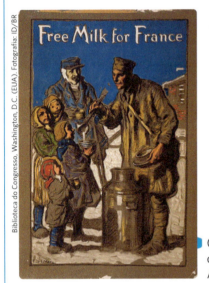

Uma menina alemã chamada Piete Kuhr, por exemplo, deixou relatos escritos sobre essa época na cidadezinha chamada Schneidemühl, na Alemanha, onde morava com sua avó. Ela contou em seus relatos que centenas de refugiados chegavam todos os dias à cidade onde vivia. Para ajudá-los, os moradores distribuíam diariamente sopa e centenas de quilos de pão para alimentá-los. Além disso, doavam roupas e tricotavam gorros e meias para aquecer as crianças. Cenas como essas se repetiam em todas as regiões afetadas pela guerra.

Fonte de pesquisa: Melanie Challenger; Zlata Filipovic (Org.). *Vozes roubadas*: diários de guerra. Tradução de Augusto Pacheco Calil. São Paulo: Companhia das Letras, 2008. p. 46-47.

Cartaz de 1918 incentivando a população dos Estados Unidos a fazer doações para alimentar crianças francesas. Litogravura de F. Luis Mora. Acervo da Biblioteca do Congresso, Washington, D.C., Estados Unidos.

Os cuidados com os feridos

Os horrores da guerra atingiram milhares de pessoas, e os hospitais disponíveis nao eram suficientes para abrigar todos os feridos. Dessa maneira, muitos espaços, como teatros e casas particulares, foram transformados em centros de atendimento à população e aos soldados feridos.

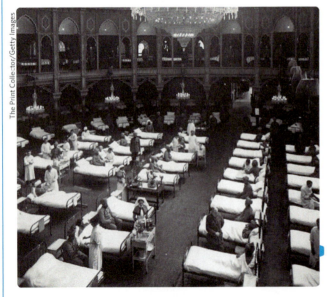

Pavilhão Real em Brighton, na Inglaterra, transformado em hospital durante a Primeira Guerra Mundial. Foto de cerca de 1915.

O papel de uma organização humanitária

O **Comitê Internacional da Cruz Vermelha** foi fundado em 1863, na Suíça, e é uma organização considerada neutra, que prestava assistência aos soldados e à população, independentemente de qualquer governo ou de outra autoridade. Como órgão reconhecido internacionalmente, a Cruz Vermelha tem como objetivos assegurar a proteção e a assistência às vítimas de conflitos armados e promover o princípio humanitário em situações de tragédia, valorizando a vida e a cooperação internacional.

Cartaz do Comitê Internacional da Cruz Vermelha produzido por C. W. Anderson, entre 1914-1918, convocando ajuda com uma frase que em português significa: "Participe agora. A Cruz Vermelha serve à humanidade". Acervo da Biblioteca do Congresso, Washington, D.C., Estados Unidos.

Durante a Primeira Guerra Mundial, essa instituição intensificou suas ações e teve um papel importante. Ela formou uma central de atendimento que auxiliava no restabelecimento do contato entre soldados e suas famílias e também realizou missões de assistência médica em campos de batalha e centros urbanos. Os voluntários eram recrutados para diversas tarefas, como organizar pacotes com equipamentos médicos, dirigir ambulâncias, prestar visitas aos feridos de guerra e transmitir mensagens de civis às pessoas que estavam nas frentes de batalha.

A instituição existe até os dias de hoje, com milhares de funcionários que atuam globalmente, até mesmo no Brasil. Suas funções se ampliaram muito desde a época de sua fundação. Atualmente, a Cruz Vermelha presta assistência em casos de violência sexual, além de dar suporte e fornecer água e alimentos em casos de tragédias naturais. As operações mais importantes dessa organização na atualidade são promovidas em países como o Afeganistão, a Síria, o Iraque, a Somália e o Sudão do Sul.

Foto de 1918 que mostra membros da Cruz Vermelha servindo refeição a refugiados da guerra, em Paris, França, durante a Primeira Guerra Mundial.

1. Como os moradores de regiões afetadas pela guerra auxiliavam as pessoas desabrigadas e os refugiados?
2. Qual foi a importância das ações solidárias e humanitárias do Comitê Internacional da Cruz Vermelha na Primeira Guerra Mundial?
3. Você conhece alguma pessoa ou instituição que faça trabalhos voluntários em sua cidade? Que atividades são realizadas? Converse com os colegas.
4. Em sua opinião, qual é a importância do trabalho voluntário na atualidade? Explique aos colegas.

Atividades

Organizando o conhecimento

1. Copie o esquema a seguir em seu caderno e complete cada um dos quadros com uma explicação sobre os principais processos referentes à Primeira Guerra Mundial.

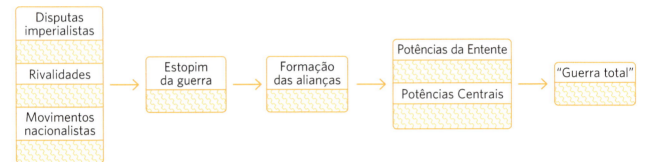

Conectando ideias

2. No ano de 2014, o início da Primeira Guerra Mundial completou 100 anos. Analise a manchete e a imagem sobre esse assunto e, depois, responda às questões.

Exposição relembra "heróis esquecidos" da Primeira Guerra Mundial

Gazeta Russa, 5 maio 2014. Disponível em: <http://gazetarussa.com.br/arte/2014/05/05/exposicao_relembra_herois_esquecidos_da_primeira_guerra_mundial_25437>. Acesso em: 10 jul. 2018.

Exposição de trincheiras feitas durante a Primeira Guerra em Ypres, na Bélgica. Foto de 2014.

a) De acordo com as duas fontes de informação acima, de que maneira a Primeira Guerra Mundial está sendo relembrada?

b) Por que a manchete utilizou a expressão "heróis esquecidos"? O que essa expressão quer dizer? Explique.

c) Você acredita que conhecer uma exposição com as trincheiras das batalhas é uma forma de rememorar o conflito? Por quê?

3. Leia o texto a seguir, que aborda a trégua de 1914 ocorrida durante os combates da Primeira Guerra Mundial. Depois, responda às questões.

No natal de 1914, a Primeira Guerra foi interrompida e ambos os lados celebraram juntos

[...] Na noite do dia 24, em Fleurbaix, na França, uma visão deixou os britânicos intrigados: iluminadas por velas, pequenas árvores de Natal enfeitavam as trincheiras inimigas. A surpresa aumentou quando um tenente alemão gritou em inglês perfeito: "Senhores, minha vida está em suas mãos. Estou caminhando na direção de vocês. Algum oficial poderia me encontrar no meio do caminho?". Silêncio. Seria uma armadilha? Ele prosseguiu: "Estou sozinho e desarmado. Trinta de seus homens estão mortos perto das nossas trincheiras. Gostaria de providenciar o enterro". Dezenas de armas estavam apontadas para ele. Mas, antes que disparassem, um sargento inglês, contrariando ordens, foi ao seu encontro. [...]

No dia seguinte, 25 de dezembro, ao longo de toda a frente ocidental, soldados armados apenas com pás escalaram suas trincheiras e encontraram os inimigos no meio da terra de ninguém. Era hora de enterrar os companheiros, mostrar respeito por eles — ainda que a morte ali fosse um acontecimento banal. [...]

Os soldados britânicos e alemães descobriam ter mais em comum entre si que com seus superiores — instalados confortavelmente bem longe da frente de batalha. O medo da morte e a saudade de casa eram compartilhados por todos.

[...]

Bruno Leuzinger. No Natal de 1914, a Primeira Guerra foi interrompida e ambos os lados celebraram juntos. *Aventuras na História*, São Paulo, 22 dez. 2017. Disponível em: <https://aventurasnahistoria.uol.com.br/noticias/reportagem/noite-feliz-terra-de-ninguem.phtml>. Acesso em: 10 jul. 2018.

Reprodução do periódico inglês *The Daily Mirror*, que traz uma foto de soldados ingleses e alemães durante a trégua de Natal, no ano de 1914.

a) De acordo com o texto, os soldados inimigos se encontraram na "terra de ninguém" para realizar um ato de demonstração de respeito. Que ato foi esse?

b) Explique a seguinte afirmação: "Os soldados britânicos e alemães descobriam ter mais em comum entre si que com seus superiores — instalados confortavelmente bem longe da frente de batalha".

CAPÍTULO 4

A Revolução Russa

Em fevereiro de 1917, uma revolução abalou a Rússia e instaurou um governo **socialista** no país (veja o boxe abaixo). Para entendermos melhor esse acontecimento, vamos voltar alguns anos na história da Rússia.

Czar Nicolau II e a família imperial em Moscou, Rússia. Foto de 1914.

▎A Rússia no início do século XX

No início do século XX, a Rússia tinha o czarismo como sistema político e era comandada por Nicolau II, um **czar**, título equivalente ao de imperador. O czar governava de maneira autoritária e exercia poderes absolutos.

Apesar das tentativas de ampliar a industrialização no país, a economia era essencialmente agrária, pois cerca de 80% da população era rural. Em busca de melhores condições de vida, muitos camponeses pobres deixavam o campo e iam para as cidades para trabalhar nas fábricas, formando, assim, um novo grupo social: os operários.

A desigualdade social era muito grande. De um lado, havia uma minoria formada pela aristocracia rural, pelo clero e pela crescente burguesia; do outro lado, havia a maioria da população, composta de camponeses e operários, que viviam em condições de miséria.

Como fator agravante, os gastos do governo russo em conflitos, como a guerra contra o Japão (1904-1905) e a Primeira Guerra Mundial (1914-1918), contribuíram para piorar ainda mais a crise econômica, provocando a fome no país. As pessoas que mais sofreram com essa situação foram os camponeses e os operários.

▎**Burguesia:** classe social proprietária dos meios de produção, como fábricas, armazéns e matérias-primas.

▎**Proletariado:** classe social formada por trabalhadores pobres, principalmente operários, que dependem da venda de sua força de trabalho para a burguesia como forma de obter meios para seu sustento.

O socialismo

As teorias socialistas foram desenvolvidas no século XIX como resposta à exploração do proletariado pela burguesia.

Essas duas classes sociais se consolidaram após o estabelecimento do capitalismo como sistema econômico. O *Manifesto do Partido Comunista*, publicado em 1848 pelos alemães Karl Marx (1818-1883) e Friedrich Engels (1820-1895), buscava superar o problema da desigualdade com a abolição da propriedade privada e da sociedade de classes, defendendo para isso a união e a luta dos operários contra a burguesia. Isso só poderia ser conquistado com uma revolução promovida pelos proletários, a qual reestruturaria a sociedade e o modo de produção, distribuindo os recursos igualmente. A revolução proletária tinha como um dos objetivos a criação de uma sociedade mais justa e igualitária, que seria obtida após a eliminação das classes sociais e da propriedade privada.

Bolcheviques e mencheviques

A luta por melhorias nas condições de vida e de trabalho gerou uma série de manifestações na Rússia. Elas tiveram início com o proletariado russo, que na época era bem organizado, e logo as massas camponesas se juntaram a esse grupo. As ideias que mais influenciaram essas lutas, principalmente entre os operários, eram inspiradas pelas teorias de Marx e Engels (como vimos no boxe da página **62**).

Assim, por causa da insatisfação em relação ao regime monárquico de Nicolau II, grupos políticos de oposição, mesmo clandestinos, começaram a se formar na Rússia. Entre esses grupos estava o Partido Operário Social-Democrata Russo (POSDR), inspirado em ideias marxistas.

Em 1903, por causa das divergências de ideias, o partido se dividiu em duas facções:

- **Bolcheviques** (maioria): liderados por Vladimir Lenin, defendiam a tomada de poder pelos operários e camponeses, além do fim da propriedade privada. Tratava-se de uma ala mais radical.
- **Mencheviques** (minoria): eram adeptos da revolução gradual, por meio de reformas. Tinham como liderança Yuli Martov.

A insatisfação popular era crescente e podia ser percebida por meio das diversas mobilizações de operários e camponeses ocorridas em várias cidades da Rússia.

A Revolução de 1905

Em 9 de janeiro de 1905, em um domingo de inverno, cerca de 200 mil pessoas, entre mulheres, homens e crianças, reuniram-se em uma manifestação pacífica para reivindicar melhores condições de vida e de trabalho, entre outros direitos. Como resposta, o czar ordenou que o exército atirasse nos manifestantes. Os fuzileiros russos mataram cerca de mil pessoas, em um massacre que ficou conhecido como **Domingo Sangrento**.

O massacre revoltou a população, intensificando os protestos e as manifestações contra o czar e a forma de governo vigente. Nesse contexto, operários, camponeses e soldados criaram os **sovietes**, conselhos que buscavam melhor organização na luta dos trabalhadores, além de melhor representatividade política.

> **O calendário russo**
>
> Até fevereiro de 1918, a Rússia seguia o calendário juliano, que apresentava uma defasagem de 13 dias em relação ao calendário gregoriano, utilizado no Ocidente. Logo, as datas a seguir correspondem ao calendário juliano.

Manifestantes realizam passeata pelas ruas de Moscou, Rússia, pouco antes de serem atacados pelos fuzileiros, em foto de 9 de janeiro de 1905.

A Revolução Socialista na Rússia

Após o Domingo Sangrento, o governo enfrentou muitas revoltas populares. Greves em diversos setores e até motins nas Forças Armadas fizeram com que o czar anunciasse uma série de reformas como forma de tentar continuar no poder. Entre essas reformas estavam a legalização dos sindicatos e a criação da **Duma**, um parlamento de deputados eleitos que auxiliavam nas decisões políticas do governo, mas com poderes limitados.

Porém, a repressão e os abusos do governo não diminuíram, e os protestos populares continuaram em todo o país. A partir de 1914, a Rússia envolveu-se na Primeira Guerra Mundial. Inicialmente, o conflito teve o apoio popular, mas, em razão de seu prolongamento e das derrotas sofridas pelo exército, a população passou a sofrer bastante por causa dele.

A queda do czar

A situação de miséria e o desespero da população nas cidades só aumentavam. O início de 1917 foi marcado por motins, greves e saques a armazéns e padarias. Um dos lemas dos bolcheviques era: "Todo o poder aos sovietes". Naquele momento, os sovietes haviam consolidado a sua representatividade entre os trabalhadores, demonstrando que tinham condições de assumir o poder na Rússia.

Na foto, homens e mulheres em passeata durante as greves que paralisaram Moscou, na Rússia, em fevereiro de 1917.

Em fevereiro de 1917, entre os dias 23 e 27, diversas manifestações marcaram o início da revolução que acabou com o regime czarista na Rússia. Essas manifestações tiveram início com uma passeata de mulheres que protestavam contra as más condições de vida. Nos dias seguintes, uma multidão aderiu ao movimento, que parou fábricas e sistemas de transportes e de comunicação. Ao receberem ordens para reprimir a insurreição, os soldados se recusaram a atirar na população, juntando-se ao movimento. No dia 2 de março, sem apoio político e militar, o czar foi obrigado a abdicar.

O Governo Provisório

Após a queda do czar, os mencheviques instalaram na Rússia o Governo Provisório, chefiado primeiramente por um nobre de orientação liberal, o príncipe George Lvov, e depois por Alexander Kerensky, um socialista moderado.

Durante esse período, ocorreram algumas reformas importantes, como a regulamentação da jornada de oito horas de trabalho para os operários e a liberdade de organização política. No entanto, os governantes não conseguiam resolver os problemas mais sérios do povo. O agravamento da crise no país contribuiu para aumentar a oposição entre bolcheviques e mencheviques. Os bolcheviques exigiam paz, terra e pão para todo o povo, defendiam transformações sociais radicais e, assim, ganhavam cada vez mais prestígio e apoio popular.

Lenin no poder

Em outubro de 1917, Lenin e seus companheiros bolcheviques tomaram o poder com o objetivo de instaurar um Estado socialista. Em 25 de outubro, eles ocuparam os principais pontos da cidade e anunciaram a deposição do governo menchevique. No dia seguinte, tomaram o palácio de Inverno, sede do Governo Provisório e símbolo do poder na Rússia.

Os bolcheviques formaram um novo governo, com Lenin como presidente do Soviete dos Comissários do Povo. As primeiras medidas tomadas pelos bolcheviques foram:

- o confisco dos bens da Igreja e da nobreza;
- a estatização das indústrias e dos bancos, ou seja, essas instituições passaram a ser controladas pelo Estado;
- a abolição da propriedade privada da terra sem indenização, concedendo aos camponeses o direito exclusivo de exploração das terras;
- a transferência do controle das fábricas aos operários;
- a retirada da Rússia da Primeira Guerra Mundial após a assinatura do Tratado de Brest-Litovsk, em 1918;
- a instituição do Partido Comunista, antigo Partido Bolchevique, como único partido do país;
- a criação do Exército Vermelho, formado por camponeses e operários para defender os ideais do comunismo.

Tais medidas provocaram a reação dos mencheviques e dos aristocratas, os quais apoiavam o retorno do czar ao poder. Esse grupo de oposição, chamado de "brancos", com a ajuda de países como Estados Unidos e França, organizou um exército para combater o novo governo comunista, chamado de "vermelhos".

Assim, entre os anos de 1918 e 1920, a Rússia viveu uma violenta guerra civil, que acabou com a vitória bolchevique. Fábricas, ferrovias e campos agrícolas ficaram devastados. Em 1921, grande parte do país enfrentava a fome, e o descontentamento em relação ao governo crescia entre a população.

Para buscar resolver a situação econômica, Lenin adotou a **Nova Política Econômica (NEP)**, um conjunto de medidas flexíveis de cunho capitalista que permitiu a criação de empresas privadas, o comércio em pequena escala e empréstimos externos. Para Lenin, essa flexibilização política era apenas uma estratégia para contornar a crise e retomar o projeto de construção do comunismo na Rússia.

Em dezembro de 1922, a Rússia passou a se chamar **União das Repúblicas Socialistas Soviéticas** (**URSS**), uma federação que reunia diversas regiões do antigo Império Russo, além de territórios anexados ao longo da revolução.

Na foto, Lenin discursa para a multidão em Moscou, Rússia, após a vitória da revolução bolchevique de 1917.

O comunismo

O comunismo é um sistema econômico e político idealizado por Marx e Engels que seria implantado após o sucesso do socialismo. No comunismo, cada trabalhador passaria a ser dono de seu próprio trabalho e dos bens de produção, o que tinha a intenção de tornar a sociedade mais justa e igualitária.

O símbolo do movimento comunista é formado por uma foice (instrumento de trabalho dos camponeses) e um martelo (ferramenta utilizada pelos operários), representando a união dos trabalhadores.

O stalinismo

Em janeiro de 1924, após um longo período doente, Lenin morreu. A partir de então, acirrou-se uma disputa entre Leon Trotsky (1879-1940) e Joseph Stalin (1878-1953) para sucedê-lo.

Trotsky era um grande líder político e intelectual que havia comandado o Exército Vermelho durante a guerra civil. Stalin era um militante que passou a ocupar cargos cada vez mais importantes dentro do Partido Comunista Soviético, assumindo o cargo de secretário-geral em 1922.

Em razão, principalmente, de sua grande influência dentro do partido, Stalin, aos poucos, conseguiu superar seu rival e venceu a disputa pelo poder. Trotsky foi expulso do país em 1929, mas continuou fazendo oposição a Stalin até 1940, quando foi assassinado no México a mando de Stalin.

Após assumir o poder, Stalin governou a URSS como um ditador, procurando centralizar o poder em suas mãos e criar um forte sentimento nacionalista por meio da propaganda. Ele buscou associar sua imagem à de Lenin, como um sucessor natural de suas ideias, assim como se apresentar como um líder justo e benevolente.

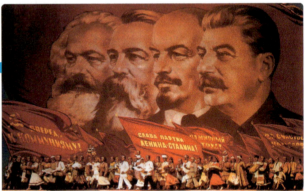

Pôster de propaganda stalinista, de 1953, em que Stalin (o primeiro à direita) é representado ao lado de Karl Marx, Friedrich Engels e Lenin (da esquerda para a direita). Stalin buscava legitimar o seu poder colocando-se como um dos "quatro grandes" representantes do socialismo no mundo.

Além de perseguir e eliminar seus inimigos, Stalin procurava extinguir da memória popular a importância deles na Revolução Bolchevique. As imagens acima constituem um exemplo disso. Na foto da esquerda, feita durante um discurso de Lenin, em Moscou, Rússia, em 1920, Trotsky aparece na escada do palanque. Na foto da direita, que foi adulterada depois que Stalin chegou ao poder, Trotsky, que fazia oposição a ele, "desapareceu".

Os Planos Quinquenais

Em seu governo, Stalin aboliu a NEP e criou os Planos Quinquenais, que estabeleciam as metas para a produção agrícola e industrial soviética em um período de cinco anos.

O primeiro Plano Quinquenal foi implementado em 1929. Ele previa uma melhora na produtividade agrícola, bem como uma importação maciça de maquinário e matérias-primas estrangeiras a serem pagas com a exportação de excedentes agrícolas soviéticos. Além disso, a produção no campo passou a ser coletiva e organizada em cooperativas ou fazendas pertencentes ao Estado.

A industrialização também foi uma das prioridades do Estado e cresceu de maneira acelerada. Grandes hidrelétricas e siderúrgicas foram construídas para estimular a produção fabril. No final da década de 1930, a URSS tinha se tornado um país industrializado, alcançando grande desenvolvimento econômico.

O governo autoritário de Stalin

O governo de Stalin representou melhoria na qualidade de vida de apenas uma pequena parcela da população soviética, que passou a ter mais acesso à educação, à saúde, ao emprego e à moradia. Os maiores beneficiados foram oficiais das forças armadas, políticos do alto escalão do Estado e diretores de empresas estatais. A maioria da população da URSS, no entanto, não teve acesso a esses benefícios.

Esse governo foi marcado pelo caráter totalitário do seu regime político, que não admitia qualquer tipo de oposição. Ele era um ditador autoritário e, enquanto governou, diversas atrocidades foram cometidas contra seus opositores políticos. Milhões de pessoas foram aprisionadas e levadas para os *gulags*, campos de trabalho forçado localizados em regiões muito frias. Nos *gulags*, as condições de vida eram degradantes, com alimentação muito precária, ausência de higiene e trabalhos pesados. Os prisioneiros mais fracos, quando não morriam de fome, geralmente eram fuzilados.

Presos políticos realizam trabalhos forçados em um *gulag*, na União Soviética, em foto de 1932.

A influência do socialismo

Os movimentos a favor dos direitos dos trabalhadores, baseados nas ideias socialistas, ocorreram em diversas regiões do mundo. Veja a seguir como se desenvolveram esses movimentos no México e na China, no início do século XX.

A Revolução Mexicana

Na primeira década do século XX, o México era governado por Porfirio Díaz, presidente que governou de modo autoritário e, com o argumento de modernizar e urbanizar o país, promoveu diversas reformas que privilegiaram os grandes proprietários rurais e os demais membros das camadas mais ricas da população.

Nas cidades, operários e trabalhadores sofriam com condições precárias de vida e lutavam por seus direitos principalmente por meio de greves. Assim, a partir de 1910, diversos movimentos revolucionários urbanos e rurais se organizaram e passaram a atuar de forma persistente, fazendo com que o presidente renunciasse em 1911. Os principais líderes populares da Revolução Mexicana foram Emiliano Zapata e Francisco Pancho Villa, que lutavam pela reforma social e pela distribuição das terras aos camponeses.

Leia a seguir o trecho de um manifesto camponês de 1914, em que são apresentadas as principais reivindicações desse grupo da sociedade.

[...]

O camponês tinha fome, era miserável, sofria exploração; e se empunhou armas foi para obter o pão que a avidez do rico lhe negava para apossar-se da terra que o latifundiário, egoisticamente, guardava para si, para reivindicar sua dignidade, ultrajada, perversamente, todos os dias. Lançou-se à revolta não para conquistar ilusórios direitos políticos, que não matam a fome, mas para conseguir um pedaço de terra que lhe possa proporcionar alimentação e liberdade, um lar feliz, e um futuro de independência e engrandecimento.

[...]

Hector H. Bruit. Camponeses revolucionários. Em: Jaime Pinsky (Org.). *História da América através de textos*. 9. ed. São Paulo: Contexto, 2004. p. 99-100. (Coleção Textos e Documentos).

Capa do jornal francês *Le Petit*, de 1913, com ilustração representando as mulheres revolucionárias mexicanas, conhecidas como Las Adelitas. Autor desconhecido. Acervo particular.

A Constituição Mexicana de 1917

Em 1917, foi aprovada no México uma nova Constituição, considerada um marco para a América Latina, pois foi a primeira da região a assegurar os direitos dos trabalhadores.

Entre as medidas aprovadas estavam: a regulamentação da jornada de trabalho de oito horas diárias; a extinção do trabalho servil não remunerado; a paridade salarial entre homens e mulheres; e a redefinição do uso social das terras em favor dos camponeses.

As ideias socialistas na China

Na China, as ideias socialistas influenciaram as lutas operárias e camponesas, assim como o pensamento de diversos intelectuais do início do século XX. Um dos principais líderes desse movimento foi o professor da Universidade de Pequim Chen Duxiu (1880-1942). Além de publicar uma revista chamada *Nova Juventude*, em que buscava inspirar nos jovens os ideais socialistas, ele foi um dos fundadores do Partido Comunista Chinês, em 1921.

O movimento comunista chinês promoveu mobilizações populares de conscientização e organização dos operários e dos camponeses.

A introdução dos ideais do socialismo na China, no início do século XX, foi fundamental para a formação dos pensadores e líderes do regime comunista, instaurado anos depois, durante a Revolução Chinesa de 1949, liderada por Mao Tsé-Tung (1893-1976).

Chen Duxiu, um dos precursores do pensamento comunista chinês. Foto de cerca de 1900.

Marx e Engels retratados em uma praça de Pequim, na China, em foto de 1973, cerca de 24 anos após o triunfo da Revolução Chinesa, que implantou o comunismo na China.

Atividades

Organizando o conhecimento

1. Antes da Revolução de 1917, qual era a situação econômica e social da Rússia?
2. Quais as relações entre a Revolução de 1905 e a Revolução de 1917?
3. Quais eram as principais divergências entre bolcheviques e mencheviques?
4. O que eram os sovietes?
5. Quais foram as principais características do Governo Provisório?
6. Explique o que foi a NEP.
7. Cite as principais características da ditadura stalinista.

Conectando ideias

8. Analise a imagem abaixo e responda às questões.

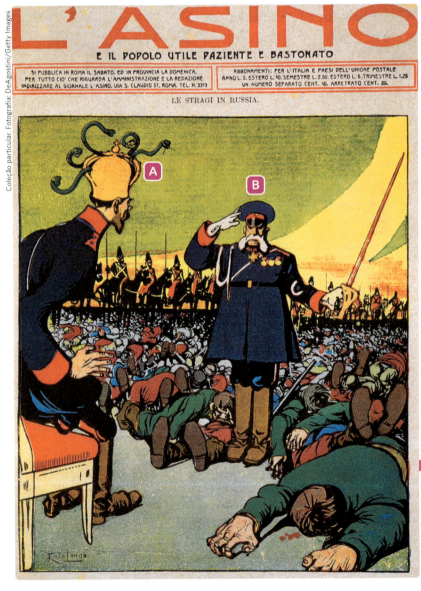

a) Identifique as personagens indicadas com as letras **A** e **B**. Comente o papel delas no contexto da Rússia em 1905. Explique como você chegou a essas conclusões.

b) Quem são as outras pessoas representadas na imagem?

c) Em sua opinião, qual era a intenção do periódico ao publicar uma capa com essa imagem? Converse com os colegas.

▌ Capa de periódico italiano, publicado em 5 de fevereiro de 1905, que faz referência ao episódio do Domingo Sangrento. Charge de artista desconhecido. Acervo particular.

9. Analise o gráfico a seguir e responda às questões.

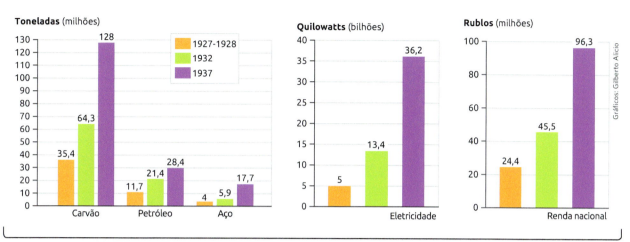

Fonte: Daniel Aarão Reis Filho. *As revoluções russas e o socialismo soviético*. São Paulo: Ed. da Unesp, 2003. p. 93.

a) No período abordado pelo gráfico, quem era o governante da União Soviética e como funcionava sua política econômica?

b) De acordo com o gráfico, quais os efeitos dos planos econômicos desenvolvidos por esse governante? Exemplifique sua resposta com base nas informações do gráfico.

c) Compare a renda nacional do final da década de 1920 com a do final da década de 1930. De quanto foi o aumento? Quais as consequências disso para a qualidade de vida da população soviética?

Dividam a sala em dois grupos e, em cada um, elejam um responsável por organizar uma apresentação oral sobre um dos temas estudados na unidade: Primeira Guerra Mundial ou Revolução Russa. Organizem com seu grupo o que cada membro vai apresentar e exponham aquilo que vocês entenderam sobre o capítulo ao outro grupo. Depois, assistam à apresentação dos colegas.

Para finalizar, procurem responder aos seguintes questionamentos.

- Assistir à apresentação dos colegas e elaborar a sua apresentação foram importantes para a sua aprendizagem? Por quê?

- Os conceitos que você aprendeu na unidade são importantes para compreendermos a atualidade? Cite exemplos.

- Qual dos temas estudados mais chamou a sua atenção? Comente sobre ele.

- Você concorda com alguns historiadores e estudiosos que dizem que o século XX foi um dos mais violentos da história humana? Por quê?

71

Ampliando Fronteiras

"Pinturas proletárias": a arte a serviço do Estado

Após a Revolução Russa, o regime bolchevique se empenhou em difundir e consolidar as ideias socialistas. Entre 1919 e 1921, a Agência Telegráfica Russa, responsável pela **propaganda política** estatal, incentivou diversos artistas a produzir obras informativas relacionadas ao contexto político soviético.

A chamada **arte funcional** tinha o objetivo de mobilizar e conscientizar os trabalhadores e a população mais pobre e analfabeta sobre as ideias socialistas, principalmente por meio de imagens de fácil compreensão.

Os cartazes, também chamados "pinturas proletárias", foram os principais exemplos de arte funcional soviética. Produzidos em grande quantidade e com materiais de baixo custo, os cartazes abordavam temas como trabalho, socialismo, serviço militar e nacionalismo.

Cartaz de 1926 destacando a importância das mulheres no regime socialista. Na inscrição, lê-se: "Mulheres, agora vocês estão livres! Ajudem-nos a construir o socialismo!".

Cartaz soviético produzido em 1919 para propagar os ideais revolucionários bolcheviques. Na inscrição, lê-se: "O sino de nossa revolução está continuamente tocando. Trabalhadores, agricultores, vamos em direção a novas batalhas e novas vitórias. Todos contra a cavalaria branca! O Exército Vermelho vai se expandir!".

Os cartazes soviéticos apresentam diversos elementos que podem ser identificados por meio de uma análise crítica. Veja o exemplo a seguir, de 1920.

O cartaz evidencia os fios condutores de energia elétrica, destacando a importância desse recurso para o funcionamento da indústria.

As indústrias foram representadas para destacar a importância dos trabalhadores e indicam o público-alvo desses cartazes: os operários.

A foice e o martelo são os principais símbolos do socialismo. Esses elementos representam os trabalhadores, considerando que o martelo faz referência aos operários, e a foice, aos camponeses.

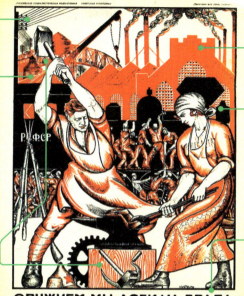

Coleção particular. Fotografia: ID/BR

A cor vermelha era frequentemente utilizada em cartazes soviéticos, como símbolo do socialismo e da luta popular.

Uma das figuras de destaque do cartaz é a mulher, em primeiro plano. Nessa época, as mulheres representavam parte importante do proletariado soviético.

Na inscrição, lê-se: "Nós destruímos o inimigo com armas, nós vamos ganhar nosso pão graças ao nosso trabalho. Levantem suas mangas, camaradas!".

As propagandas políticas na atualidade

As propagandas políticas são formas de divulgação das ideias de um partido, de um governo em exercício ou de um movimento social. Na atualidade, essas propagandas são frequentes na mídia brasileira e se disseminam em diversos tipos de meios de comunicação do nosso cotidiano.

1. Qual foi o papel da propaganda política estatal soviética após a Revolução Russa? Em sua opinião, quais eram os efeitos dessa propaganda na sociedade?

2. Reflita sobre as propagandas políticas na atualidade. Quem as produz e quais são os meios utilizados para atingir a população?

3. O que você acha das propagandas políticas? Você considera que elas são capazes de influenciar na formação de opinião das pessoas? Por quê?

4. Converse com os colegas sobre os objetivos dessas propagandas e o público para o qual elas são destinadas. Após a conversa, você mudou alguma opinião que tinha a respeito do tema? Escreva no caderno as principais questões debatidas em sala de aula, registrando os pontos em que houve maior concordância e os pontos que geraram mais divergências.

UNIDADE

3

O totalitarismo e a Segunda Guerra Mundial

Capítulos desta unidade
- **Capítulo 5** - O período entreguerras
- **Capítulo 6** - A Segunda Guerra Mundial

Famílias de judeus em uma rua de Varsóvia, na Polônia, esperando a deportação para um campo de concentração nazista. Foto de 1944.

Iniciando rota

1. Descreva as pessoas retratadas na foto. Como você acredita que elas estão se sentindo? Explique.

2. Além dos judeus, o nazismo perseguiu também diversos outros grupos, como ciganos e homossexuais. Você sabe o que acontecia com as pessoas que eram levadas para os campos de concentração?

3. Na atualidade, existem povos ou grupos que são perseguidos? Quem são eles e como ocorre essa perseguição? Converse com os colegas.

CAPÍTULO 5

O período entreguerras

Mesmo antes de entrar na Primeira Guerra Mundial, os Estados Unidos exerceram um importante papel no conflito, principalmente por fornecerem produtos alimentícios e equipamento bélico aos países Aliados (ou Potências da Entente, como vimos na unidade **2**). Com o final da guerra, eles também fizeram empréstimos a países da Europa, como a Inglaterra e a França, utilizados para a recuperação da economia e para a reconstrução das cidades destruídas pelo conflito. Assim, depois de 1919, os Estados Unidos tornaram-se grandes credores internacionais e uma potência econômica mundial.

▌Os Estados Unidos e o consumo em massa

Durante a Primeira Guerra Mundial, a indústria dos Estados Unidos desenvolveu-se rapidamente, gerando maior oferta de empregos e aumento dos salários. Esse cenário econômico favorável proporcionou melhoria na qualidade de vida de parte da população do país, que passou a ter acesso ao consumo de novos produtos, como automóveis, geladeiras, fogões, máquinas de lavar, aspiradores de pó e aparelhos de rádio.

Vendedor mostra refrigerador para consumidora. Estados Unidos, foto da década de 1920.

Nessa época, a aquisição de bens de consumo duráveis passou a fazer parte do chamado ***American way of life*** (do inglês, "modo de vida americano"), que tinha como principal característica o consumismo. O ato de consumir era estimulado nas pessoas, pois comprar os bens produzidos no país, além de proporcionar-lhes maior conforto no dia a dia, ajudava a movimentar a economia estadunidense.

Além disso, o país ampliou seu mercado consumidor externo, aumentando a exportação de diversos produtos para a Europa e para a América Latina.

O aumento da produção de automóveis

No início do século XX, os automóveis já circulavam em alguns países da Europa e nos Estados Unidos, embora ainda fossem raros e muito caros para a maior parte das pessoas. Em 1913, Henry Ford, fundador da fábrica de automóveis Ford Motor Company, ampliou a produção após a instalação de uma linha de montagem.

Nas outras fábricas, os trabalhadores montavam um automóvel por vez, o que levava várias horas. Na linha de montagem da Ford, cada funcionário ficou responsável por uma etapa da produção. Essa inovação possibilitou maior velocidade na montagem e, consequentemente, o aumento na produção. Assim, o automóvel tornou-se mais barato, o que foi importante para atender a demanda, que crescia em tempos de prosperidade.

Consumo e consumismo na atualidade

A propaganda teve um importante papel no *American way of life*. Por trás dos anúncios publicitários, havia promessas de que os consumidores estariam comprando mais do que somente um produto, estariam adquirindo poder, felicidade, conforto, além de *status*. De acordo com o pensamento vigente nos Estados Unidos nesse período, para obter tudo isso, ou seja, consumir de acordo com esse estilo, bastava trabalhar.

O estímulo ao ato de consumir gerou o que foi chamado posteriormente de **sociedade de consumo**, que pode ser caracterizada pelo alto consumo massivo de bens e serviços. Em uma sociedade de consumo, a pessoa muitas vezes é levada a interpretar um desejo de consumo como algo extremamente necessário. Dessa maneira, ela consome, satisfazendo seu desejo, mas em seguida surge um novo desejo, e assim por diante, gerando um processo de insaciabilidade. O texto a seguir explica a diferença entre consumo e consumismo.

[...]

O consumo ocorre quando adquirimos algo de que precisamos ou de que gostamos muito, na hora e na quantidade adequadas. Para isso, estudamos as opções, comparamos os detalhes, pesquisamos preços e só então partimos para as compras.

Já o consumismo acontece quando compramos por impulso, sem planejamento, de forma exagerada e sem reflexão. Dessa forma, a vida passa a se basear no consumo, e consumir passa a ser o significado da própria existência. Pode ser o consumo de objetos, serviços, alimentos, entre outros.

[...]

Silmara Franco. *Você precisa de quê?*: a diferença entre consumo e consumismo. São Paulo: Moderna, 2016. p. 13. (Coleção Informação e Diálogo).

Imagem de divulgação de campanha sobre consumo consciente promovida em 2017 pelo Instituto Akatu, uma organização não governamental (ONG) que tem como objetivo conscientizar e mobilizar a sociedade para o consumo consciente. O Akatu atua por meio duas frentes: Educação e Comunicação, além de desenvolver trabalhos junto a empresas.

Você, as pessoas da sua família, seus professores, colegas, vizinhos e parentes, todos nós somos consumidores. Consumimos algo diariamente, aliás, o consumo é necessário à sobrevivência, por exemplo, precisamos nos alimentar, beber água, nos vestir... mas, além disso, compramos e consumimos coisas de que gostamos, como um livro, um jogo, um aparelho de celular, entre outras. Assim, é muito importante refletir sobre o nosso consumo e, para isso, podemos nos fazer questionamentos como os que foram apresentados no cartaz ao lado.

Mudanças de comportamento

Os anos após o final da Primeira Guerra Mundial ficaram marcados em alguns países da Europa por um sentimento de euforia e por grande efervescência de ideias.

Diversos artistas e intelectuais passaram a questionar alguns dos valores da sociedade europeia da época, criticando, por exemplo, a excessiva valorização do progresso tecnológico, que trazia, ao lado de alguns benefícios, alto poder de destruição, fato que ficou demonstrado durante a guerra.

As mulheres na década de 1920

Nesse contexto de mudança de mentalidade, o comportamento de uma parcela das mulheres passou por profundas transformações.

Durante a Primeira Guerra e ao longo da década de 1920, a ampliação do número de mulheres inseridas no mercado de trabalho foi um fator importante para mudar o papel delas na sociedade, antes restrito ao âmbito familiar, uma vez que eram educadas para cuidar do lar e da família.

Nessa época, muitas mulheres passaram a lutar por mais liberdade e igualdade de direitos em relação aos homens e começaram a participar mais ativamente da vida cultural nas cidades. A cidade de Paris tornou-se um dos mais importantes redutos de artistas e intelectuais vindos de diferentes lugares do mundo. O bairro parisiense de Montparnasse ganhou fama por reunir diversos bares e cabarés frequentados por essas personalidades.

O *jazz*, estilo musical criado por afrodescendentes nos Estados Unidos na década de 1910, tornou-se popular na Europa, sendo apresentado em muitos cabarés franceses. Uma das mais famosas dançarinas desse estilo foi a estadunidense Josephine Baker, que fez grande sucesso e influenciou a moda feminina do período, usando cabelos curtos e roupas consideradas ousadas para a época.

Assim como Josephine Baker, a estilista francesa Gabrielle Bonheur Chanel, mais conhecida como Coco Chanel, também ajudou a transformar a moda, criando roupas com estilos mais simples e práticos do que as roupas usadas até então e que valorizavam a independência feminina. Chanel foi uma das primeiras estilistas a difundir o uso de calças compridas entre as mulheres, além do blazer e de vestidos mais simples, sem os diversos adornos e os babados encontrados nas vestimentas da época.

Jogadores de cartas, óleo sobre tela do pintor alemão Otto Dix (1891-1969), que abordou os horrores da guerra e as condições de vida no pós-guerra. Nessa obra, de 1920, ele representou ex-soldados mutilados jogando cartas. Acervo da Galeria Nacional, Berlim, Alemanha. Foto de 2012.

Reduto: local onde se reúne um grupo de pessoas que possuem algum tipo de afinidade.

Cabaré: estabelecimento comercial onde os clientes podem beber, dançar e assistir a espetáculos variados.

Josephine Baker, em foto de 1926. Paris, França.

A crise de 1929

A economia dos Estados Unidos começou a mudar no final da década de 1920. A euforia e o otimismo gerados pelo consumismo provocaram uma superprodução industrial e agropecuária. Foram produzidos bens num ritmo muito mais rápido do que poderiam ser consumidos e, com isso, houve grande acúmulo de mercadorias nos depósitos. Esse excedente, por consequência, levou à diminuição da produção, principalmente a industrial.

Diante disso, muitos trabalhadores ficaram desempregados e passaram a consumir menos. Enquanto isso, diversos países europeus, como a Alemanha, recuperavam-se economicamente, abastecendo seu mercado interno e diminuindo a compra de itens da indústria estadunidense.

A crise no mercado financeiro

O otimismo econômico dos primeiros anos do pós-guerra levou muitas pessoas a investir em ações na Bolsa de Valores de Nova York. No entanto, com a crise gerada pela superprodução industrial, muitas indústrias, bancos e outras empresas declararam falência e fecharam. Com isso, as ações dessas empresas passaram a não ter valor.

Com o número cada vez maior de empresas encerrando suas atividades ou correndo o risco de fechar, muitas ações sofreram rápida desvalorização. Para tentar reduzir os prejuízos, muitos acionistas vendiam ou tentavam vender suas ações a preços muito abaixo do que haviam custado. Nesse contexto, muitos investidores perderam fortunas da noite para o dia.

No dia 24 de outubro de 1929, sem condições de manter as negociações no mercado de ações, a Bolsa de Valores de Nova York fechou, um fato que ficou conhecido na História como **Quebra da Bolsa de Valores**.

> **Ações:** nesse sentido, são títulos que equivalem a uma pequena parte de uma empresa. Ao comprar uma ação, a pessoa passa a ser dona de uma parte da empresa e, também, a dividir os lucros ou prejuízos que ela pode ter.
>
> **Bolsa de Valores:** local onde são negociados títulos de compra ou venda de uma empresa.

Multidão na rua no dia da Quebra da Bolsa de Valores, em Nova York, em foto de 1929.

79

A Grande Depressão

A crise da superprodução, os altos índices de desemprego e a Quebra da Bolsa de Valores de Nova York foram fatores que caracterizaram um período da história dos Estados Unidos conhecido como Grande Depressão, que durou de 1929 até o final da década de 1930.

Durante esse período, muitas pessoas passaram a viver em situação de miséria. Em 1933, o pior ano da Grande Depressão, havia aproximadamente 13 milhões de desempregados nos Estados Unidos, quase 27% da população ativa.

A crise se espalhou para outros países da Europa e da América Latina que vendiam para os Estados Unidos. Na Alemanha, o desemprego chegou a 25% da população. Já no Brasil, a crise afetou a produção cafeeira, que tinha os Estados Unidos como principal mercado consumidor.

Fila de desempregados aguarda para receber sopa gratuita em Chicago, nos Estados Unidos, em foto de 1931.

O combate à crise

Em 1933, o presidente estadunidense eleito, Franklin Roosevelt (1882-1945), iniciou um programa para superar a crise econômica e social que havia arruinado o país. O programa de reformas recebeu o nome de **New Deal** (do inglês, "Novo Acordo") e tinha como base a intervenção do Estado na economia.

Foi fixado um salário mínimo, as jornadas de trabalho foram limitadas e houve grande investimento em obras públicas para gerar empregos e salvar as empresas. Assim, a economia estadunidense começou, gradativamente, a melhorar, e, em 1937, o desemprego havia sido bastante reduzido e a renda da população do país voltou a crescer.

Operários trabalham em obra que fazia parte do programa de geração de empregos dos Estados Unidos, em foto de 1935.

A ascensão dos regimes totalitários na Europa

Após a Grande Depressão, e ainda sentindo os efeitos da Primeira Guerra, muitos países da Europa sofriam com o aumento do custo de vida, com a desvalorização da moeda e com o alto índice de desemprego.

As dificuldades dos governos em resolver os problemas sociais abriram caminho para que movimentos de cunho nacionalista ganhassem cada vez mais espaço na Europa. Alguns líderes carismáticos conseguiram atrair e manipular as massas pregando, entre outras ideias, que a democracia era um sistema frágil e decadente, e que somente um Estado forte poderia solucionar os problemas sociais.

Assim, países como a Itália e a Alemanha vivenciaram a ascensão de regimes totalitários, caracterizados pelo extremo autoritarismo, pela presença do Estado em todas as esferas públicas e por forte nacionalismo. Nesse tipo de regime, existe apenas um partido político e não se tolera qualquer tipo de oposição.

Carismático: que possui a habilidade de seduzir, de cativar determinado grupo de pessoas, conquistando sua aprovação e sua simpatia.

Milícia: grupo de cidadãos armados que não fazem parte do exército ou da corporação policial de um país.

A Itália fascista

Após o fim da Primeira Guerra Mundial, a Itália enfrentou uma grave crise econômica que afetou grande parte da população do país, deixando muitas pessoas na miséria. Assim, as ideias socialistas começaram a ganhar força, e houve um significativo crescimento do Partido Socialista Italiano e do Partido Comunista da Itália no pós-guerra. Em resposta a esse crescimento, surgiram organizações conservadoras que se tornaram a alternativa para os que eram contrários às mobilizações sociais, como paralisações e greves que ocorriam no país nesse período.

Em 1919, Benito Mussolini, aproveitando a situação de descontentamento, mobilizou forças e criou uma milícia que atacava violentamente sindicatos e organizações socialistas ou comunistas, reprimindo qualquer tipo de organização operária. Em 1921, Mussolini transformou sua milícia em um partido político, o Partido Fascista Italiano, que cresceu com o apoio de banqueiros, de grandes latifundiários e de industriais.

Nessa época, a Itália era governada por uma monarquia. Com receio de um possível avanço do comunismo, como o ocorrido na Rússia, o rei italiano Vitório Emanuel III passou a apoiar o Partido Fascista. Em 1922, como demonstração de poder, Mussolini liderou uma grande manifestação, a **Marcha sobre Roma**, e, logo depois, foi nomeado pelo monarca para o cargo de primeiro-ministro.

Mussolini implantou, então, uma ditadura que fez amplo uso da propaganda, da censura à imprensa e da violência contra seus opositores para continuar no poder.

Mussolini lidera a Marcha sobre Roma, em foto de 1922.

O nazismo alemão

No ano seguinte ao fim da Primeira Guerra Mundial, ou seja, em 1919, teve início um governo republicano na Alemanha chamado **República de Weimar**. Nos primeiros anos dessa República, a Alemanha passava por grave crise econômica e encontrava-se endividada por causa da guerra e das imposições do Tratado de Versalhes, que obrigava os países derrotados a pagar indenizações extremamente altas aos vencedores.

A ascensão de Hitler

Em 1919, Adolf Hitler, um ex-soldado que havia lutado na Primeira Guerra Mundial, ingressou no Partido dos Trabalhadores Alemães, fundado por Anton Drexler e que fazia oposição aos governantes do país. Em 1920, esse partido foi transformado no Partido Nacional Socialista dos Trabalhadores Alemães (NSDAP), ou Partido Nazista. O **nazismo** era uma ideologia que apresentava princípios como o nacionalismo, a militarização e o expansionismo, além de fortes tendências ao racismo, à xenofobia e ao autoritarismo.

Desde seu ingresso, Hitler ganhou cada vez mais notoriedade dentro do partido, principalmente por causa de sua habilidade de oratória, tornando-se líder do partido em 1921.

Em 1923, o NSDAP tentou tomar o poder por meio de um golpe de Estado. A tentativa foi um fracasso e terminou com a prisão de seus articuladores, incluindo Hitler, que permaneceu alguns meses na prisão. Durante o tempo em que esteve preso, ele escreveu o livro *Mein kampf* (*Minha luta*, título em português), que sintetizou algumas das principais ideias nazistas, como a defesa da raça ariana e do antissemitismo, além de seu projeto de uma Alemanha expansionista.

> **Xenofobia:** aversão ou repulsa a tudo o que é estrangeiro.
>
> **Raça ariana:** de acordo com a doutrina popularizada pelos nazistas, seria uma raça "pura", superior, formada por descendentes do antigo povo ariano (a palavra *arya* significa "nobre", em sânscrito).
>
> **Antissemitismo:** doutrina que prega a aversão aos povos de origem semita, neste caso especificamente, aos judeus.

Foto de família alemã em Berlim, no final da década de 1920. Por essa foto, é possível perceber a situação de precariedade de muitas famílias da Alemanha na época.

Os nazistas no poder

Desde 1924, a economia alemã vinha se recuperando, mas a crise econômica de 1929 gerou graves problemas, elevando o desemprego, que chegou a níveis alarmantes. As ideias nazistas ganharam, então, cada vez mais aceitação, impulsionando o fortalecimento do NSDAP nas eleições seguintes.

Em um momento de bastante fragilidade da população alemã, Hitler, como líder do NSDAP, utilizou seu poder de oratória para fazer discursos inflamados, com forte apelo nacionalista, buscando estimular nos alemães a ideia de que todos deveriam se unir e, norteados pelos princípios do nazismo, participar dos projetos de expansão do país.

Hitler também acusava os republicanos de terem levado a Alemanha à derrota na Primeira Guerra Mundial e responsabilizava os judeus pelas dificuldades econômicas que os alemães enfrentavam. Para uma população humilhada, empobrecida e ansiosa por mudanças, Hitler falava sobre a superioridade dos alemães diante de outros povos e prometia a volta da Alemanha aos seus dias gloriosos.

Após o NSDAP obter expressivas votações nas eleições de 1932 e conseguir apoio dos grandes empresários alemães, que temiam o fortalecimento das ideias socialistas no país, Hitler foi nomeado primeiro-ministro da Alemanha, assumindo em 1933. Assim, teve fim a República de Weimar, e, no ano seguinte, com a morte do então presidente Paul von Hindenburg, Hitler autoproclamou-se *führer* (do alemão, "líder"). O governo nazista caracterizou-se por ser extremamente autoritário, principalmente após Hitler centralizar o poder do Estado em suas mãos e governar como um ditador.

Desempregados e seus familiares recebem sopa em Berlim, Alemanha. Foto de 1930.

A direita e a esquerda política

Na década de 1930, os grupos políticos mais conservadores e autoritários, como os nazistas alemães e os fascistas italianos, faziam parte da direita política, enquanto os grupos opostos, como os socialistas e os comunistas na Rússia (como vimos na unidade 2), com maior preocupação com aspectos sociais e igualitários, eram considerados de esquerda.

Durante o regime nazista, houve intensa perseguição a artistas e a intelectuais, principalmente aos escritores. Em 1933, em diversas cidades da Alemanha, estudantes influenciados pela ideologia nazista queimaram centenas de milhares de livros em grandes fogueiras, como pode ser observado nessa foto, tirada em Berlim. O objetivo era "purificar" a literatura alemã, destruindo tudo o que fosse crítico ou considerado fora dos padrões impostos pelo regime.

A Guerra Civil espanhola

O autoritarismo também ganhou força em outros países da Europa ao longo da década de 1930. A Espanha, por exemplo, vivenciava um período de instabilidade política, que foi agravada após a Quebra da Bolsa de Valores de Nova York.

O regime monarquista espanhol, liderado por Alfonso XIII desde 1885, não conseguiu conter a crise financeira do país e, após perder o apoio do exército, chegou ao fim. Com a queda da monarquia, em 1931, foi proclamada uma República na Espanha.

O novo governo republicano, sob influência de ideias liberais e socialistas, adotou uma série de medidas, como a desapropriação das grandes fazendas, a redução do número de oficiais do exército, o fechamento de escolas religiosas e o aumento do salário dos operários.

Essas medidas, no entanto, enfrentaram forte resistência de grupos dominantes (Exército, Igreja católica, grandes proprietários de terras e industriais), que temiam uma revolução social e formavam a Frente Nacionalista.

Por outro lado, o governo republicano, cada vez mais enfraquecido, também foi pressionado por grupos de esquerda (socialistas, sindicalistas e comunistas), que se uniram para formar a Frente Popular. Esses grupos organizaram greves e revoltas contra o governo.

Nas eleições de fevereiro de 1936, a Frente Popular saiu vitoriosa, mas o governo não conseguiu conter a insatisfação popular e retomar a ordem no país. Em julho do mesmo ano, o general Francisco Franco liderou uma revolta com o objetivo de derrubar a República. Ele recebeu apoio de líderes do exército, da Igreja católica e de outros grupos dominantes, que criaram um partido de cunho fascista denominado Falange.

Mulheres republicanas em treinamento de milícia da Frente popular, nos arredores de Barcelona, em 1936, durante a Guerra Civil Espanhola.

A revolta deu início a uma violenta guerra civil na Espanha. Durante os conflitos, o grupo liderado por Franco recebeu apoio militar e financeiro da Itália fascista e dos nazistas alemães. A guerra civil só terminou em 1939, quando as forças de Franco venceram e foi instaurada uma ditadura no país.

Foto das ruínas da cidade de Guernica, na Espanha, após bombardeio, em 1937, promovido pelas forças aéreas da Itália e da Alemanha.

Guernica e a arte representando a guerra

Durante a Guerra Civil Espanhola, novas tecnologias bélicas foram utilizadas. Os aviões, que tiveram participação modesta durante a Primeira Guerra Mundial, passaram a ter um grande potencial de destruição, sendo utilizados em bombardeios. O exemplo mais marcante desse tipo de ataque ocorreu em 1937 na cidade espanhola de Guernica, importante foco de resistência a Francisco Franco. Forças aéreas alemã e italiana promoveram um intenso bombardeio à cidade por mais de três horas, causando sua destruição e a morte de centenas de civis.

A extrema violência desse ataque causou grande comoção pública e levou o artista espanhol Pablo Picasso (1881-1973) a produzir um mural representando a dor e o sofrimento da população de Guernica. Leia o texto abaixo que aborda alguns aspectos dessa obra e observe-a em seguida.

> [...]
>
> Pablo Picasso vivia em Paris fazia anos quando as notícias do bombardeio de Guernica chegaram. A pedido da República, ele, então, começou a trabalhar num imenso mural que pudesse retratar o horror do ataque, com a intenção de exibi-lo no pavilhão espanhol durante a Feira Mundial de Paris, em julho de 1937. O resultado, com 3,5 m de largura por 7,7 m de comprimento, é provavelmente o trabalho mais conhecido de Picasso e de todo o movimento cubista. O resultado é contundente e impressiona até hoje. Na tela em preto e branco, há uma caveira estilizada ao fundo e imagens de seres humanos e animais dilacerados pelo sofrimento. Hoje, o quadro está no Museu Rainha Sofia, em Madri. Uma réplica reveste as paredes do prédio das Nações Unidas em Nova York, na entrada da sala do Conselho de Segurança da ONU.
>
> [...]
>
> Reinaldo Lopes. Guerra civil espanhola – a república sem saída. *Aventuras na História*, 23 out. 2017. Disponível em: <https://aventurasnahistoria.uol.com.br/noticias/acervo/guerra-civil-espanhola-republica-saida-434827.phtml>. Acesso em: 18 ago. 2018.

Pablo Picasso. *Guernica*, 1937. Pintura a óleo. Museu Nacional Centro de Arte Reina Sofia, Madri, Espanha.

Atividades

Organizando o conhecimento

1. Quais foram os principais motivos que levaram os Estados Unidos a se tornarem uma grande potência econômica após a Primeira Guerra Mundial?

2. Explique o que foi o *American way of life*.

3. Quais foram as principais causas da crise de 1929 nos Estados Unidos? E quais foram os impactos dessa crise em outras regiões do mundo?

4. O que foi o *New Deal*? Quais eram seus objetivos?

5. Explique como a situação da Itália e da Alemanha após o fim da Primeira Guerra Mundial está associada à ascensão de regimes totalitários nesses países.

Conectando ideias

6. Analise a foto a seguir e depois responda às questões.

Foto retratando afrodescendentes em fila para receberem alimentos e roupas nos Estados Unidos, na década de 1930. O *outdoor* ao fundo ressalta o modo de vida estadunidense, com as frases "O mais alto padrão de vida do mundo" e "Não há nenhum modo de vida como o modo de vida americano".

   a) O que mostra o *outdoor* atrás das pessoas em fila? Relacione seu conteúdo ao que foi estudado no capítulo.

   b) Qual é a contradição que pode ser percebida na foto? Em grupos, conversem sobre o tema.

7. A propaganda era uma ferramenta muito importante para os regimes totalitários. Ela foi amplamente utilizada pelo Partido Nazista, tanto para chegar ao poder, como para se manter nele. Observe a seguir um cartaz de propaganda nazista produzido na década de 1930. As mensagens do cartaz estão escritas no idioma alemão, mas foram traduzidas para o português. Leia essas traduções para realizar a atividade.

a) Descreva o cartaz acima no caderno.
b) Quais são as promessas do Partido Nazista expostas no cartaz?
c) Quais são os planos dos adversários, segundo o cartaz?
d) Como é a aparência do homem que está apoiado sobre os blocos nazistas? E a dos dois outros homens que aparecem na imagem? Explique.

87

CAPÍTULO 6

A Segunda Guerra Mundial

Quando Adolf Hitler assumiu o poder na Alemanha como primeiro-ministro, em 1933, ele iniciou várias ações para o fortalecimento do país.

Essas ações iam contra as cláusulas estabelecidas pelo Tratado de Versalhes, de 1919. No entanto, apoiado pela opinião pública, Hitler considerava as exigências do tratado injustas e declarou que a Alemanha não cumpriria mais suas determinações.

Uma das medidas tomadas por Hitler foi restabelecer o serviço militar obrigatório, além de adquirir diversas armas e veículos bélicos, aumentando e fortalecendo o exército alemão.

A expansão nazista e o caminho para a guerra

Os nazistas adotavam uma política de expansão territorial, idealizada por Hitler em sua obra *Minha luta*, mencionada anteriormente. Em 1934, Hitler ordenou o envio de tropas para ocupar a Renânia, região em torno do rio Reno, na fronteira entre a Alemanha e a Bélgica. Quatro anos depois, os nazistas invadiram a Áustria e a anexaram ao território alemão, realizando a *Anschluss* (palavra alemã que, em português, significa "união"), com o pretexto de evitar possíveis agressões desse país à Alemanha.

Em março de 1939, os nazistas avançaram sobre a região dos Sudetos, nos limites entre a Alemanha e a Tchecoslováquia (atual República Tcheca), e incorporaram esse território por meio de um acordo. Depois, a Tchecoslováquia foi invadida e conquistada por meio de uma ação militar.

Com a chegada das tropas alemãs, as populações das cidades invadidas eram obrigadas a fazer a saudação nazista (com o braço direito levantado). Nessa foto, de 1939, vemos mulheres fazendo a saudação nazista durante a invasão dos alemães em Eger, na região dos Sudetos.

88

Acordos firmados

Em 1939, a Alemanha de Hitler firmou um acordo com a Itália de Mussolini, conhecido como Pacto de Amizade e Aliança ou Pacto de Aço, que garantia a ajuda mútua entre as duas nações em caso de guerra.

No mesmo ano, a Alemanha assinou um pacto de não agressão com a URSS. Em uma cláusula secreta, os soviéticos garantiam não entrar em conflito com os alemães e, em troca, receberiam territórios na Polônia e na Finlândia, além do controle da Lituânia, da Letônia e da Estônia.

Países do Eixo

Em 1936, a Alemanha e a Itália já haviam formado o Eixo Roma-Berlim. Assim como a Alemanha, a Itália fascista também tinha interesses expansionistas, o que fez com que esses dois países se aproximassem. Em 1940, o Japão, que também buscava expandir seus territórios na Ásia, aderiu ao Eixo.

O início da guerra

Após firmar esses acordos, Hitler iniciou a invasão da Polônia em 1º de setembro de 1939. Dois dias depois, Inglaterra e França declararam guerra à Alemanha nazista. Desse modo, teve início um dos maiores conflitos do século XX, que ficou conhecido como Segunda Guerra Mundial.

As tropas de Hitler avançaram, bombardeando e destruindo até mesmo países neutros, como a Bélgica, a Holanda e Luxemburgo e, por fim, invadiram a França. Derrotados, os franceses assinaram um armistício, seu exército foi desarmado e seu território foi ocupado pelos alemães.

Em 1940, a Alemanha tentou invadir a Inglaterra, bombardeando várias cidades, mas o exército inglês resistiu aos ataques das forças alemãs.

Em seguida, os nazistas desrespeitaram o pacto de não agressão estabelecido com os soviéticos e, em 1941, avançaram sobre o território russo. Houve diversas batalhas, que causaram muitas perdas humanas e materiais. No entanto, o exército da URSS, também conhecido como Exército Vermelho, conseguiu resistir, impedindo que os alemães tomassem Moscou, a capital soviética.

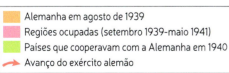

Fonte: Jayme Brener. *A Segunda Guerra Mundial*: o planeta em chamas. São Paulo: Ática, 1997. p. 38.

A "Nova Ordem" nazista

Em 1942, os nazistas dominavam extensa parte da Europa. Diversos territórios haviam sido ocupados militarmente ou eram governados por autoridades locais que apoiavam o nazismo. Dessa forma, com seu poder estabelecido, o *führer* pôde impor sua "Nova Ordem", pregando a "supremacia da raça ariana" na Europa e perseguindo todos os que não se enquadrassem nessa ordem.

Por meio da força militar nazista, Hitler perseguiu sistematicamente judeus, ciganos, comunistas, homossexuais, pessoas com deficiências e outros grupos considerados de "raças inferiores" pelos nazistas.

A perseguição aos judeus

Os judeus foram os que mais sofreram com as perseguições dos nazistas. A doutrina nazista considerava-os naturalmente "inferiores" e, como tal, seriam responsáveis pelo declínio moral que levou a Europa à crise econômica. Os judeus também eram considerados os causadores dos problemas políticos e sociais enfrentados pelos alemães naquele momento.

Logo que invadiram os primeiros territórios, no início do conflito, os nazistas tomaram uma série de medidas que visavam excluir os judeus da vida social, política e econômica nos locais onde viviam.

Assim, foram adotadas diversas medidas de caráter discriminatório contra os judeus, entre as quais: os filhos de judeus foram proibidos de frequentar a escola; as lojas cujos proprietários eram judeus foram fechadas; muitas famílias judias tiveram a casa tomada e outros bens confiscados; diversos judeus perderam o emprego.

Os judeus eram obrigados pelos nazistas a usar uma estrela de Davi como identificação. Dessa forma, a polícia nazista poderia reconhecer os judeus que moravam nos guetos. Acima, um casal de judeus usando a estrela de Davi, em foto de 1942, em Varsóvia, na Polônia.

O gueto de Varsóvia

Ao invadirem a Polônia, em 1939, os nazistas confinaram os judeus em **guetos**, como o da cidade de Varsóvia. Nesses locais, a circulação era restrita e as pessoas eram tratadas com bastante brutalidade.

O gueto de Varsóvia chegou a abrigar aproximadamente 450 mil pessoas, entre judeus, prisioneiros de guerra e alguns grupos de ciganos, em uma área de 3 km² cercada por muros vigiados 24 horas por dia.

Os moradores dos guetos sofriam com a falta de espaço, de alimentos e de higiene. Muitas famílias eram obrigadas a compartilhar uma mesma moradia; os alimentos fornecidos a eles eram escassos e pouco nutritivos. Assim, vivendo em péssimas condições, era comum a ocorrência de epidemias que causavam muitas mortes.

Gueto de Varsóvia, na Polônia, em foto de 1940.

A "solução final"

No começo da década de 1940, os nazistas mudaram sua política para a chamada "questão judaica" e iniciaram práticas que não visavam somente a perseguição e a expulsão dos judeus dos territórios dominados, mas também a eliminação de todos eles.

Muitas atrocidades foram cometidas para alcançar esse objetivo, que era chamado pelos nazistas de "solução final". Nas cidades invadidas, os judeus, fossem homens, fossem mulheres ou crianças, sofriam diversos tipos de violência física e psicológica. Vários deles foram executados de forma brutal, mortos a tiros de fuzil ou enforcados.

Muitos judeus foram enviados para os campos de concentração e extermínio, onde estavam sujeitos a trabalhos forçados e eram cruelmente eliminados.

Judeus embarcam em trem para serem levados ao campo de Auschwitz, na Polônia, em foto de 1942.

Os campos de concentração e extermínio

Desde 1933, os nazistas aprisionavam seus adversários em campos de concentração. Contudo, no início da década de 1940, esses espaços também foram utilizados como local de extermínio de pessoas consideradas "inferiores" pelos nazistas.

Os mais de vinte campos de concentração nazistas estavam localizados em diversas regiões, principalmente na Polônia e na Alemanha. Durante toda a Segunda Guerra, aproximadamente 8 milhões de pessoas foram aprisionadas.

Veja algumas atrocidades cometidas pelos nazistas nos campos de concentração.

Campos de concentração e extermínio (década de 1940)

Fonte: Jayme Brener. *A Segunda Guerra Mundial*: o planeta em chamas. São Paulo: Ática, 1997. p. 45.

Testes e experiências

As pessoas aprisionadas nos campos eram obrigadas a participar de experiências consideradas científicas pelos nazistas. Elas eram obrigadas a ingerir substâncias perigosas, sofriam mutilações e violações sexuais, além de outras agressões e humilhações. A foto ao lado, tirada na década de 1940, retrata um prisioneiro judeu do campo de Dachau, na Alemanha, colocado em uma câmara pressurizada para testar os limites da resistência humana às baixas pressões atmosféricas.

A chegada aos campos

Os prisioneiros eram divididos em dois grupos principais: aqueles considerados incapazes, como os idosos e as crianças; e aqueles aptos ao trabalho pesado. O primeiro grupo normalmente era encaminhado diretamente ao extermínio, enquanto os outros passavam por uma triagem onde recebiam uniformes e identificações numéricas. Ao lado, foto de chegada de prisioneiros ao campo de Auschwitz, na Polônia, em 1940.

92

As câmaras de gás

Muitas pessoas morreram nos campos de concentração. Havia as que não suportavam as péssimas condições e morriam de fome ou de doenças. Mas havia também os extermínios em massa, por meio de fuzilamentos ou pela inalação de gases tóxicos nas câmaras de gás. Ao lado, foto que retrata o interior de uma câmara de gás de um campo de Auschwitz, na Polônia, usada na década de 1940. Foto de 2018.

O cotidiano desgastante

Os presos trabalhavam em turnos diários de mais de 10 horas, em diversas atividades exaustivas, como na construção de estradas, na indústria química, na mineração, entre outras. A alimentação normalmente era composta de pão, café e sopa de batatas, mas só era disponibilizada a quantidade mínima necessária para a sobrevivência. Os presos dormiam em barracões com instalações precárias, no chão ou em beliches forrados com capim. Ao lado, foto de prisioneiros no dormitório do campo de Buchenwald, na Alemanha, em 1945.

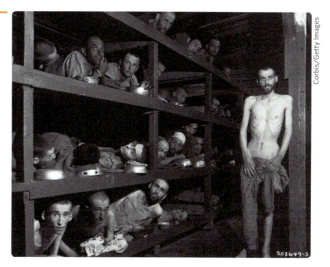

Ravensbrück

Entre as mulheres levadas aos campos de concentração, mais de 100 mil passaram por um campo exclusivamente feminino: Ravensbrück, na Alemanha. Nesse local, elas eram obrigadas a trabalhar em fábricas e a costurar uniformes nazistas. Também sofriam diversas agressões, como procedimentos de esterilização. Ravensbrück foi um dos últimos campos a serem libertados, em 30 de abril de 1945, quando a Cruz Vermelha e o Exército Soviético chegaram ao local.

Atualmente, Ravensbrück abriga um memorial dedicado às vítimas dos horrores nazistas, um símbolo do combate à violência contra a mulher. Ao lado, escultura homenageando mulheres mortas nesse campo de concentração. Foto de 2017.

> **Esterilizar:** neste caso, tornar a pessoa infértil, incapaz de procriar.

Para investigar

Diários de guerra

Os diários pessoais são importantes fontes históricas para conhecermos o cotidiano de pessoas que viveram em determinada época. Os registros feitos nesses diários podem fornecer indícios sobre os fatos históricos, sobre as vivências da pessoa que os escreveu e sobre os sentimentos e as emoções dela em certo local e contexto histórico.

Durante a Segunda Guerra Mundial, diversas pessoas descreveram suas experiências em diários. Muitas crianças e adolescentes registraram como a guerra alterou o cotidiano deles. Leia a seguir um trecho de um diário escrito pela russa Lena Mukhina, quando ela tinha 17 anos, acompanhado de uma análise desse trecho.

Os diários normalmente apresentam um cabeçalho com a data em que foram feitos os registros.

Nesse registro, encontramos diversas referências a locais que Lena conhecia, como a rua Ivanovskaia, a rua Raziezjaia, entre outras ruas, além do Grande Teatro de Arte Dramática e do Teatro Alexandrinski.

Podemos identificar alguns dos instrumentos utilizados na guerra, como canhões, obuses, mísseis, aviões e bombas.

14 de setembro [de 1941]

Os alemães atiraram em nós com canhões de longo alcance. Ontem nosso bairro ficou à mercê dos bombardeios. Mesmo assim, nosso edifício permaneceu intacto — mas ao redor, literalmente ao redor, caíram obuses: na rua Ivanovskaia, na rua Raziezjaia, no n. 16, na pracinha Vladimir, na rua Marat, na rua Pravda, perto do Grande Teatro de Arte Dramática, a pouca distância do Teatro Alexandrinski, e em outros pontos mais. Os obuses passaram por cima de nosso edifício sem nos atingir, mas caíram perto. A qualquer momento podemos ser mortos. [...] Todo mundo quer viver, é óbvio! E os que foram mortos também tinham vontade de viver. Dentre esses mortos há crianças, bebês, velhos e jovens: moças e rapazes querendo viver. [...]

Nós de Leningrado, durante esses terríveis dias 8, 9 e 10 de setembro, nos habituamos ao fato de que sempre, por volta das 11h, a sirene começa a tocar e corremos para os abrigos (aqueles, em todo caso, para quem a vida tem um preço). O espetáculo então começa: mísseis, trovoar dos aviões, estrondos das bombas explosivas, assobio das bombas incendiárias. [...]

Lena Mukhina. *O diário de Lena*: a história real de uma adolescente durante a Segunda Guerra. Tradução de Jorge Bastos. São Paulo: Globo Livros, 2014. p. 90-91.

Lena fala do cotidiano de Leningrado em plena guerra, dos avisos de bombardeio e de como essas ocorrências afetavam o dia a dia das pessoas.

Em seu diário, Lena relata o medo da morte que ela e outras pessoas sentiam quando tocava a sirene que anunciava o lançamento de mísseis e bombas.

Quando a sirene tocava, os habitantes de Leningrado corriam para os abrigos.

> **Obus:** projétil onde se colocam explosivos que são lançados em caso de guerra.

Ficha de análise

Nome da autora do diário: Lena Mukhina.
Data em que o trecho do diário foi escrito: 14 de setembro de 1941.
Local onde a autora vivia: Leningrado.
Informações que podemos obter por meio da leitura: cotidiano dos moradores durante o período de guerra, armas utilizadas na época, os sentimentos de Lena Mukhina quanto aos acontecimentos, suas memórias e locais que eram importantes para ela.

Agora vamos analisar um registro do diário de Anne Frank, escrito quando ela tinha 14 anos. A família dela era judia e, após sofrer perseguições em seu país, mudou-se para a Holanda, em 1942, onde passou a viver escondida na casa de amigos. Leia um trecho do diário dela, escrito em 13 de janeiro de 1943, e responda às questões no caderno.

[...]

Coisas terríveis estão acontecendo lá fora. A qualquer hora do dia ou da noite pessoas pobres e desamparadas são retiradas de suas casas. Não têm permissão de levar nem mesmo uma sacola com alguma coisa e um pouco de dinheiro, e, mesmo quando têm, essas posses lhes são roubadas no caminho. Famílias são rompidas; homens, mulheres e crianças são separados. Crianças chegam da escola e descobrem que os pais desapareceram. Mulheres voltam das compras e descobrem as casas lacradas e que as famílias desapareceram. Os cristãos holandeses também estão com medo porque seus filhos são mandados à Alemanha. Todo mundo anda apavorado. Todas as noites centenas de aviões passam sobre a Holanda a caminho das cidades alemãs, para semear suas bombas em solo alemão. Toda hora centenas, ou talvez milhares, de pessoas são mortas na Rússia e na África. Ninguém pode ficar longe do conflito, o mundo inteiro está em guerra, e, mesmo com os Aliados se saindo melhor, o fim não está próximo.

[...]

As crianças deste bairro andam com camisas finas e sapatos de madeira. Não têm casacos, nem capas, nem meias, nem ninguém para ajudá-las. Mordendo uma cenoura para acalmar as dores da fome, saem de suas casas frias e andam pelas ruas até salas de aula ainda mais frias. As coisas ficaram tão ruins na Holanda que <u>hordas</u> de crianças abordam os pedestres para implorar um pedaço de pão.

Eu poderia passar horas contando a você o sofrimento trazido pela guerra, mas só ficaria ainda mais infeliz. Só podemos esperar, com toda a calma possível, que ela acabe. [...]

Anne Frank. *O diário de Anne Frank*.
45. ed. Tradução de Ivanir Alves Calado.
Rio de Janeiro: Record, 2014. p. 110-111.

Horda: grupo numeroso e desorganizado de pessoas.

Páginas do diário de Anne Frank escritas em 1943. Acervo do Museu Anne Frank, Amsterdã, Holanda.

1. Copie no caderno a ficha de análise ao lado e complete-a conforme o modelo da página anterior.

2. Descreva a visão de Anne Frank sobre a Segunda Guerra Mundial, conforme o trecho do diário apresentado.

3. De acordo com Anne Frank, como as crianças eram afetadas pelo conflito?

4. Em sua opinião, por que os diários pessoais constituem importantes fontes históricas? Explique.

Ficha de análise

Nome da autora do diário:
Data em que o trecho do diário foi escrito:
Local onde a autora vivia:
Informações que podemos obter por meio da leitura:

95

A ofensiva aliada

O Japão tinha planos de expansão territorial de seu império na Ásia, que contrariavam diretamente os interesses estadunidenses na região do oceano Pacífico. Em 1940, com a invasão dos japoneses na Indochina, os Estados Unidos estabeleceram um embargo comercial aos japoneses, cortando o fornecimento de aço e de petróleo.

Em resposta a esse embargo, no dia 7 de dezembro de 1941, o Japão realizou um bombardeio à base naval estadunidense em Pearl Harbor, no Havaí. Diante disso, os Estados Unidos, que até então estavam neutros no conflito mundial, declararam guerra ao Japão. Como o Japão tinha uma aliança com os países do Eixo, os Aliados, liderados por Inglaterra e França, ganharam um importante reforço com a entrada dos Estados Unidos na guerra.

Foto de ataque japonês a Pearl Harbor, Estados Unidos, em 1941.

Enquanto isso, em 1942, os soviéticos estavam preocupados em frear o avanço alemão. Em Stalingrado, cidade-símbolo para os soviéticos, o exército alemão sofreu com a intensidade do inverno na região e com a resistência soviética. Assim, no início de 1943, os alemães se renderam, e a Batalha de Stalingrado ficou conhecida como o marco do início da derrocada nazista.

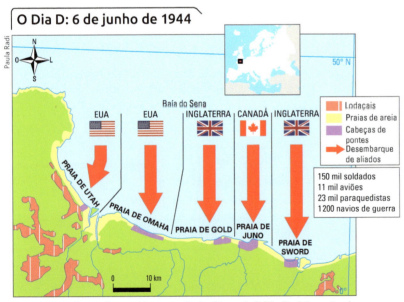

Fonte: Bruno Algarve e Carlo Giovani. O Dia D: A invasão da Normandia. Revista *Aventuras na História*. 6. ed. São Paulo: Abril, 2005. p. 6-7. (Coleção Grandes Guerras).

O Dia D

No dia 6 de junho de 1944, as forças aliadas canadenses, britânicas e estadunidenses realizaram uma operação conhecida como "Dia D", em que milhares de soldados desembarcaram na região da Normandia, no norte da França, invadindo territórios dominados pelos nazistas. Apesar da resistência dos nazistas, em agosto as tropas aliadas chegaram a Paris, retomando o controle da região.

O fim das agressões na Europa

Aos poucos, as forças do Eixo foram perdendo territórios, por causa do avanço dos Aliados nas diversas frentes de batalha.

No início de 1945, a cidade de Berlim foi cercada e recebeu intenso bombardeio. Hitler e seus oficiais mais próximos refugiaram-se em um *bunker*.

No dia 30 de abril de 1945, pressionado pelas derrotas, o líder nazista cometeu suicídio junto com sua companheira, Eva Braun. No mês seguinte, a Alemanha apresentou sua rendição aos Aliados, encerrando as agressões na Europa. No entanto, o clima de tensão ainda continuava em outras regiões, como nos territórios em torno do oceano Pacífico.

Bunker: abrigo subterrâneo fortificado, utilizado como forma de proteção em caso de ataques inimigos.

Berlim, Alemanha, após bombardeio dos Aliados, em foto de janeiro de 1945.

Os efeitos da guerra

As batalhas da Segunda Guerra Mundial afetaram diversos países e causaram a morte de milhões de pessoas. Foram 16 milhões de soldados mortos entre os Aliados e 7 milhões entre os países do Eixo. Muitos civis também morreram, cerca de 36 milhões de pessoas, o que tornou a Segunda Guerra Mundial um dos maiores e mais violentos conflitos do século XX.

Foto de vala com cerca de 60 mil corpos encontrada pelos exércitos Aliados no campo de concentração e extermínio de Bergen-Belsen, na Alemanha, após o fim da guerra, em maio de 1945.

O terror atômico

Em meados de 1945, enquanto a guerra já se encaminhava para um desfecho, os Estados Unidos e o Japão ainda disputavam a hegemonia sobre alguns territórios no Pacífico.

> **Projeto Manhattan**
>
> Os Estados Unidos foram o primeiro país a produzir armas nucleares. O trabalho de desenvolvimento da bomba atômica estadunidense envolveu os setores militar, científico e industrial em pesquisas e experimentos que ficaram conhecidos como Projeto Manhattan, iniciado em 1939.
>
> Após anos de trabalho intenso, em julho de 1945 foi realizada a detonação da primeira bomba atômica em uma região desértica dos Estados Unidos, no estado do Novo México.

Nessa época, o Japão já estava fragilizado, pois tinha poucos recursos para investir no conflito. No entanto, o governo japonês se recusava a anunciar a sua rendição.

Foi nesse contexto que Harry Truman, o então presidente estadunidense, decidiu encerrar as disputas por meio de um ataque atômico ao Japão com a justificativa de que as bombas evitariam as inúmeras mortes decorrentes do prolongamento da guerra.

Assim, em 6 de agosto de 1945, os Estados Unidos lançaram uma bomba atômica sobre a cidade japonesa de Hiroshima e, três dias depois, lançaram outra sobre Nagasaki, também uma cidade japonesa. A destruição foi imensa e milhares de civis morreram instantaneamente. Outras pessoas, afetadas pela radioatividade, sofreram as consequências a longo prazo, desenvolvendo diversas doenças.

Após esse ataque atômico, os japoneses se renderam, assinando o termo de rendição em setembro de 1945.

Acima, foto do "cogumelo" formado após a explosão da bomba atômica sobre Nagasaki, em 1945.

Foto de parte da cidade de Hiroshima após o ataque com a bomba atômica, em agosto de 1945. A construção que se vê ao fundo foi uma das poucas próximas ao local de impacto da bomba cuja estrutura resistiu à explosão. Esse edifício permaneceu até a atualidade, sendo conhecido como Cúpula da Bomba Atômica, ou Memorial da Paz de Hiroshima.

Hibakusha: os sobreviventes das bombas

Além do grande número de mortos, as bombas atômicas lançadas no Japão em 1945 deixaram milhares de feridos, que sofreram por causa de soterramentos, de queimaduras e da contaminação pela exposição à radiação, entre outras consequências.

As pessoas que sobreviveram ao ataque nuclear no Japão são chamadas de *Hibakusha*. Leia a seguir alguns relatos desses sobreviventes.

Yoshito Matsushige

Eu tinha acabado de tomar café da manhã e me preparava para ir ao jornal onde trabalhava. De repente, o mundo ao meu redor ficou branco e brilhante, como se tivessem disparado um *flash* na minha cara. A sensação era de centenas de alfinetes me penetrando ao mesmo tempo. [...]

Ayako Motita

[...] Nos dias que se seguiram, diziam que viveríamos apenas dois anos, e que nenhuma planta nasceria em Hiroshima. Como o capim começou a crescer, pensamos que também sobreviveríamos. E sobrevivemos. Um ano depois, conheci meu marido e viemos para o Brasil. Estamos juntos há quase 60 anos e temos dois filhos saudáveis. Mas eu ainda sonho com aquele dia.

Hiroshi Sawachika

[...] Acordei atordoado e caminhei até a janela, de onde vi um cogumelo de fumaça perto da companhia de gás. Nesse momento alguém me chamou para atender feridos. Comecei a trabalhar, com a ajuda de enfermeiras e residentes. [...] Naquele dia atendi 200 ou 300 pacientes. Foi o dia mais longo da minha vida.

Leandro Narloch. Hiroshima, o abominável mundo novo. *Aventuras na História*, São Paulo, Abril, v. 24, p. 31; 33-34, 2005.

A Cúpula da Bomba Atômica, em Hiroshima, é considerada um Patrimônio Mundial da Humanidade. Em frente da cúpula, no rio Motoyasu, os japoneses realizam até hoje cerimônias de homenagem às vítimas e aos sobreviventes da tragédia, soltando lanternas de papel no rio e pedindo aos líderes mundiais o fim da produção de bombas atômicas. A foto acima retrata uma cerimônia realizada em agosto de 2015, na frente da cúpula de Hiroshima. Essa cerimônia relembrou os 70 anos do ataque atômico.

Depois da guerra

As atrocidades cometidas durante a Segunda Guerra Mundial, o uso de novas tecnologias de destruição em massa e a morte de milhões de seres humanos foram fatores que contrariavam a ideia de progresso e o conceito de civilização que a sociedade ocidental pensava ter alcançado naquele momento.

Com o término da guerra, vários países estavam em ruínas. As antigas potências europeias, Inglaterra, França e Alemanha, estavam arrasadas. Houve muitas perdas humanas e cidades inteiras foram destruídas, tornando bastante difíceis as condições de vida da população desses países.

Surgem novas potências mundiais

Nesse contexto, os Estados Unidos e a URSS emergiram como novas potências mundiais. Os Estados Unidos, que já detinham considerável poder econômico antes de entrar no conflito, ajudaram diversos países em seu processo de reconstrução. Além disso, os estadunidenses dominavam a tecnologia de fabricação de bombas atômicas, fato que demonstrava seu enorme poder bélico perante os outros países.

A URSS, por sua vez, dominava enorme extensão territorial com diversas riquezas naturais, como o petróleo e o carvão, além de possuir o maior exército do mundo. Pouco tempo depois, os soviéticos também desenvolveram a bomba atômica.

A ascensão dessas duas potências, no período que ficou conhecido como pós-guerra, alterou a estrutura de poder econômico mundial. Após a Segunda Guerra Mundial, cada uma dessas potências estabeleceu sua área de influência no mundo, dividindo-o em dois blocos, o capitalista, liderado pelos Estados Unidos, e o socialista, liderado pela URSS.

Charge de 1946 que representa um jogo de futebol disputado pelo presidente dos Estados Unidos, Harry Truman, e pelo líder da União Soviética, Josef Stalin.

> Como a bola de futebol foi representada na charge acima? Em sua opinião, qual é o significado dessa charge?

Atividades

Organizando o conhecimento

1. Quais medidas foram empreendidas por Hitler, a partir de 1933, para fortalecer o poder da Alemanha?
2. Explique o que foi a chamada "solução final", posta em prática pelos nazistas.
3. Escreva um pequeno texto sobre os principais efeitos da Segunda Guerra Mundial.
4. Quais foram as duas principais potências que emergiram após a Segunda Guerra? Explique como isso ocorreu.

Conectando ideias

5. Uma das táticas militares dos nazistas chamava-se *blitzkrieg* (do alemão, "guerra relâmpago") e baseava-se no ataque coordenado entre forças aéreas e terrestres. Essa tática garantia uma ofensiva rápida e devastadora o suficiente para anular a defesa inimiga e conquistar rapidamente um território. Observe as principais etapas dessa tática. Depois, faça as atividades a seguir.

1º Um ataque aéreo destruía os principais pontos de comunicação.

2º Tanques e blindados avançavam, abrindo caminho até o alvo principal.

3º Uma infantaria motorizada eliminava possíveis focos de resistência à invasão.

a) Em seu caderno, relacione cada uma das etapas da *blitzkrieg* à imagem correspondente.
b) Em sua opinião, quais eram as consequências dessa tática militar para a população civil? Converse com os colegas.

6. Leia o texto abaixo, extraído da obra *Minha luta*, escrita por Hitler, e observe a foto. Depois, responda às questões.

Se a humanidade se pudesse dividir em três categorias: fundadores, depositários e destruidores de Cultura, só o Ariano deveria ser visto como representante da primeira classe. Dele provêm os alicerces e os muros de todas as criações humanas [...]. É ele quem fornece o formidável material de construção e os projetos para todo o progresso humano. [...]

Adolf Hitler. *Minha luta*. Tradução de Klaus Von Puschen. São Paulo: Centauro, 2001. p. 215.

Os neonazistas são adeptos das ideias racistas defendidas por Hitler e estão presentes em vários países na atualidade. Eles estão organizados em diferentes grupos ou facções, como os *skinheads* (conhecidos no Brasil como carecas). Na foto, manifestação de grupo neonazista em Newnan, Estados Unidos, em 2018.

a) De acordo com a posição do autor, qual é o povo responsável pela cultura e pelo progresso da humanidade?

b) Com base no que você estudou neste capítulo, quais grupos eram considerados "inferiores" pelos nazistas?

c) Atualmente, estudos científicos comprovam que não existem "raças" entre os seres humanos, portanto a ideia da superioridade biológica de alguns humanos sobre outros já foi superada. Porém, problemas como o racismo ainda existem em diversos lugares do mundo. Em sua opinião, por que esses problemas ainda persistem? Qual a importância do estudo da História e de conhecer a história da Segunda Guerra Mundial para combater esses preconceitos? Converse com os colegas.

▸ **Canal de Suez:** canal artificial, construído no ano de 1869, localizado no Egito, entre o mar Vermelho e o mar Mediterrâneo.

7. A Segunda Guerra Mundial teve diversas frentes de batalha, até mesmo em regiões da África. Leia o texto a seguir, que trata desse tema, e responda às questões.

[...]
Para os ingleses, o Egito é uma zona estratégica de primeira grandeza, não somente em razão do Canal de Suez, mas também em função do seu papel como plataforma de operações para a condução da guerra. [...]

Os países da África setentrional e do chifre da África, transformados em campos de batalha, também fornecem soldados às diferentes frentes europeias. Até junho de 1940, a África do Norte fornece sozinha 216 000 homens, entre eles 123 000 argelinos. De 1943 a 1945, 385 000 homens originários da África do Norte (incluindo 290 000 argelinos, tunisianos e marroquinos) participam da liberação da França. [...]

Ali A. Mazrui e Christophe Wondji (Ed.). *História geral da África, VIII*: África desde 1935. Brasília: Unesco, 2010. p. 51-52.

Tanque britânico próximo às pirâmides de Gizé, no Egito. Foto de 1939.

a) De acordo com o texto, qual era a importância estratégica do Egito para os ingleses?

b) Quais regiões da África forneceram soldados às diferentes frentes de guerra europeias?

8. As populações dos guetos organizaram alguns movimentos de resistência em oposição às péssimas condições a que foram submetidas pelos nazistas. Em um dos guetos da região da Polônia, por exemplo, houve uma importante revolta. Leia sobre ela no texto a seguir e, depois, responda às questões.

[...] O Levante do Gueto de Varsóvia iniciou em 19 de abril de 1943. Foi a primeira grande insurreição civil contra a Alemanha Nazista, uma insurreição judaica contra a solução final. Mesmo sabendo não se tratar de uma luta capaz de obter êxito militar, este levante foi uma demonstração da possibilidade de deter o inimigo nazista. Na formação de uma coalizão de quase todos os setores organizados, de sionistas a comunistas, de religiosos a laicos, uniram-se na Organização de Combatentes Judeus (ZOB), sem certeza de viver, mas ao menos para morrer com honra. [...]

Airan Milititsky Aguiar. Elogio à liberdade e à resistência: comemorações do Levante do Gueto de Varsóvia em Porto Alegre. *WebMosaica*, Universidade Federal do Rio Grande do Sul, v. 5, n. 2, jul./dez. 2013. p. 60. Disponível em: <www.seer.ufrgs.br/webmosaica/article/view/45021>. Acesso em: 13 maio 2016.

Foto de judeus se rendendo durante o Levante de Varsóvia, na Polônia, em 1943.

a) Com base no que você estudou neste capítulo, por que os judeus foram confinados nos guetos?

b) Qual é a diferença entre os guetos e os campos de concentração?

c) Descreva a foto acima. Qual é a relação entre a cena retratada nela e a insurreição citada no texto?

d) Podemos dizer que as populações dos guetos aceitaram passivamente a dominação nazista? Por quê?

Sionistas: adeptos do movimento judaico que prega a unidade dos judeus.

Verificando rota

Em seu caderno, escreva frases sobre o que você aprendeu nesta unidade. Depois, compare suas frases com as de seus colegas a fim de verificar se elas são semelhantes às suas ou diferentes delas.

Para finalizar, responda às perguntas a seguir.

- Trocar as frases que você anotou em seu caderno com os colegas foi importante para a sua aprendizagem? Por quê?
- Qual dos temas estudados mais chamou sua atenção? Comente sobre ele.
- Você concorda com a afirmação de que a Segunda Guerra Mundial foi um dos conflitos mais violentos e destrutivos do século XX? Por quê?
- Em sua opinião, o racismo e o preconceito ainda existem na atualidade? Como eles se manifestam? Como podemos combatê-los?

Ampliando fronteiras

Em defesa dos direitos humanos

Em 1945, após o fim da Segunda Guerra Mundial, 51 países reuniram-se para criar uma organização internacional que tivesse como objetivo manter a convivência pacífica entre as nações. Essa instituição recebeu o nome de Organização das Nações Unidas (ONU).

A ONU passou a atuar por meio de iniciativas que estimulam a igualdade social, a limitação do uso de forças armadas em conflitos, a prática da tolerância entre os povos e a valorização dos direitos humanos.

A Declaração Universal dos Direitos Humanos

A ONU aprovou, em 1948, um documento chamado *Declaração Universal dos Direitos Humanos*. Leia a seguir um trecho desse texto.

> Artigo 1. Todos os seres humanos nascem livres e iguais em dignidade e direitos. São dotados de razão e consciência e devem agir em relação uns aos outros com espírito de fraternidade.
>
> Artigo 2. Todo ser humano tem capacidade para gozar os direitos e as liberdades estabelecidos nesta Declaração, sem distinção de qualquer espécie, seja de raça, cor, sexo, idioma, religião, opinião política ou de outra natureza, origem nacional ou social, riqueza, nascimento, ou qualquer outra condição.

Declaração Universal dos Direitos Humanos. Disponível em: <http://unesdoc.unesco.org/images/0013/001394/139423por.pdf>. Acesso em: 8 ago. 2018.

Esporte e lazer são direitos humanos. A ONU acredita que defender esses direitos é essencial para o desenvolvimento e para a paz.

Entre as ações da ONU está a assistência médica e alimentar, por exemplo, a pessoas que precisam de ajuda social e humanitária.

As Nações Unidas não têm um exército próprio. As forças de manutenção de paz são formadas por voluntários dos Estados-membros. Esses soldados são conhecidos pelo uso de capacetes ou boinas azuis.

ONU Mulheres

Para garantir a defesa dos direitos humanos das mulheres, foi criada em 2010 a ONU Mulheres. São seis as áreas de atuação, entre elas: liderança e participação política das mulheres; empoderamento econômico; fim da violência contra mulheres e meninas.

Há várias representantes nomeadas embaixadoras ou defensoras da ONU Mulheres no Brasil e no Mundo. No Brasil, entre as nomeadas, temos as atrizes Camila Pitanga, Taís Araujo e Juliana Paes, além da atriz, escritora e roteirista Kenia Maria.

Em 2018, foi anunciada a nomeação da jogadora de futebol brasileira Marta Vieira da Silva como embaixadora global da Boa Vontade para mulheres e meninas no esporte.

Marta Vieira da Silva durante partida entre as seleções do Brasil e da Áustria nos Jogos Olímpicos de 2016, em Belo Horizonte (MG).

1. Na televisão, nas redes sociais e em outros meios de comunicação, são divulgados diariamente casos de violação dos direitos humanos. São casos de violência contra mulheres, racismo, desrespeito aos idosos, atitudes de xenofobia, violência contra jovens, entre outros. Você já presenciou alguma situação de desrespeito aos direitos humanos? Comente com os colegas sobre essa experiência.

2. Para combater esses casos e trabalhar pela promoção da igualdade, a ONU tem se engajado em diversas campanhas, nacionais e internacionais. Faça uma pesquisa na internet, usando, por exemplo, o *site* oficial da ONU Brasil (disponível em: <https://linkte.me/nhha2>. Acesso em: 13 ago. 2018), e escolha uma campanha. Em seguida, monte uma ficha no caderno com as informações da campanha selecionada, por exemplo, ano de criação, nome, *site* da campanha, objetivos e ações promovidas. Com os colegas, promovam uma campanha de conscientização da comunidade escolar sobre a importância do respeito aos direitos humanos. Vocês podem produzir cartazes para serem afixados na escola e também organizar palestras sobre o tema para serem apresentadas na escola.

O emblema da ONU foi criado em 1946 e representa um mapa do mundo com ramos de oliveira ao seu redor, simbolizando a paz.

ONU. Fac-símile: ID/BR

UNIDADE

4

Autoritarismo e democracia no Brasil

Capítulos desta unidade
- **Capítulo 7** - O governo Vargas
- **Capítulo 8** - A democracia no Brasil

Na foto, professores fazendo manifestação em São Paulo (SP) durante greve realizada em 2015.

Iniciando rota

1. O que as pessoas retratadas na foto estão reivindicando?
2. Quais são as principais diferenças entre um governo autoritário e uma democracia?
3. Você acha que a participação popular é importante nas decisões políticas de um país? Com base em seus conhecimentos sobre isso e em suas experiências, cite exemplos de como pode ser essa participação popular.

CAPÍTULO 7

O governo Vargas

As mudanças ocorridas na Europa e nos Estados Unidos no período entreguerras afetaram diretamente o Brasil. Houve uma drástica queda nas exportações de café e a consequente desvalorização do produto, sobretudo após a crise econômica gerada pela Quebra da Bolsa de Valores de Nova York, em 1929. Esse fato enfraqueceu as oligarquias cafeeiras, diminuindo sua influência política. Por outro lado, houve o fortalecimento de outros setores da economia, como a pecuária, cujo maior representante era o estado do Rio Grande do Sul, e a indústria, representada principalmente pelo estado de São Paulo.

▍Mudanças políticas e econômicas no Brasil

Nas eleições presidenciais marcadas para março de 1930, o então presidente da República, o paulista Washington Luís, indicou a candidatura do governador de São Paulo, Júlio Prestes. Essa decisão contrariava o arranjo político estabelecido pela política do café com leite, que previa o revezamento do exercício de poder na presidência da República entre paulistas e mineiros. Essa situação criou grande insatisfação entre os políticos mineiros, que passaram a fazer oposição ao governo.

Além deles, havia outros grupos que estavam insatisfeitos com a política vigente, entre eles os representantes do setor industrial e das oligarquias emergentes de outros estados, como Rio Grande do Sul e Paraíba. Eles se articularam e formaram a Aliança Liberal em 1929, com a indicação do político gaúcho Getúlio Dornelles Vargas para disputar as eleições para o cargo de presidente da República.

Em março de 1930, o candidato paulista Júlio Prestes venceu as eleições. Os membros da Aliança Liberal, porém, não reconheceram a legitimidade do pleito, afirmando que havia ocorrido fraude.

▶ Cartaz de propaganda eleitoral da Aliança Liberal, de 1930.

O fim da política do café com leite

Após as eleições presidenciais de 1930, as divergências entre governo e oposição se acirraram. Para agravar a situação, em meio às disputas políticas ocorreu o assassinato de João Pessoa, importante membro da Aliança Liberal que havia sido candidato a vice-presidente de Getúlio Vargas nas eleições.

As acusações sobre o assassinato de João Pessoa logo recaíram sobre seus adversários políticos, o que foi o estopim para um levante armado contra o governo. Junto a setores descontentes do Exército, a Aliança Liberal se organizou para tomar o poder, dando início a uma série de embates no mês de outubro de 1930. Esse movimento armado ficou conhecido como **Revolução de 1930** e tinha como principal objetivo a deposição do então presidente Washington Luís antes da transmissão do cargo da presidência a Júlio Prestes.

A oposição liderada pela Aliança Liberal venceu e assumiu o poder no final do levante. Washington Luís foi destituído de seu cargo, encerrando o período conhecido como República Oligárquica.

> **O tenentismo**
>
> O tenentismo foi um movimento que surgiu no início da década de 1920 e reuniu diversos militares, em sua maioria de baixa patente, engajados na atuação política.
>
> Os participantes desse movimento reivindicavam melhores condições de trabalho, mais armamentos, instrução qualificada e aumento de salário para o Exército.
>
> Os tenentes participaram de diversos movimentos contra os governantes da República Oligárquica, ao longo da década de 1920, e exerceram um importante papel na Revolução de 1930, apoiando os militares que eram vinculados à Aliança Liberal.

O governo provisório

Após a Revolução de 1930, foi instalado um governo provisório sob a liderança de Getúlio Vargas. Em seu governo, ele tomou várias medidas para centralizar o poder, como o fechamento do Congresso Nacional, a suspensão da Constituição de 1891 e a destituição dos governadores estaduais, os quais foram substituídos por interventores federais no governo dos estados.

Essas medidas desagradaram principalmente à classe dominante paulista, que defendia um modelo de governo que garantisse maior autonomia aos estados e favorecesse seus interesses econômicos.

Na foto, Getúlio Vargas a caminho do Rio de Janeiro para assumir o governo, acompanhado de seus oficiais, cumprimenta a população de Ponta Grossa (PR), em novembro de 1930.

Cartaz convocando voluntários para o alistamento ao lado das forças paulistas na Revolução Constitucionalista de 1932.

A Revolução Constitucionalista

Os paulistas, cada vez mais insatisfeitos com o governo provisório, e organizados na **Frente Única Paulista**, exigiam o fim desse governo e a elaboração de uma nova Constituição.

Assim, após vários meses de manifestações, os paulistas conquistaram grande apoio popular, até que, em uma delas, quatro estudantes foram mortos em um confronto com as tropas do governo federal, fazendo eclodir uma revolta armada conhecida como **Revolução Constitucionalista**, em 9 de julho de 1932. A inicial do nome dos estudantes mortos deu origem à sigla MMDC (Martins, Miragaia, Dráusio e Camargo) para simbolizar o movimento revoltoso paulista.

Os conflitos armados duraram aproximadamente três meses. A Frente Única Paulista foi derrotada pelas forças do governo. Apesar de derrotados, os paulistas obtiveram do governo federal o compromisso de convocar eleições para uma Assembleia Constituinte.

A participação popular

A participação popular no movimento revoltoso paulista de 1932 foi fundamental para a resistência contra as forças do governo. Nesse contexto, destacou-se a chamada **Legião Negra**, composta exclusivamente de homens e mulheres afrodescendentes, que atuaram como soldados e enfermeiras voluntárias nas frentes de batalha.

Conhecidos como Pérolas Negras, muitos integrantes da Legião Negra participavam de movimentos sociais como a Frente Negra Brasileira, que lutava pelos direitos dos afrodescendentes e contra o preconceito em todo o Brasil.

Embora nem todos os integrantes da Frente Negra Brasileira fossem favoráveis às manifestações de 1932, grande parte deles via esse conflito como uma luta pela liberdade e contra o autoritarismo do governo provisório.

Foto tirada em São Paulo (SP), que retrata Pérolas Negras, integrantes da Legião Negra, na Revolução Constitucionalista de 1932.

O fim do governo provisório e a eleição de Vargas

Em 1932, foi promulgado o Código Eleitoral que criou a Justiça Eleitoral. Foram convocadas eleições para a Assembleia Nacional Constituinte, que promulgou em 1934 uma nova Constituição e elegeu, por meio do voto indireto, Getúlio Vargas como presidente da República para um período de quatro anos.

A Constituição de 1934 regulamentou a jornada de trabalho de oito horas, garantiu o voto secreto e o direito de voto das mulheres, além de estabelecer o ensino primário gratuito e obrigatório, entre outras medidas.

Partidos e movimentos políticos no Brasil

No Brasil, no início do século XX, diversos movimentos e partidos políticos foram influenciados por ideologias políticas de origem europeia, como o nazismo, o fascismo e o comunismo.

Influência conservadora

O fascismo, de origem italiana, e o nazismo, de origem alemã, influenciaram na formação da Ação Integralista Brasileira (AIB). Fundada em 1932, a AIB era um partido político de direita ultraconservador, que defendia a centralização do poder e o autoritarismo do governo. Esse partido obteve grande apoio de setores empresariais e da classe média brasileira.

Foto de integralistas fazendo sua saudação, chamada "anauê". Rio de Janeiro (RJ), década de 1930.

Influência da ideologia de esquerda

No Brasil, as ideologias de esquerda já estavam presentes em muitos movimentos operários e no movimento sindical desde os primeiros tempos da República.

Sobretudo após a Revolução Russa, em 1917, seguidores e simpatizantes do socialismo e do comunismo passaram a se organizar, criando instituições e partidos políticos, como o Partido Comunista do Brasil (PCB), fundado em 1922.

Uma das personalidades políticas de destaque da esquerda brasileira na época foi o militar Luís Carlos Prestes. Antes de apoiar as ideias comunistas, ele havia liderado a chamada Coluna Prestes, uma manifestação política contra o governo oligárquico que percorreu diversas localidades do Brasil entre os anos de 1924 e 1927.

Foto de Luís Carlos Prestes na época em que percorreu o Brasil liderando a Coluna Prestes, na década de 1920.

A Intentona Comunista

Em 1935, grupos políticos de esquerda formaram a Aliança Nacional Libertadora (ANL) apoiados pelo PCB. Sob a liderança de Luís Carlos Prestes, a ANL condenava as tendências autoritárias do governo de Getúlio Vargas e defendia profundas reformas sociais, como a nacionalização de empresas estrangeiras e a reforma agrária.

A ANL foi considerada ilegal pelo governo, então seus integrantes organizaram um levante, conhecido como **Intentona Comunista**, com o objetivo de tomar o poder. Durante esse período, houve combates nas cidades de Natal (RN), do Recife (PE) e do Rio de Janeiro (RJ). No entanto, o levante não obteve sucesso e sofreu uma violenta repressão do governo, que, com a justificativa de que o comunismo era uma ameaça à ordem social, passou a perseguir diversos grupos de esquerda.

O Estado Novo

Às vésperas das eleições presidenciais que seriam realizadas em 1938, Getúlio Vargas começou a elaborar estratégias para continuar no poder. No final de 1937, ele divulgou a suposta descoberta de um suposto plano que pretendia implantar o comunismo no Brasil, com a derrubada do atual governo e com a ocorrência de várias ações violentas. Chamado de **Plano Cohen**, houve grande insegurança na população brasileira.

Utilizando a suposta ameaça comunista como pretexto e obtendo o apoio de políticos e militares, em 10 de novembro de 1937 Getúlio Vargas aplicou um golpe de Estado e cancelou as eleições.

Anos mais tarde, estudiosos descobriram que o Plano Cohen havia sido forjado pelo próprio governo, em parceria com a ANL, para criar um clima propício ao golpe de Getúlio Vargas.

Getúlio Vargas durante o anúncio da implantação do Estado Novo, em foto de 1937.

Um governo ditatorial

Após o golpe, Getúlio Vargas anunciou a implantação do Estado Novo, adotando uma série de medidas autoritárias: fechou o Congresso Nacional, suspendeu a Constituição de 1934 e aboliu os partidos políticos. Em seguida, ele impôs uma nova Constituição, que apresentava caráter centralizador, aumentando o poder do presidente da República e reduzindo a autonomia dos estados.

Durante a vigência do Estado Novo, o governo interveio em diversos aspectos da vida dos brasileiros, como a economia, a educação, o trabalho e as comunicações. De acordo com a propaganda política da época, essa intervenção contribuía para manter a coesão entre os diferentes grupos sociais, fortalecendo a sociedade brasileira. Assim, Vargas procurava transmitir a mensagem de que somente um Estado forte e centralizado poderia promover o desenvolvimento do país.

Foto de desfile de 1º de maio, Dia do Trabalho, em um estádio de futebol no Rio de Janeiro (RJ), em 1942.

Os meios de controle social

Durante a ditadura do Estado Novo, foram utilizados diversos meios de controle social, como a repressão, a censura e a propaganda. Assim, muitas pessoas que faziam oposição ao governo, entre elas políticos, artistas e intelectuais, foram presas, torturadas e/ou exiladas. Além disso, muitos sindicatos e associações de trabalhadores foram fechados durante o Estado Novo.

O poder da propaganda

Em 1939, foi criado o **Departamento de Imprensa e Propaganda** (DIP), que desempenhou papel fundamental na divulgação de propagandas do governo, buscando construir uma imagem positiva de Getúlio Vargas. As propagandas eram veiculadas em diversos meios de comunicação, como programas de rádio, jornais, materiais didáticos e, também, em eventos cívicos.

Por outro lado, o DIP também atuou na censura do rádio, da imprensa, do teatro e do cinema, restringindo a liberdade de expressão.

Na propaganda veiculada pelo DIP, Vargas é representado como uma figura benevolente e próxima do povo. Nessa imagem, publicada em material didático da década de 1940, ele aparece discursando para um grupo de crianças que o ouvem atentamente.

> Qual a relação entre a imagem de Vargas reproduzida acima e os meios de controle social estabelecidos durante o Estado Novo?

A regulamentação do trabalho

Após um longo processo histórico de luta dos trabalhadores por direitos e melhores condições de trabalho, foi criada, em 1943, a **Consolidação das Leis do Trabalho** (CLT), que garantiu direitos como salário mínimo, férias remuneradas, jornada de trabalho de oito horas diárias e pagamento de horas extras.

Essa medida, tomada durante o Estado Novo, passou a ser divulgada pela propaganda do governo como um gesto benevolente de Getúlio Vargas, com o intuito de obter o apoio da classe trabalhadora.

Além disso, o governo regulamentou os sindicatos, estabelecendo que cada categoria profissional deveria ter essa agremiação. No entanto, somente os sindicatos vinculados ao Estado eram reconhecidos, e, desse modo, o governo passou a exercer mais controle sobre os trabalhadores.

Cartaz da década de 1940 que apresenta Getúlio Vargas como amparador das classes trabalhadoras.

113

Para investigar

As charges no governo Vargas

Durante o governo de Getúlio Vargas, muitas charges veiculadas pela imprensa satirizavam as ações do presidente.

A revista *Careta* era publicada semanalmente, entre os anos de 1908 e 1960, e foi um dos veículos de informação da época que utilizavam charges de diversos artistas para criticar o governo.

Observe a seguir a análise de uma dessas charges, publicada em 1937, alguns meses antes da implantação do Estado Novo.

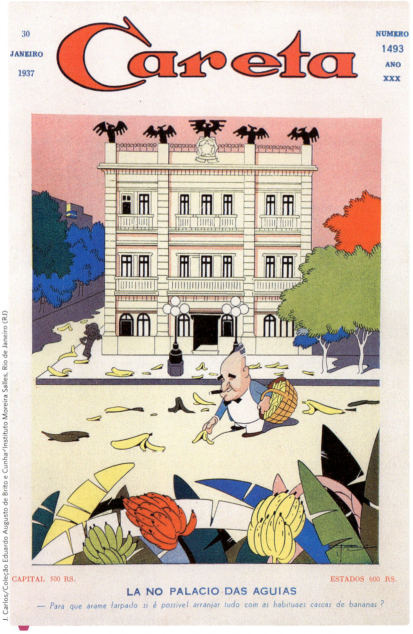

Charge de José Carlos de Brito Cunha (J. Carlos) publicada em janeiro de 1937, na revista *Careta*. Acervo do Instituto Moreira Salles, Rio de Janeiro (RJ).

O autor da charge ironiza o autoritarismo do governo de Vargas durante o Estado Novo ao retratar águias, um símbolo nazista, no teto do palácio do Catete, sede do governo federal, no Rio de Janeiro (RJ).

A personagem que assiste à cena (no fundo, à esquerda, encostada no prédio) era conhecida como Jeca e simboliza o povo brasileiro.

As cascas de banana colocadas na entrada do palácio do Catete são uma forma de mostrar como Vargas estava manipulando a política da época. Sua intenção era manter-se no poder, e quem se aproximasse corria o risco de escorregar.

A charge apresenta a seguinte legenda: "Lá no palácio das Águias, para que arame farpado, se é possível arranjar tudo com as habituais cascas de bananas?".

Observe agora a análise de outra charge, também publicada em 1937.

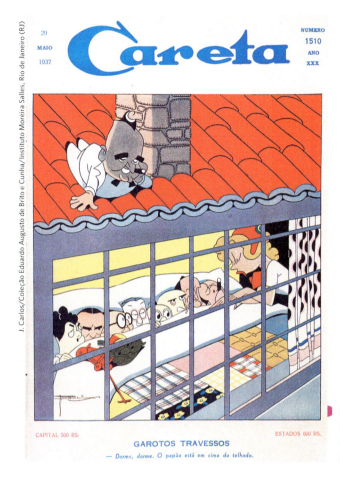

A charge vem acompanhada da seguinte inscrição: "Dorme, dorme. O papão está em cima do telhado.".
Vargas é representado como "bicho-papão", à espreita em cima do telhado.

Os candidatos à sucessão presidencial aparecem dormindo em uma cama, indefesos. As eleições presidenciais estavam marcadas para o início de 1938.

Papão: também conhecido como "bicho-papão", é uma personagem monstruosa, que faz parte do folclore brasileiro. Ela assusta as crianças e está presente em diversas cantigas populares.

Charge de José Carlos de Brito Cunha (J. Carlos) publicada em maio de 1937, na revista *Careta*. Acervo do Instituto Moreira Salles, Rio de Janeiro, Brasil.

Agora, analise a charge a seguir para responder às questões.

Charge de José Carlos de Brito Cunha (J. Carlos) publicada em dezembro de 1937, na revista *Careta*. Acervo do Instituto Moreira Salles, Rio de Janeiro, Brasil.

1. Observe a data de publicação da charge. A qual acontecimento histórico ela está relacionada?

2. Explique o que o local identificado como "Câmara" representa e o que significa a inscrição da placa colocada na porta.

3. Por que o artista representou Vargas segurando a chave da Câmara?

4. Em sua opinião, as charges são importantes para a conscientização da população? Por quê? Converse com os colegas.

Rádio e política

Entre as décadas de 1930 e 1950, a circulação de jornais e de revistas no Brasil ainda era bastante restrita. Para muitas pessoas, o rádio representava uma das poucas alternativas para ter acesso às informações, pois mais da metade da população brasileira era analfabeta nesse período.

Foto da cantora e compositora Marília Batista cantando na rádio Mayrink Veiga, no Rio de Janeiro (RJ), ao lado de vários artistas, em 1935. À direita, vemos Noel Rosa, um dos maiores compositores brasileiros de todos os tempos.

Fonográfico: neste caso, relacionado à produção e à gravação de músicas.

Por meio do rádio, os ouvintes podiam acompanhar diversos acontecimentos, como os rumos da política nacional, as notícias de diferentes regiões do país e do mundo, as competições esportivas nacionais e internacionais, como a Copa do Mundo de Futebol, além de conhecer os diversos produtos disponíveis no mercado, divulgados pelas propagandas. Assim, o rádio foi um dos veículos de comunicação responsáveis por maior integração nacional.

Na década de 1930, o rádio passou por importantes transformações. Em 1932, a veiculação de propagandas foi regulamentada, e as estações começaram a ser patrocinadas pelos anunciantes. Essa medida intensificou o processo de popularização do rádio. A programação foi perdendo seu caráter educativo aos poucos, tornando-se cada vez mais voltada para o lazer e para o entretenimento, o que visava ampliar o número de ouvintes.

Os programas de variedades ganharam espaço e passaram a incluir humor, notícias, histórias e música popular. O mercado fonográfico nacional alcançou grande crescimento na década de 1930 graças ao rádio. Muitos cantores e cantoras faziam bastante sucesso, e muitos deles se apresentavam ao vivo nos programas da época. O samba era um dos ritmos de maior popularidade. Carmem Miranda, Francisco Alves e Orlando Silva eram alguns dos cantores mais conhecidos desse período.

Getúlio Vargas, ao perceber o potencial comunicativo do rádio, incentivou a ampliação do sistema de radiodifusão por todo o país, além de estabelecer uma série de medidas para controlá-lo. Assim, o rádio passou a ser utilizado para divulgar informações que criassem uma boa impressão do governo e exaltassem a sua importância.

Em meados da década de 1930, Vargas criou um programa de rádio que transmitia notícias oficiais de sua gestão. Diariamente, durante uma hora, as emissoras ficavam proibidas de transmitir outros programas. Em 1939, o programa intitulado *Hora do Brasil*, antes restrito a algumas localidades do país, passou a ser transmitido em rede nacional. Esse programa existe até hoje e, desde 1971, recebe o nome de *A Voz do Brasil*.

Getúlio Vargas faz discurso transmitido pelo rádio, em foto de 1942 tirada no Rio de Janeiro (RJ).

O Brasil e a Segunda Guerra Mundial

Com a eclosão da Segunda Guerra Mundial na Europa, em 1939, o Brasil, a princípio, manteve-se neutro. Apesar de o governo do Estado Novo ter características claramente próximas ao fascismo italiano, Getúlio Vargas não declarou apoio aos países do Eixo nem aos Aliados.

Essa postura influenciava diretamente a política externa brasileira naquele momento: Getúlio Vargas negociava com os países que oferecessem vantagens ao Brasil. Leia o trecho a seguir para conhecer um pouco mais sobre esse assunto.

> [...] o governo brasileiro adotou uma orientação pragmática, isto é, tratou de negociar com quem lhe oferecesse melhores condições e procurou tirar vantagem da rivalidade entre as grandes potências. Por exemplo, em 1935, assinou o acordo comercial com os Estados Unidos [...]; no ano seguinte, assinou outro com a Alemanha, que visava principalmente a exportação de algodão, café, cítricos, couros, tabaco e carnes.
> [...]
>
> Boris Fausto. *História do Brasil*. São Paulo: Edusp, 1995. p. 379.

Em fevereiro de 1942, os nazistas atacaram embarcações brasileiras, provocando a morte de centenas de pessoas e ocasionando grande comoção na população, que passou a pressionar o governo para que o Brasil entrasse no conflito contra os países do Eixo. Junto a isso, os Estados Unidos, que estavam no conflito desde 1941 ao lado dos Aliados, também pressionavam as autoridades brasileiras. Quando o governo estadunidense se comprometeu a financiar a construção de uma usina de siderurgia em Volta Redonda (RJ), o Brasil deixou a neutralidade e garantiu apoio aos Aliados.

Pragmático: o que é prático, objetivo.

Siderurgia: conhecimentos técnicos e instalações necessárias para processar o minério de ferro e produzir o aço. O domínio da siderurgia é imprescindível para que um país possa se industrializar.

O Brasil vai à guerra

Em agosto de 1942, o Brasil declarou guerra aos países do Eixo, aliando-se à Inglaterra, à França, à União Soviética e aos Estados Unidos.

Inicialmente, a participação do Brasil no conflito era restrita ao apoio estratégico, permitindo a instalação de bases aliadas no litoral nordeste do país. Porém, em 1944, as tropas da **Força Expedicionária Brasileira** (FEB) foram mobilizadas e começaram a ser enviadas à Europa.

Atuando na Itália com um contingente de 25 mil soldados, a FEB teve um significativo papel no conflito. Os **pracinhas**, como eram conhecidos, lutaram em regiões como Monte Prano e Monte Castelo, importantes frentes de batalha, entre julho de 1944 e o final da guerra na Europa, em maio de 1945.

Foto de pracinhas desembarcando no porto de Nápoles, na Itália, em agosto de 1944.

Os pracinhas

A maioria dos soldados brasileiros enviados à Itália fazia parte da camada mais pobre da sociedade. Muitos eram analfabetos e não tinham treinamento militar completo. No entanto, antes de partir para a guerra, todos recebiam tratamento médico, algum treinamento e armas, fornecidas pelos Aliados.

Dessa forma, os pracinhas puderam resistir e derrotar as experientes tropas nazistas na Itália, contrariando as expectativas de muitas pessoas, que não acreditavam ser possível as tropas brasileiras exercerem um papel relevante no conflito.

Os "soldados da borracha"

Nos acordos comerciais firmados com os Estados Unidos, o Brasil se comprometeu a fornecer diversos produtos, entre os quais, a borracha. Com a entrada dos estadunidenses na Segunda Guerra, o Brasil teve de aumentar o fornecimento desse produto, iniciando uma campanha de recrutamento de pessoas para trabalhar nos seringais e, assim, atender a demanda.

Enquanto os pracinhas lutavam na Europa, acredita-se que aproximadamente 30 mil pessoas migraram para a Amazônia, a maioria oriunda da atual Região Nordeste. Esses seringueiros ficaram conhecidos como "soldados da borracha", pois o trabalho deles era visto como um verdadeiro esforço de guerra a favor dos Aliados.

▌ De volta ao Brasil

Com o fim da guerra na Europa, em 1945, os pracinhas retornaram ao Brasil como heróis. A participação da FEB ao lado dos Aliados na Segunda Guerra Mundial, lutando em defesa da democracia e contra o fascismo e o nazismo, levou grande parte da população a refletir sobre as contradições que havia no país, cujo governo era autoritário e marcado pela censura e pela repressão.

Desde 1943, diversos grupos opunham-se à ditadura de Getúlio Vargas, alguns sendo formados por estudantes, outros por políticos, intelectuais, etc. Esses grupos organizaram diversas manifestações, como passeatas, congressos e abaixo-assinados, exigindo o fim da ditadura, a liberdade de expressão e a convocação de novas eleições.

Em 29 de outubro de 1945, enfrentando pressões populares e setores insatisfeitos do Exército, que se encontrava fortalecido após as vitórias na Segunda Guerra Mundial, Getúlio Vargas foi forçado a renunciar, deixando o governo e encerrando o Estado Novo.

Foto de tanque em frente ao palácio do Catete, no Rio de Janeiro (RJ), logo após a deposição de Vargas, em 1945.

Atividades

Organizando o conhecimento

1. Explique o processo histórico que levou Getúlio Vargas ao poder, em 1930.

2. Quais eram as reivindicações do movimento tenentista?

3. Copie o quadro a seguir em seu caderno e complete-o de acordo com o seguinte questionamento: Como as ideologias políticas europeias influenciaram os partidos e movimentos políticos no Brasil, no início do século XX?

Socialismo e comunismo	Fascismo e nazismo

4. Analise novamente o cartaz da página **113**. De que forma o governo de Vargas é caracterizado nesse veículo de informação? Quais eram os objetivos de propagandas como essa?

Conectando ideias

5. A Coluna Prestes foi um movimento que se originou com o tenentismo, denunciando a corrupção na política e as ideias consideradas retrógradas da República Oligárquica. Na década de 1920, esse movimento percorreu o país, fazendo oposição ao governo de Artur Bernardes. Observe o mapa e responda às questões.

a) De acordo com o mapa, quais estados do Brasil a Coluna Prestes percorreu?

b) Qual era a intenção dos líderes ao organizar uma marcha que passasse por todos esses lugares?

c) Qual forma de governo era combatida pela Coluna Prestes? Explique.

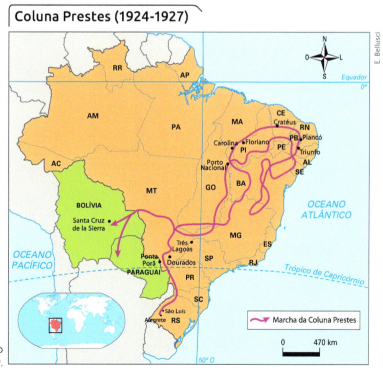

Fonte: *Nosso Século*: 1910-1930. São Paulo: Abril Cultural, 1980. p. 229.

6. Os imigrantes japoneses, alemães e italianos que viviam no Brasil entre 1939 e 1945 sofreram algumas consequências durante a Segunda Guerra Mundial. Por serem originários de países que faziam parte do Eixo, muitos foram demitidos de onde trabalhavam e perseguidos; outros tiveram seus bens confiscados e seus direitos restringidos; e outros ainda foram forçados a trabalhar nos chamados campos de internamento. Leia o trecho a seguir e faça o que se pede.

> [...]
> O preconceito contra os que passaram a ser chamados, pejorativamente, de "súditos do Eixo" se disseminou entre os brasileiros. Lojas estrangeiras foram saqueadas e apedrejadas em cidades do Sul e Sudeste do Brasil, onde havia mais colônias italianas, alemãs e japonesas. [...]
>
> Ana Maria Dietrich. Uma história sonegada. *História Viva*, São Paulo, Duetto, n. 67, p. 62, maio 2009.

Campos de internamento: campos de confinamento criados no Brasil a partir de 1942.

Pejorativo: que é depreciativo, que exprime desaprovação.

a) Quem eram os "súditos do Eixo"? Por que eles eram chamados dessa forma?

b) Cite algumas atitudes geradas pelo preconceito contra os imigrantes. Esse preconceito ainda existe na atualidade? Em grupos, reflitam e escrevam um texto sobre as manifestações de preconceito contra estrangeiros vistas atualmente na sociedade brasileira e o que pode ser feito para combatê-las.

7. Na primeira metade do século XX, alguns grupos de afrodescendentes se mobilizaram para combater e denunciar atitudes de discriminação e de racismo. Em 1935, Eunice de Paula Cunha escreveu um artigo no periódico *O Clarim d'Alvorada* denunciando o papel atribuído às mulheres afrodescendentes naquela época. A seguir, leia um trecho desse artigo e responda às questões.

> [...] O cativeiro moral para nós, negros, ainda perdura. Notemos a fundação desta Escola Luís Gama com o fim de preparar meninas de cor para serviços domésticos. [...] Por esta iniciativa se vê que para os brancos não possuímos outra capacidade, outra utilidade ou outro direito a não ser eternamente o de escravos. [...] Mas isto não sucederá... A vida de um povo depende da sua juventude. Pois bem, nós, além de jovens, somos mulheres.
>
> Schuma Schumaher e Érico Vital Brazil. *Mulheres negras do Brasil*. Ed. condensada. Rio de Janeiro: Senac Nacional, 2013. p. 109.

O periódico *O Clarim d'Alvorada* foi criado em 1924. Uma das propostas do jornal era veicular histórias e trajetórias de homens e mulheres afrodescendentes que combatiam a discriminação promovendo a igualdade racial. Acima, capa desse periódico em publicação de 1930.

a) Para a autora do texto, o que representa a criação da Escola Luís Gama?

b) Em sua opinião, o que a autora quis dizer com a frase "Mas isto não sucederá..."? Explique.

c) No Brasil atual, ainda existem casos de discriminação contra a população afrodescendente? Converse com os colegas sobre o tema.

CAPÍTULO 8

A democracia no Brasil

Em 1945, após os anos da ditadura Vargas, teve início um período democrático no Brasil que se estendeu até 1964. Com a saída de Vargas, o presidente do Supremo Tribunal Federal, José Linhares, assumiu a presidência da República de forma provisória. As primeiras medidas tomadas por ele estavam relacionadas ao compromisso de eleger um novo presidente da República e de elaborar uma nova Constituição para o país, alinhada aos princípios democráticos.

As eleições de 1945 para a presidência da República

Havia três principais candidatos para a presidência nas eleições de 1945: Eduardo Gomes, Eurico Gaspar Dutra e Iedo Fiuza. O brigadeiro Eduardo Gomes representava a União Democrática Nacional (UDN), que fazia oposição a Vargas; o general Eurico Gaspar Dutra era candidato pelo Partido Social Democrático (PSD); e o engenheiro Iedo Fiuza era membro do Partido Comunista do Brasil (PCB).

Inicialmente, Eduardo Gomes parecia atrair mais a confiança da população. No entanto, a declaração de apoio de Vargas à candidatura de Dutra, pouco antes das eleições, contribuiu para que esse candidato vencesse com 55% dos votos. Tal fato demonstrou como Vargas ainda era uma presença forte na política brasileira, principalmente entre os trabalhadores. De acordo com o que era permitido pela lei eleitoral da época, Vargas conseguiu eleger-se senador pelo Rio Grande do Sul e por São Paulo e deputado pelos seguintes estados: Rio Grande do Sul, São Paulo, Rio de Janeiro, Minas Gerais, Paraná e Bahia.

O governo de Dutra

Dutra governou o Brasil entre os anos de 1946 e 1951, de forma conservadora e com intensa repressão ao comunismo no país. O PCB foi colocado na ilegalidade em 1947, e diversos políticos desse partido tiveram seu mandato cassado.

No governo Dutra, foi promulgada uma nova Constituição para o país em 1946, determinando, entre outras medidas, que:
- o presidente da República seria eleito por meio do voto direto e secreto para um mandato de cinco anos;
- poderiam votar todos os brasileiros alfabetizados e maiores de 18 anos, de ambos os sexos;
- era garantido como princípio geral o direito de greve dos trabalhadores, mas um decreto-lei regulava as paralisações e trazia diversas restrições a elas.

Durante o governo de Dutra, o Brasil rompeu relações diplomáticas com a União Soviética e se alinhou aos Estados Unidos. Na foto ao lado, Dutra é recebido com um desfile em sua homenagem em Washington D.C., Estados Unidos, em 1949.

Vargas de volta ao poder

> **Monopólio:** prática na qual determinadas empresas, grupos ou governos detêm exclusividade sobre a comercialização de um produto ou serviço.

Como vimos, Getúlio Vargas ainda mantinha grande prestígio junto à população, principalmente entre a classe trabalhadora. Assim, nas eleições seguintes para presidente, realizadas em outubro de 1950, ele voltou ao poder por meio do voto.

O novo governo de Vargas procurou dar continuidade ao projeto nacionalista de modernização e de desenvolvimento econômico do país. Houve grande incentivo à industrialização e foram feitos investimentos públicos na área de transportes e de energia, sendo mantida sua política trabalhista. Veja alguns pontos da política de desenvolvimento no segundo governo de Vargas:

Na foto, Getúlio Vargas mostra a mão suja de petróleo na refinaria de Mataripe (BA), em 1952.

- fundação do Banco Nacional de Desenvolvimento Econômico (BNDE), em 1952, para acelerar e diversificar o desenvolvimento industrial;
- criação do Plano Nacional do Carvão, em 1953, cujo objetivo era modernizar o processo de extração de carvão para a produção de energia;
- fundação, em 1953, da Superintendência do Plano de Valorização Econômica da Amazônia para estimular o desenvolvimento regional;
- criação da Petróleo Brasileiro S.A. (Petrobras), em 1953, com o objetivo de implementar o monopólio na produção do petróleo.

O fim de Vargas

Apesar de manter a política trabalhista, a alta da inflação e o aumento do custo de vida geravam grande insatisfação popular. Assim, o governo Vargas não conseguiu evitar uma série de greves que ocorreram em 1953, como a greve geral em São Paulo, que ficou conhecida como Greve dos 300 mil.

Em 1º de maio de 1954, ao conceder um aumento de 100% para o salário mínimo, Vargas provocou o descontentamento do empresariado. Assim, diversos setores, como o civil e o militar, fizeram oposição a ele, além de partidos como a UDN e de grande parte da imprensa.

A situação política tornou-se insustentável quando o jornalista Carlos Lacerda, principal crítico de Vargas, sofreu um atentado. Ele foi ferido com um tiro em um dos pés, em agosto de 1954, e o responsável por sua segurança, o major Rubens Vaz, foi atingido e morreu. O chefe da guarda de Vargas foi o principal suspeito de ser o mandante do crime, o que intensificou a oposição a seu governo e a ele próprio.

Os militares exigiam sua renúncia e planejavam um golpe para destituí-lo. Sob intensa pressão para renunciar, Vargas suicidou-se com um tiro no peito. A carta-testamento que ele deixou ao povo brasileiro foi lida inúmeras vezes nas emissoras de rádio.

Primeira página do jornal *Última Hora*, de 24 de agosto de 1954.

Os povos indígenas e o Estado

Durante o governo Vargas, em 1938, deu-se início à chamada **Marcha para o Oeste**, um projeto do Estado brasileiro para aumentar sua presença em regiões pouco ou não urbanizadas.

Por meio da construção de estradas e de ferrovias, a Marcha para o Oeste pretendia ampliar a ocupação e o povoamento de regiões no interior do Brasil, sobretudo o Norte e o Centro-Oeste, considerados pelo governo federal como "vazios territoriais".

Porém, esses territórios eram tradicionalmente habitados por diversas sociedades indígenas. Por isso, o governo iniciou também um projeto de integração dessas sociedades, procurando difundir a imagem dos indígenas como símbolo nacional e de patriotismo. Em seu projeto, Vargas teve a colaboração de Cândido Rondon, diretor do SPI (Serviço de Proteção ao Índio), criada em 1910. Leia a fonte a seguir:

> [...] Rondon poderia antever "índios emancipados", dividindo as terras de suas reservas em parcelas individuais, ou até residindo com não-índios nas colônias agrícolas que o governo estabeleceria como parte da Marcha para o Oeste. Os índios certamente deveriam ser integrados à sociedade brasileira; como declarou o SPI: "Não queremos que o índio permaneça índio. Nosso trabalho tem por destino sua incorporação à nacionalidade brasileira, tão íntima e completa quanto possível". [...]
>
> Seth Garfield. As raízes de uma planta que hoje é o Brasil: os índios e o Estado-Nação na era Vargas. *Revista Brasileira de História*, São Paulo, v. 20, n. 39, p. 17-18. 2000. Disponível em: <http://www.scielo.br/scielo.php?script=sci_arttext&pid=S0102-01882000000100002&lng=en&nrm=iso>. Acesso em: 21 ago. 2018.

Durante a Marcha, muitos indígenas foram confinados em pequenas áreas (as chamadas "reservas indígenas", criadas no início do século XX pelo SPI) ou removidos de suas terras tradicionais para liberar seus territórios para as frentes de expansão econômica.

A Expedição Roncador-Xingu

Ao longo da Marcha para o Oeste, foram realizadas diversas expedições às regiões ocupadas por povos indígenas no Norte e Centro-Oeste do Brasil. Uma das mais conhecidas foi a **Expedição Roncador-Xingu**, liderada pelos irmãos Villas-Bôas (Orlando, Leonardo e Cláudio Villas-Bôas).

Nessa expedição, os irmãos Villas-Bôas chegaram à região do Xingu, no estado no Mato Grosso, em 1946. Com o apoio de diversos intelectuais, cientistas e militares, eles se engajaram na luta dos indígenas, desenvolvendo medidas para preservar sua cultura, seu modo de vida e suas terras, que sofriam com constantes ataques e invasões de fazendeiros. Na ocasião, eles entraram em contato com diversas sociedades indígenas, reconhecendo e valorizando a riqueza de sua cultura.

Foto dos irmãos Villas-Bôas no Posto Avançado da Serra do Cachimbo (PA), em 1951.

O governo de Juscelino Kubitschek

Após o suicídio de Getúlio Vargas, Café Filho, o vice-presidente, assumiu o governo e cumpriu o restante do mandato (1954-1955). As eleições presidenciais estavam marcadas para outubro de 1955.

Nesse cenário político, destacou-se Juscelino Kubitschek, do Partido Social Democrático (PSD). Em sua carreira política, JK já havia sido prefeito de Belo Horizonte (MG), na década de 1940, e governador de Minas Gerais.

Na época, os eleitores podiam votar em um candidato para a presidência e em outro para a vice-presidência. Assim, JK foi eleito presidente com 36% dos votos, e João Goulart, o Jango, do Partido Trabalhista Brasileiro (PTB), elegeu-se vice-presidente.

Na foto, Juscelino Kubitschek, candidato a presidente, e João Goulart, candidato a vice-presidente, durante a campanha presidencial de 1955.

O projeto de modernização de JK

Desde sua campanha, JK destacava a necessidade de acelerar o desenvolvimento econômico brasileiro. O *slogan* do governo era "Cinquenta anos em cinco", ou seja, durante os cinco anos de governo, o país passaria por transformações que normalmente demorariam cinquenta anos para ocorrer.

Assim, um dos destaques do governo de JK foi o **Plano de Metas**, que consistia em 31 objetivos, organizados em seis grupos: transportes, energia, alimentação, educação, indústria de base e a construção de Brasília, que ele já havia prometido em campanha.

Indústria de base: tipos de indústrias como as de siderurgia e as de mineração, que atuam na produção ou na extração de bens tidos como base de outros ramos industriais.

Para atingir todos esses objetivos, Juscelino recorreu ao capital internacional. Logo, o governo tomou empréstimos de países como Inglaterra, Alemanha e França. Os Estados Unidos também fizeram empréstimos ao Brasil, tornando-se os grandes financiadores do projeto modernizador do governo. Em troca, o governo brasileiro concedia incentivos fiscais (redução ou isenção de impostos) a empresas internacionais para que elas se instalassem no país.

Foto de operários de indústria automobilística, localizada em São Paulo (SP), trabalhando na montagem do primeiro caminhão fabricado no Brasil, em 1955.

A industrialização

A industrialização cresceu muito na década de 1950, principalmente o setor automobilístico, que se tornou um dos símbolos do desenvolvimento industrial no governo de JK. Antes, já havia montadoras de automóveis no Brasil, a primeira indústria automobilística se instalou no país em 1919. No entanto, foi o governo de JK que concedeu maior incentivo para o desenvolvimento e para o aumento da produção de veículos, o que resultou na instalação de novas fábricas no país, entre elas, diversas empresas multinacionais.

A aceleração do processo de desenvolvimento e de urbanização ocorreu de modo desigual, beneficiando principalmente as regiões Sul e Sudeste. Essa industrialização atraiu muitos trabalhadores, principalmente do Nordeste brasileiro, que migraram para essas regiões em busca de melhores condições de vida e de trabalho.

Além da indústria automobilística, também se instalaram no país indústrias de eletrodomésticos e de outros bens de consumo. A maior parte delas se estabeleceu no **ABC paulista**, formado pelos municípios de Santo André, São Bernardo do Campo e São Caetano do Sul, localizados próximo à cidade de São Paulo.

Região do ABC paulista

Fonte: *Atlas geográfico escolar*. Rio de Janeiro: IBGE, 2009. p. 174.

Foto de JK durante inauguração de indústria automobilística no município de São Bernardo do Campo (SP), em 1959.

A construção de Brasília

Em 1956, iniciou-se a construção de Brasília, para ser a nova capital do Brasil. Planejada pelos arquitetos Oscar Niemeyer e Lúcio Costa, ela foi inaugurada por Juscelino Kubitschek em 1960 e tornou-se símbolo da civilização e da modernização do país.

A maior parte do investimento na construção de Brasília era originária do capital estrangeiro.

Foram atraídos para o local aproximadamente 40 mil trabalhadores, que ficaram conhecidos como **candangos**. Desse total, quase 45% deles eram de origem nordestina.

A cidade de Brasília foi construída em tempo recorde: cerca de três anos e meio. Esta foto mostra parte da construção da nova capital, em 1960. A maioria dos candangos ficou morando nas cidades-satélites que se formaram no entorno da capital.

Os candangos

O cotidiano dos candangos era bastante difícil, com muito trabalho e raros momentos de descanso e lazer. A Região Centro-Oeste, ainda pouco habitada, não tinha estrutura adequada para receber tantas pessoas e as moradias disponibilizadas ao redor de Brasília eram extremamente precárias.

Eles se revezavam em turnos de oito horas, muitas vezes trabalhando inclusive de madrugada. Era comum também a realização de horas extras.

Além disso, a segurança no cotidiano dos trabalhadores nas obras também podia ser bem precária. Fontes como relatos de operários e fotos da época evidenciam trabalhadores muitas vezes sem luvas, capacetes, cordas e outros equipamentos de segurança. De acordo com relatos, os acidentes eram constantes.

Foto retratando operários trabalhando sem equipamentos de proteção durante construção de Brasília, em 1959.

Cultura e sociedade

Entre as décadas de 1950 e 1960, a sociedade brasileira passou por intensas transformações. A arte e o esporte alcançaram projeção internacional nesse período, refletindo algumas das mudanças ocorridas no Brasil.

Novos meios de comunicação, como o rádio e a televisão, intensificaram a influência da publicidade sobre o comportamento da população brasileira, ajudando a criar novos hábitos e um novo estilo de vida, agora baseados em necessidades divulgadas nas propagandas. A compra de automóveis e de eletrodomésticos era incentivada, já que se tratava de produtos considerados importantes para alcançar um estilo de vida moderno e confortável.

Assim, o acesso a produtos como geladeiras, máquinas de lavar roupas e fogão a gás provocou diversas mudanças no cotidiano das famílias, principalmente daquelas com maior poder aquisitivo. Essa parcela da população passou a consumir novos produtos, como alimentos industrializados e diferentes itens de higiene e beleza, os quais eram encontrados nos supermercados e em grandes lojas.

A televisão

A primeira emissora de televisão do Brasil foi a Rede Tupi (ou TV Tupi), que transmitiu o primeiro programa brasileiro em setembro de 1950. No início, os programas eram improvisados, iam ao ar ao vivo e de maneira amadora. Além disso, grande parte da população brasileira não tinha acesso a aparelhos de televisão por causa de seu alto custo.

No decorrer dos anos, os programas televisivos e a publicidade se profissionalizaram, tornando-se cada vez mais elaborados. Os aparelhos de televisão, por sua vez, tornaram-se mais baratos e populares, consolidando o processo de formação de consumidores iniciado com o rádio.

Foto do estúdio da TV Tupi, em 1952.

O esporte

Em 1958, o Brasil foi campeão da Copa do Mundo de Futebol pela primeira vez. Realizado na Suécia, o campeonato teve uma ampla cobertura da imprensa nacional. A vitória da seleção em uma das principais competições esportivas do mundo foi muito comemorada em todo o país, e isso favoreceu o clima de euforia e de otimismo difundido pelas propagandas do governo JK.

Além do futebol, outras conquistas esportivas em 1960 ajudaram a propagar a ideia de que o Brasil passava por um momento de grande prosperidade. Algumas delas foram os títulos da tenista Maria Ester Bueno, que se tornou bicampeã do torneio de Wimbledon, na Inglaterra, um dos mais tradicionais torneios de tênis do mundo, e o título de campeão mundial de boxe conquistado por Éder Jofre.

A Bossa Nova

No final da década de 1950, músicos como Tom Jobim, Vinicius de Moraes e João Gilberto criaram um novo estilo musical na cidade do Rio de Janeiro. Esse estilo misturava o samba com o *jazz* estadunidense e ficou conhecido como Bossa Nova.

Em pouco tempo, ela tornou a música brasileira conhecida internacionalmente e virou sinônimo de um estilo de vida moderno, embora restrito às classes sociais mais elevadas.

Na foto, João Gilberto canta no Carnegie Hall, em Nova York, nos Estados Unidos, em 1962.

O Cinema Novo

Entre o final da década de 1950 e o início da década de 1960, o cinema brasileiro passou por importantes mudanças. Em 1955, foi lançado o filme *Rio, 40 graus*, dirigido por Nelson Pereira dos Santos e feito com poucos recursos técnicos. Esse filme aborda alguns dos problemas sociais da cidade do Rio de Janeiro, na época, de maneira bastante realista. O filme inspirou a renovação do cinema no país e deu início ao movimento conhecido como Cinema Novo.

Influenciado pelo cinema italiano e pelo francês, o Cinema Novo renovou a estética do cinema nacional, com nova linguagem e novos temas, como a cultura popular e os problemas sociais brasileiros. Um de seus principais representantes, o cineasta Glauber Rocha, criou a frase que acabou tornando-se o *slogan* do movimento: "Uma câmera na mão e uma ideia na cabeça". Assim, os filmes produzidos durante esse período não tiveram recursos técnicos sofisticados, mas costumavam ter um caráter de contestação política.

O filme *O pagador de promessas*, do diretor Anselmo Duarte, conquistou em 1963 a Palma de Ouro, o principal prêmio do Festival de Cannes, na França, um dos mais prestigiados festivais de cinema do mundo.

Na foto, Leonardo Villar é o Zé do Burro, que carrega uma cruz, em cena de *O pagador de promessas*, dirigido por Anselmo Duarte e lançado em 1962.

A democracia sob pressão

No final do mandato de Juscelino, as expectativas geradas pelo clima de otimismo não correspondiam à situação vivida pelas camadas populares. A classe trabalhadora sofria os efeitos da alta da inflação, que chegou a atingir o índice de 40% ao ano.

Nessa época, o Brasil estava com uma dívida externa elevada em decorrência dos empréstimos estrangeiros empregados na modernização do país. Houve indícios de superfaturamento e de favorecimento de empreiteiras para a construção de Brasília. Mesmo assim, JK tinha uma grande popularidade, mas não pôde se candidatar novamente, pois a reeleição não era permitida pela lei eleitoral da época. Assim, nas eleições de 1960, Jânio da Silva Quadros, apoiado pela UDN, venceu com 48% dos votos. O vice-presidente eleito foi novamente João Goulart, do PTB.

Na foto, Jânio Quadros segura uma vassoura, símbolo de sua campanha, afirmando que varreria a corrupção do país. Santos (SP), 1959.

Jânio no poder

O governo de Jânio foi marcado por diversas contradições. Ao mesmo tempo que governou com uma política econômica conservadora, Jânio condecorou Che Guevara, líder comunista, com a Ordem do Cruzeiro do Sul, uma importante homenagem prestada a cidadãos estrangeiros. Além disso, tomou diversas decisões polêmicas, como proibir corridas de cavalos em dias úteis e o uso de biquíni.

Jânio Quadros governou por poucos meses. Para surpresa de todos, ele renunciou em 25 de agosto de 1961 sem um motivo que explicasse sua decisão. Acredita-se que ele esperava que a população o apoiasse e exigisse o seu retorno, para voltar fortalecido ao poder, o que não aconteceu.

Jânio Quadros cumprimentando Ernesto Che Guevara. Foto tirada durante a cerimônia em que o líder comunista foi condecorado, em Brasília (DF), 1961.

Jango e as Reformas de Base

Após a renúncia de Jânio, de acordo com a Constituição, quem deveria tomar posse era o vice, João Goulart, também conhecido como Jango. Quando soube da notícia, Jango estava retornando de uma visita oficial à China, o que levou a ala radical da UDN e os militares a tentar impedir a sua posse, afirmando que ele tinha ligações com os comunistas.

Em resposta, foi promovida uma campanha pela legalidade em apoio à posse de Jango. Depois de uma crise que durou vários dias, chegou-se a um acordo: Jango concordou em assumir a presidência em um sistema de parlamentarismo.

Durante o tempo em que governou, Jango não tinha muito apoio no Congresso Nacional, o que dificultava a aprovação de seus projetos. Entre as propostas de seu governo estavam as chamadas **Reformas de Base**, que propunham reformas amplas, como a reforma agrária, bancária, fiscal, administrativa e universitária. Além disso, essas reformas buscavam estender o direito de voto aos analfabetos e aos militares de baixo escalão. Essas propostas provocavam descontentamento em alguns setores da elite e nos militares, que já articulavam um golpe para tomar o poder.

> **Parlamentarismo:** sistema de governo em que o Poder Executivo é exercido por um gabinete de ministros formado no parlamento. No sistema parlamentarista, o poder do presidente da República fica bastante reduzido.
>
> **Plebiscito:** consulta feita ao povo para decidir, por meio de votação, sobre alguma questão importante para o país.

O fim do governo Jango

Depois de pouco mais de um ano de governo, Jango convocou um plebiscito para que o povo escolhesse o sistema de governo do país. Nesse plebiscito, a população optou pela volta do presidencialismo. Apesar de assumir plenos poderes, havia muita instabilidade política, e Jango encontrava dificuldades para governar. Buscando conseguir mais apoio popular ao seu governo, no dia 13 de março de 1964, Jango fez um grande comício na cidade do Rio de Janeiro, reafirmando seu compromisso com as Reformas de Base e anunciando as primeiras desapropriações de fazendas para iniciar a reforma agrária.

Esse comício teve grande repercussão na mídia. As elites do país, representadas por setores como a indústria e o empresariado, temiam perder seus privilégios. Junto a isso, passou a ser difundida entre a população a ideia de que essas reformas do governo pudessem abrir caminho para um golpe comunista. Dessa maneira, muitos políticos de direita e setores conservadores da sociedade começaram a alardear que só uma intervenção militar poderia conter o comunismo e salvar a democracia.

▶ Na foto, João Goulart e sua esposa, Maria Teresa, no comício da Central do Brasil, no Rio de Janeiro (RJ), em 13 de março de 1964.

Nesse clima de temor generalizado, ocorreram diversas manifestações da sociedade civil em todo o Brasil. Uma das maiores ocorreu na cidade de São Paulo, no dia 19 de março de 1964, em uma das chamadas Marchas da Família com Deus pela Liberdade. Essa marcha reuniu aproximadamente 500 mil pessoas nas ruas para protestar contra o governo de Jango. Houve marchas também no Rio de Janeiro e em outras capitais do país, com significativo número de pessoas.

Foto de manifestantes durante a Marcha da Família com Deus pela Liberdade ocorrida na cidade de São Paulo em 19 de março de 1964.

O golpe de 1964

No final do mês de março de 1964, ocorreu uma revolta de marinheiros, que reivindicavam melhores condições de trabalho e aumento de salários. A revolta chegou ao fim após uma negociação, mas os militares ainda esperavam que os revoltosos fossem punidos. No entanto, o ministro da Marinha, indicado por Jango, contrariou essas expectativas e não os puniu.

Esse fato foi considerado um desrespeito à hierarquia da Marinha, desencadeando grande mobilização militar para a deposição do presidente da República. Com o apoio de diversos setores da sociedade civil, no dia 1º de abril de 1964 os militares ocuparam diversas capitais do país. Acompanhados de veículos blindados, eles se dirigiram ao palácio do Planalto, sede do governo em Brasília, e assumiram o poder, dando início a um período de ditadura militar. Por causa do forte apoio da sociedade civil, alguns historiadores denominam a manobra militar que depôs o presidente e instaurou uma ditadura no Brasil como um **golpe civil-militar**.

Na foto, tanques e tropas do Exército ocupam a capital, Brasília, em 1º de abril de 1964.

131

Atividades

Organizando o conhecimento

1. Cite duas das principais medidas do segundo governo de Vargas.

2. De que maneiras a industrialização da década de 1950 afetou a vida da população brasileira? Cite exemplos de transformações ocorridas naquele período.

3. Explique quem eram os candangos e quais eram suas condições de trabalho.

4. Por que as propostas das Reformas de Base no governo de João Goulart provocaram temor na elite brasileira?

5. Quais eram as principais características da Bossa Nova?

Conectando ideias

6. O movimento do Cinema Novo se iniciou por volta de 1960, período de grande efervescência cultural no Brasil. Leia o texto a seguir que trata sobre esse movimento.

> [...] O Nordeste, ao lado das favelas cariocas, era o tema preferido desse tipo de cinema, o que nem sempre agradava o público de classe média, acostumado ao *glamour* hollywoodiano. Mas a intenção era precisamente chocar não só o público médio brasileiro, mas também a visão dos estrangeiros sobre o nosso país.
>
> O princípio norteador do movimento era a "estética da fome", título de um famoso manifesto escrito por Glauber Rocha, em 1965. O manifesto, diagnosticando a situação do cinema brasileiro e latino-americano, diz: "Nem o latino comunica sua verdadeira miséria ao homem civilizado, nem o homem civilizado compreende verdadeiramente a miséria do latino [Por isso somos] contra os exotismos formais que vulgarizam os problemas sociais." [...] Glauber defendia a ideia de que a "fome" era o nervo da sociedade subdesenvolvida, denunciando um tipo de cinema que ora escondia, ora estilizava a miséria e a fome. Para ele, só o Cinema Novo soube captar essa "fome", na forma de imagens sujas, agressivas, toscas, cheias de violência simbólica: "O que fez o Cinema Novo um fenômeno de importância internacional foi justamente o seu alto nível de compromisso com a verdade; foi seu próprio miserabilismo, que, antes escrito pela literatura de 1930 e agora fotografado pelo cinema de 1960". [...]
>
> Marcos Napolitano. *1964: história do regime militar brasileiro*. São Paulo: Contexto, 2015. p. 25-26.

a) Segundo o autor, qual era a intenção do Cinema Novo?
b) O que Glauber Rocha critica em seu manifesto?
c) De que maneira o Cinema Novo retratava a fome?
d) Por que o Cinema Novo alcançou uma importância internacional?

7. Observe o anúncio publicitário a seguir e responda às questões.

a) Qual é o produto que está sendo anunciado? Identifique-o e descreva a imagem.

b) Discuta com os colegas a expressão "moderna paisagem brasileira", relacionando-a com o contexto vivido no país durante o governo de Juscelino Kubitschek.

c) De que maneira esse anúncio pretendia influenciar as pessoas a comprar o produto? Explique sua resposta com base no que você estudou neste capítulo e em elementos da imagem.

d) Em casa, converse com seus pais e, juntos, reflitam sobre as estratégias das campanhas publicitárias atuais. Como elas buscam influenciar o público nos dias de hoje?

Cartaz publicitário veiculado na revista *O Cruzeiro*, de 24 de dezembro de 1960.

Verificando rota

O que você entendeu sobre os conceitos de autoritarismo e de democracia estudados nesta unidade? Como podemos relacioná-los aos regimes políticos brasileiros que vigoraram entre 1930 e o início da década de 1960? Converse com os colegas de sala, expressando sua opinião, para produzirem juntos um texto sobre essas questões. Depois, façam uma leitura coletiva do texto.

Para finalizar, procure responder aos seguintes questionamentos.
- Em sua opinião, foi importante conversar com os colegas sobre a unidade? Por quê?
- Qual tema você teve mais facilidade em compreender? Por que você acha que isso aconteceu?
- Você teve alguma dificuldade com relação aos conteúdos? Qual?
- Sobre qual dos temas estudados você gostaria de saber mais informações? Por quê?

Ampliando fronteiras

O respeito à cultura nordestina

Como vimos nesta unidade, a migração de nordestinos ocorreu em diferentes momentos da história do Brasil. Atualmente, existem nordestinos vivendo em todas as regiões do país. Ao migrar, essas pessoas levam consigo toda a riqueza cultural do Nordeste.

A cultura nordestina é fruto da mistura de tradições indígenas, africanas e europeias. São exemplos das expressões culturais do Nordeste danças folclóricas, artesanatos regionais, ritmos musicais, pratos típicos e diferentes gêneros textuais.

Discriminação contra nordestinos

De diferentes maneiras, a cultura nordestina está presente em todo o Brasil. Mesmo assim, por causa do desconhecimento da história e da cultura do Nordeste ou até mesmo pela falta de noções básicas de respeito aos direitos humanos, muitas pessoas discriminam os nordestinos.

Leia, a seguir, algumas manchetes de notícias que se referem a esse assunto.

Procuradoria recebe 85 denúncias por ataques virtuais a nordestinos

El País, 9 out. 2014. Disponível em: <http://brasil.elpais.com>. Acesso em: 24 ago. 2018.

Miss Brasil sofre preconceito na internet por ser nordestina

O Tempo, 29 set. 2014. Disponível em: <www.otempo.com.br>. Acesso em: 24 ago. 2018.

Ilustrações: Waldomiro Neto e Ana Alexius

134

"Anonimato" na internet

Muitas pessoas disseminam na internet, diariamente, ameaças, difamações e manifestações de preconceito de todos os tipos contra nordestinos, contra negros, contra homossexuais, de forma anônima, por acreditar que estão protegidas pelo anonimato e que os atos que praticam não lhes trarão consequências.

Porém, nos últimos anos, por causa do aumento desses tipos de ataques, foram criadas leis específicas para os chamados crimes virtuais. Uma das primeiras punições ocorreu em 2010, em São Paulo, quando uma estudante universitária incitou, através de uma rede social, ódio contra nordestinos. Ela foi condenada e teve de prestar serviços comunitários, além de pagar uma multa.

Como denunciar?

Por meio da página do SaferNet Brasil, é possível fazer denúncias de crimes cometidos na internet e meios digitais.

Todos os dias são recebidas inúmeras denúncias, divididas por temas, por exemplo, racismo, homofobia, maus-tratos contra animais, intolerância religiosa, entre outros. Acesse o *site* e veja como funciona: SafernetBrasil. Disponível em: <http://linkte.me/l62wy>. Acesso em: 17 jul. 2018.

1. Em grupo, façam um levantamento de casos de discriminação sofridos por pessoas de origem nordestina. Pesquisem também quais são as principais instituições que recebem denúncias de violações dos direitos humanos na internet.

   Para finalizar, reúnam as informações levantadas pelos grupos e reflitam sobre possíveis ações para divulgar a cultura nordestina e conscientizar as pessoas sobre a importância do respeito aos direitos humanos.

2. Converse com os colegas sobre elementos da cultura nordestina que fazem parte do dia a dia dos brasileiros de modo geral. Depois, façam uma votação e escolham um tema para ser apresentado em sala.

UNIDADE

5
A divisão do mundo na Guerra Fria

Capítulos desta unidade
- **Capítulo 9** - Tensões e conflitos da Guerra Fria
- **Capítulo 10** - Conflitos entre judeus e palestinos
- **Capítulo 11** - Independências na África e na Ásia

Praça Vermelha, Moscou, capital da União Soviética, em foto de 1960.

Iniciando rota

1. Que tipo de evento está sendo mostrado nesta foto? O que mais lhe chamou a atenção nela?

2. Você já ouviu falar na Guerra Fria? Por que ela tem esse nome?

3. Em sua opinião, por que era importante para o governo soviético a exibição de seus armamentos? Esse tipo de exibição ainda ocorre na atualidade? Por quê?

CAPÍTULO 9

Tensões e conflitos da Guerra Fria

Com o fim da Segunda Guerra Mundial, Estados Unidos e União Soviética, aliados durante o conflito, emergiram como principais potências mundiais. Iniciou-se um período de tensões e rivalidades que dividiu o mundo em duas grandes áreas de influência. De um lado, os Estados Unidos lideravam o bloco capitalista e, do outro lado, estava a União Soviética, líder do bloco comunista. Por não envolver um confronto armado e direto entre as duas potências, esse período foi chamado de **Guerra Fria** e durou aproximadamente quarenta anos.

Temor nuclear

Como vimos na unidade **3**, os Estados Unidos foram os primeiros a desenvolver armas nucleares. No entanto, poucos anos depois, a União Soviética também desenvolveu essa tecnologia. Durante o período da Guerra Fria, as duas potências chegaram a possuir armas nucleares de grande poder de destruição. Por isso, essa época foi marcada pelo temor constante de uma guerra nuclear.

O mundo depois da Segunda Guerra Mundial

A questão central das tensões entre as duas potências foi o desenvolvimento da tecnologia nuclear e, consequentemente, de armas nucleares. A disputa tecnológica entre as duas potências tinha como principal objetivo que uma superasse a outra em poder bélico. Além disso, houve grande disputa ideológica, que se manifestou principalmente na expansão de áreas de influência.

Veja no mapa a seguir como ficou a divisão do mundo no período da Guerra Fria.

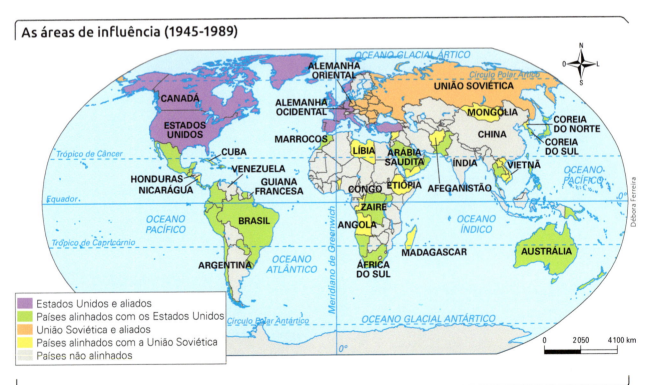

Fonte: Fabio Volpe (Ed.). *Almanaque Abril 2015*. São Paulo: Abril, 2015. p. 302.

O bloco capitalista

Em 1947, o presidente estadunidense, Harry Truman, apresentou uma política de apoio econômico e militar aos países europeus que não faziam parte do bloco comunista. Essa política, que tinha o objetivo de evitar a expansão soviética e de ampliar a influência capitalista na Europa ficou conhecida como **Doutrina Truman**. Nesse contexto, foi criado o **Plano Marshall**, um programa de apoio financeiro destinado à recuperação econômica dos países europeus que estavam em crise em decorrência da Segunda Guerra Mundial.

Em 1949, Estados Unidos, Canadá e outros países da Europa Ocidental que formavam o bloco capitalista criaram a Organização do Tratado do Atlântico Norte (**Otan**), uma aliança militar entre os países envolvidos que previa ajuda mútua em casos de conflitos armados.

O bloco comunista

Durante a Guerra Fria, a União Soviética passou a exercer uma política de controle no Leste Europeu, buscando manter os países da região alinhados ao bloco comunista. Assim, a União Soviética criou, em 1949, um programa chamado Conselho de Assistência Econômica Mútua (**Comecon**), com o objetivo de articular as políticas econômicas do bloco comunista e fornecer ajuda financeira e militar para os países que dele faziam parte. Os soviéticos também criaram o **Pacto de Varsóvia**, em 1955, uma aliança militar que previa a unidade do bloco comunista.

A "Cortina de Ferro"

A divisão da Europa entre os blocos comunista e capitalista ficou conhecida como Cortina de Ferro. Essa expressão foi difundida pelo primeiro-ministro britânico Winston Churchill em um discurso proferido em 1946 para se referir à divisão das áreas de influência na Europa lideradas pela União Soviética e os Estados Unidos.

A divisão da Alemanha

Após a Segunda Guerra Mundial, a Alemanha foi segmentada em quatro setores ou zonas de ocupação — russa, estadunidense, britânica e francesa —, referentes aos grandes vencedores do conflito. Essa divisão ocorreu durante a Conferência de Postdam (cidade do leste alemão), em 1945, na qual também foi negociada a nova organização da cidade de Berlim, dividida entre o domínio soviético, no lado oriental, e o domínio capitalista, no lado ocidental.

Em 1961, por causa das disputas ideológicas entre o regime comunista e o capitalista, as fronteiras entre Berlim Oriental e Berlim Ocidental foram fechadas com um muro fortificado, o **Muro de Berlim**, considerado um dos maiores símbolos da Guerra Fria. Ele impedia a passagem de pessoas do lado comunista para o lado capitalista até ser derrubado, em 1989.

Muro de Berlim, na Alemanha, próximo ao Portão de Brandemburgo. Foto de 1962.

As rivalidades da Guerra Fria

As rivalidades entre o bloco capitalista e o bloco comunista provocaram uma busca cada vez mais intensa pelo desenvolvimento econômico, tecnológico, bélico e cultural. Veja a seguir como essas oposições se manifestaram no cenário mundial.

Espionagem

A União Soviética e os Estados Unidos utilizaram agências de espionagem para obter informações sigilosas, mantendo-se atualizados quanto às ações e às pesquisas desenvolvidas pelo bloco rival. O Comitê de Segurança do Estado (com a sigla KGB, em russo) foi o órgão de espionagem soviético, enquanto os Estados Unidos tinham a Agência Central de Inteligência (com a sigla CIA, em inglês).

Corrida armamentista

Os Estados Unidos e a União Soviética investiram fortunas para aperfeiçoar cada vez mais seu arsenal bélico e suas tecnologias nucleares, com o objetivo de alcançar a supremacia bélica e militar em relação ao bloco adversário.

Durante a **corrida armamentista**, as duas potências travaram uma intensa competição e desenvolveram armas nucleares capazes de causar destruição incalculável, caso houvesse um conflito direto.

Indústria cinematográfica

Os Estados Unidos e a União Soviética utilizaram a indústria cinematográfica para fazer propaganda ideológica ao mesmo tempo que buscavam criticar seus rivais.

Dessa forma, os estadunidenses produziram filmes que exaltavam seu estilo de vida, mostrando o sistema capitalista como um regime capaz de garantir a prosperidade, a paz e a segurança da população.

Já os soviéticos produziram diversos filmes ressaltando a importância da união dos trabalhadores, valorizando o comunismo como um sistema político promissor, mais justo e igualitário que o capitalista.

Corrida espacial

As décadas de 1950 e 1960 foram marcadas pela **corrida espacial**, ou seja, uma intensa competição entre União Soviética e Estados Unidos para realizar viagens espaciais, como forma de demonstrar superioridade tecnológica sobre o bloco rival.

Em 1957, os soviéticos saíram na frente, enviando ao espaço a cadela Laika. Alguns anos depois, em 1961, o russo Yuri Gagarin tornou-se o primeiro ser humano a ir ao espaço.

Os Estados Unidos, por sua vez, enviaram uma missão tripulada à Lua, em 1969.

Neil Armstrong/Apollo 11 Digital Picture Library/NASA

Na foto, o astronauta estadunidense Buzz Aldrin caminha na Lua, em 20 de julho de 1969.

> **Esporte**
>
> Os esforços de cada uma das duas potências em demonstrar superioridade sobre a outra também se manifestaram nos esportes. Grandes investimentos foram feitos no treinamento dos atletas, principalmente dos que participavam dos Jogos Olímpicos. O quadro de medalhas era utilizado como demonstração da superioridade de uma potência sobre a outra.

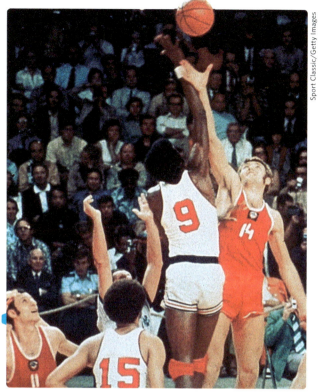

Na foto, jogo de basquete entre a seleção dos Estados Unidos e a seleção da União Soviética, nos Jogos Olímpicos de Munique, na Alemanha, em 1972.

A Guerra do Vietnã

A rivalidade entre os blocos também fez com que Estados Unidos e União Soviética interferissem em questões internacionais, como no caso da Guerra do Vietnã. Na década de 1950, o Vietnã, localizado no sudeste da Ásia, estava dividido em dois países: Vietnã do Sul, que tinha o apoio dos Estados Unidos e havia adotado o sistema capitalista; e o Vietnã do Norte, influenciado pelo comunismo.

A tentativa de unificação do Vietnã pelos vietcongues, como eram chamados os revolucionários comunistas, gerou diversos conflitos e uma violenta reação dos governantes do Vietnã do Sul. Os Estados Unidos interferiram na guerra e enviaram aproximadamente 500 mil soldados e armamentos para apoiar o Vietnã do Sul e impedir o avanço de um regime alinhado à União Soviética.

Os vietcongues, no entanto, resistiram ao poder militar dos Estados Unidos e, por meio da guerrilha, impuseram pesadas derrotas aos estadunidenses. Por fim, em 1975, os Estados Unidos se retiraram do conflito. Assim, o Vietnã foi unificado.

Soldados estadunidenses desembarcam durante a invasão dos Estados Unidos ao Vietnã, em foto de 1966.

141

A expansão do comunismo

Além de manter como aliados os países do Leste Europeu, os soviéticos ampliaram sua influência em várias outras regiões do mundo, como China e Cuba.

A China comunista

As ideias socialistas já circulavam na China desde o início do século XX. Contudo, elas só se efetivaram politicamente a partir da Revolução Chinesa. Esse movimento foi comandado pelo líder do Partido Comunista Chinês, Mao Tsé-Tung, em 1949. Após uma série de conflitos no país, os comunistas derrotaram os nacionalistas, que tinham o apoio dos Estados Unidos, e proclamaram a República Popular da China.

As principais medidas do novo regime foram: a coletivização da agricultura, os aumentos salariais, a nacionalização das indústrias, a adoção de uma legislação sindical, entre outras. Contudo, as desigualdades sociais na China não foram eliminadas, o que aumentou as críticas ao governo e, em consequência, as perseguições aos opositores.

Em 1966, Mao deu início à Revolução Cultural para engajar a população e fortalecer o regime alinhado ao comunismo. Para isso, foram mobilizados os setores culturais, como teatro, dança, literatura e propaganda, em favor das ideias de Mao e de seu governo. Como instrumento doutrinador do regime, foram distribuídas edições do *Livro vermelho*, obra que exaltava o comunismo. Estima-se que, nessa época, cerca de 35 mil chineses foram perseguidos e assassinados sob a acusação de não exaltarem o regime implantado por Mao.

Em 1976, com a morte do líder chinês, a Revolução Cultural se enfraqueceu e foi oficialmente abolida.

Na foto acima, pessoas fazem a leitura de uma carta em homenagem a Mao na frente do comitê central do Partido Comunista, em Pequim, China, em 1966.

Os jovens da Guarda Vermelha

A Guarda Vermelha foi criada por Mao Tsé-Tung no contexto da Revolução Cultural para propagar os ideais revolucionários e perseguir os opositores do regime. Formada por jovens de origem camponesa e operária, a Guarda chegou a ter 11 milhões de membros.

A Guarda Vermelha mobilizava muitos jovens, incluindo homens e mulheres, que praticavam atos de violência e agressões aos opositores do regime. Na foto, de 1966, vemos membros da Guarda Vermelha durante uma celebração em Pequim, na China.

Socialismo em Cuba

Na década de 1950, Cuba, país localizado em uma ilha no mar do Caribe, no oceano Atlântico, vivia sob o governo ditatorial de Fulgêncio Batista, que havia tomado o poder por meio de um golpe militar. Nessa época, os Estados Unidos eram grandes importadores do açúcar produzido em Cuba e exploravam o país economicamente, pois eram donos de grandes propriedades e de parte dos setores industriais e de transportes cubanos.

No entanto, a população vivia em condições precárias e estava insatisfeita com a influência estadunidense no país. Nesse contexto, o advogado Fidel Castro liderou um movimento de oposição ao governo, proclamando os ideais socialistas, a luta armada e o fim da dependência cubana dos Estados Unidos.

No final da década de 1950, o grupo guerrilheiro de Fidel, aliado ao médico argentino Ernesto Che Guevara, organizou-se para a luta armada e resistiu ao ataque de mais de 10 mil soldados do governo.

Em 1959, os revolucionários empreenderam uma ofensiva, tomaram a capital, Havana, depuseram Fulgêncio Batista e instauraram um governo socialista em Cuba.

Na região montanhosa de Sierra Maestra, Fidel e seus seguidores utilizaram a estratégia de guerrilha, em que os soldados escondiam-se e movimentavam-se constantemente, com o objetivo de surpreender o inimigo. Nessa foto, de 1956, Fidel aparece à direita, de óculos, instruindo os combatentes revolucionários.

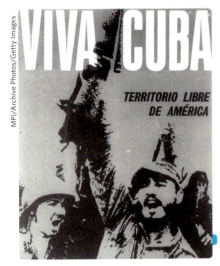

As principais reformas empreendidas no novo governo, sob o comando de Fidel Castro, foram a nacionalização de terras, de bancos e de outras empresas privadas; a reforma agrária e as melhorias nos serviços públicos, principalmente nas áreas de educação e saúde.

Com a vitória da revolução, Cuba recebeu apoio soviético. Em resposta a isso, no início da década de 1960, os Estados Unidos romperam relações diplomáticas com o governo cubano e impuseram um embargo ao país, ou seja, um bloqueio das relações comerciais que havia entre eles, com o objetivo de prejudicar Cuba.

Cartaz em apoio à Revolução Cubana, de 1959. Na inscrição, lê-se "Viva Cuba, território livre da América".

A crise dos mísseis

O mês de outubro de 1962 foi um dos mais tensos da Guerra Fria. Nessa época, os Estados Unidos e a União Soviética haviam instalado mísseis em suas bases militares na Turquia e em Cuba, respectivamente.

Essas armas podiam atingir rapidamente o país rival, o que gerou temor de ataques de ambos os lados.

Após alguns dias de extrema apreensão, estabeleceu-se um acordo em que os dois países se comprometiam com a retirada dos mísseis.

Foto aérea produzida em 1962 pelo serviço secreto estadunidense retratando a base de lançamento de mísseis nucleares instalada em San Cristóbal, Cuba. No canto direito superior, vemos o mapa que indicava a localização exata na ilha onde os mísseis estavam instalados.

144

Movimentos de contracultura

Durante a Guerra Fria, principalmente nas décadas de 1950 e 1960, jovens de diferentes lugares do mundo passaram a contestar o modo de vida vigente nas sociedades ocidentais. Esses jovens criticavam o consumismo e o papel tradicional atribuído a mulheres e homens, propondo novas maneiras de viver e de se relacionar.

Essas manifestações de contestação ocorreram especialmente nos Estados Unidos e na Europa Ocidental e ficaram conhecidas como movimentos de contracultura.

Os *beatniks*

O movimento *beatnik*, surgido na década de 1950 nos Estados Unidos, foi um dos mais influentes movimentos de contracultura. Os *beatniks* criticavam o moralismo estadunidense e propunham mais liberdade nas relações pessoais. Esse movimento teve forte expressão na literatura e abordava temas que escandalizaram a sociedade da época, como a homossexualidade e o uso de drogas que provocam estados alterados de consciência. Entre seus principais expoentes estavam Allen Ginsberg, William Burroughs e Jack Kerouac.

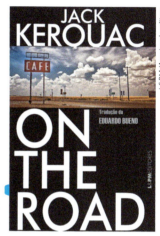

A obra *On the road*, escrita por Jack Kerouac e publicada pela primeira vez em 1957, tornou-se um clássico da geração *beat*. Capa da edição brasileira publicada em 2015.

O movimento *hippie*

Diferentes movimentos de contracultura surgiram na década de 1960. Entre eles, o que se tornou mais conhecido foi o movimento *hippie*. Influenciado pelos *beatniks*, os jovens que faziam parte desse movimento, em sua maioria de classe média, criticavam os valores morais dominantes estabelecidos pelas gerações anteriores, como a família tradicional e a escola, que consideravam como aparelho ideológico a serviço do capitalismo.

Eles usavam cabelos compridos e roupas coloridas; viviam, geralmente, em comunidades; defendiam a liberdade sexual e apoiavam movimentos em defesa da igualdade de gênero e da conquista de direitos por afrodescendentes. Outra característica dos integrantes do movimento era o uso de drogas ilícitas.

Duas frases eram associadas a esse movimento: "Paz e amor" e "Proíbam as bombas". Durante a Guerra do Vietnã, os *hippies* manifestaram-se contra a interferência dos Estados Unidos e o envio de tropas para o conflito.

Manifestação ligada ao movimento *hippie* exigindo a saída dos Estados Unidos da Guerra do Vietnã, em São Francisco, Estados Unidos. Foto de 1969.

Movimento negro e a luta por direitos civis

Na década de 1950, havia nos Estados Unidos uma forte <u>segregação</u> racial em diversos estados, principalmente nos da região sul do país. As pessoas negras eram proibidas de frequentar escolas e restaurantes reservados a pessoas brancas. No transporte público, elas deviam sempre ceder lugar aos brancos.

Em 1955, uma mulher negra, Rosa Parks, negou-se a ceder seu lugar a uma pessoa branca em um ônibus da cidade de Montgomery, no Alabama, Estados Unidos. O ato foi considerado desobediência e ela foi presa pela polícia.

▌Segregação: ato ou processo de separar.

As pessoas negras só podiam sentar-se nos bancos da parte traseira dos ônibus. Atlanta, Estados Unidos, em foto de 1956.

Esse episódio estimulou a mobilização contra a segregação racial nos Estados Unidos. Ativistas negros organizaram um boicote ao transporte público de Montgomery. Entre os ativistas que se destacaram estava **Martin Luther King** (1929-1968), que era pastor de uma igreja batista da cidade.

Incentivando a resistência pacífica, Luther King liderou a luta por direitos civis, defendendo que pessoas de diferentes origens poderiam conviver pacificamente. Assim, diversos ativistas negros passaram a praticar ações de desobediência civil, frequentando locais exclusivos para pessoas brancas, entre outras ações.

Após uma intensa reação de setores mais conservadores da sociedade estadunidense, os movimentos liderados por Luther King conseguiram abolir a segregação racial nos Estados Unidos. Em 1964, ele recebeu o Prêmio Nobel da Paz por seu ativismo. Em 1968, Luther King foi assassinado, mas seu exemplo serviu de inspiração na luta por direitos para a população negra em todo o mundo.

Martin Luther King (segundo na linha de frente da esquerda para direita) participando de manifestação que exigiu o fim da segregação racial e mais empregos para a população negra. Em Washington, D.C., Estados Unidos, 1963.

Outros movimentos de resistência

Durante a década de 1960, surgiram também outras lideranças que propunham estratégias diferentes para a conquista de direitos civis, como o ativista **Malcolm X** (1925-1965), que era contra a resistência pacífica e pregava o uso da violência para autodefesa da população negra. Por muito tempo ele não acreditou na possibilidade de união entre pessoas brancas e negras, mudando de opinião apenas no final de sua vida. Após liderar diversas manifestações favoráveis aos direitos de pessoas negras, ele foi assassinado em 1965.

Em 1966, foi fundado o **Partido Pantera Negra para Autodefesa**, que defendia o uso de armas para reagir à brutalidade da polícia contra a população negra. Entre as décadas de 1960 e 1970, os membros do movimento entraram em confronto com a polícia diversas vezes. Aos poucos, eles passaram a se dedicar mais a serviços sociais nas comunidades formadas por pessoas negras.

Foto de protesto contra a prisão de membros do Partido Pantera Negra para Autodefesa, na cidade de Nova York, Estados Unidos, 1969.

147

Atividades

Organizando o conhecimento

1. O que foi a Guerra Fria? Por que ela recebeu esse nome?

2. Quais eram as duas potências da Guerra Fria? Dê exemplos de fatos que marcaram a rivalidade entre essas duas potências.

3. Explique o que foi a Doutrina Truman e o Plano Marshall.

4. O que as duas potências da Guerra Fria queriam demonstrar com a corrida espacial?

5. O que foi a crise dos mísseis? Explique por que esse episódio foi considerado um dos mais tensos da Guerra Fria.

6. Escreva um pequeno texto com as palavras do quadro a seguir.

> preconceito • segregação racial • direitos civis • Estados Unidos

Conectando ideias

7. Leia o texto abaixo e responda à questão.

> Apesar de usualmente não receber tal tratamento, o termo negro também é um conceito, uma construção discursiva com significados bem específicos em nossa sociedade. Essa palavra, que designa originalmente cor, tem no mundo ocidental uma conotação social ao se referir aos africanos e seus descendentes na América e na Europa. No Ocidente, tal conotação possui caráter pejorativo e preconceituoso, mas não deixa de ser uma construção histórica, oriunda da cristandade medieval e do Iluminismo. Porém, os afrodescendentes, ao se assumirem como negros, estão construindo uma visão positiva de si mesmos, reelaborando sua identidade, em uma atitude de resistência cultural, diferente do sentido pejorativo que possa ter sido construído pelo branco etnocêntrico.
>
> [...]
>
> Kalina Vanderlei Silva e Maciel Henrique Silva. *Dicionário de conceitos históricos.* 2. ed. São Paulo: Contexto, 2009. p. 311-312.

• De acordo com o texto, assumir-se como negro é um ato de resistência cultural. Com base nessa ideia e nos conteúdos deste capítulo, escreva um texto sobre a resistência negra nos Estados Unidos, nas décadas de 1950 e 1960.

8. Na década de 1960, em meio ao clima de contestação, surgiram movimentos que reivindicavam um espaço maior para as mulheres na sociedade. O texto a seguir aborda essa questão. Leia-o e, depois, responda às questões.

> [...]
>
> Desde meados dos anos 1960 nos Estados Unidos (e em outros países a partir de 1970) ressurgiram movimentos sociais formados por mulheres. Muitos se diziam feministas, outros se autodenominavam "Movimentos de Libertação das Mulheres". Tinham entre as principais pautas o direito ao corpo e ao prazer. Surgida no início dessa década, a pílula anticoncepcional garantia, de forma mais segura, a separação entre procriação e sexualidade, sob o pleno controle das mulheres. [...]
>
> No mesmo ambiente formaram-se os primeiros "grupos de consciência". Eram constituídos somente por mulheres, frequentemente casadas e já com filhos crescidos. [...]
>
> Esses grupos [...] pretendiam tomar consciência da "condição feminina". Entendiam que não era a biologia que as definia, mas a cultura em que foram criadas é que as desqualificava, pois eram consideradas menos inteligentes e mais frágeis que os homens. A exigência de beleza e juventude foi questionada na famosa "queima de sutiãs", em Atlantic City, nos Estados Unidos, em 7 de setembro de 1968. No evento, o Movimento de Libertação das Mulheres convidou todas a jogar no lixo os acessórios que remetiam a esses valores — como espartilhos, cílios postiços, maquiagem, saltos altos e, claro, sutiãs.
>
> Nas reuniões, as integrantes faziam relatos de como viviam diferentes situações de seu cotidiano. Sob uma metodologia chamada de "Linha da Vida", falavam de corpo, menstruação, aborto, desejo, prazer, diferença no tratamento familiar em relação a elas, relacionamento com o marido, com o pai, com os homens. [...]
>
> Joana Maria Pedro. Meu corpo, minhas regras. *Revista de História da Biblioteca Nacional*, Rio de Janeiro, Sabin, ano 10, n. 113, fev. 2015. p. 31.

Manifestação em defesa dos direitos das mulheres em Nova York, nos Estados Unidos. Foto de 1971.

a) De acordo com o texto, quais foram e o que propunham os movimentos sociais liderados por mulheres a partir da década de 1960?

b) Quem eram os "grupos de consciência" descritos no texto e qual era o objetivo deles?

c) Explique o que foi o evento conhecido como "queima de sutiãs" de que fala o texto.

d) De acordo com o texto, quais eram os assuntos tratados nas reuniões das integrantes dos "grupos de consciência"?

e) Em sua opinião, os movimentos feministas são importantes na atualidade? Justifique sua resposta.

149

CAPÍTULO 10

Conflitos entre judeus e palestinos

No século VI a.C., o imperador babilônico Nabucodonosor II invadiu o Reino de Judá, ocasionando a expulsão dos judeus. Após séculos de cativeiro, o povo judeu se estabeleceu na Babilônia, mais tarde tomada pelo Império Persa. Com a destruição de Jerusalém pelos romanos, em 70 d.C., os judeus então se espalharam por outras regiões.

Em meados do século XIX, no entanto, surge o **sionismo**, movimento que reivindica o direito a um Estado nacional judeu nas terras que na Antiguidade eram habitadas por seus ancestrais, na região de Canaã, na região da Palestina. Dessa época têm origem os conflitos que ocorrem atualmente entre judeus e palestinos.

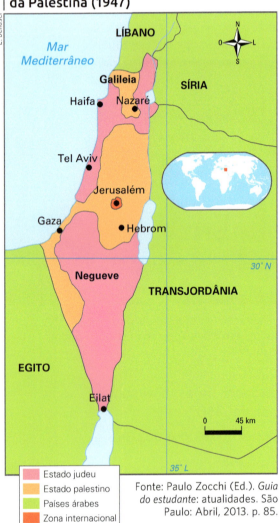

Fonte: Paulo Zocchi (Ed.). *Guia do estudante*: atualidades. São Paulo: Abril, 2013. p. 85.

> **Torá:** conjunto de livros, também conhecido como Pentateuco, que contém as escrituras sagradas do judaísmo.

A Palestina

Após o término da Primeira Guerra Mundial (1914-1918), a Palestina passou a ser administrada pela Grã-Bretanha, que apoiava a criação de um Estado judaico na região. Assim, muitos judeus migraram para essa terra, considerada a "Terra Prometida", de acordo com a Torá, o livro sagrado dos judeus.

Durante a Segunda Guerra Mundial (1939-1945) e depois dela, continuaram as migrações de judeus para a Palestina e para outros países. Além disso, os horrores provocados pelo holocausto nazista sensibilizaram a comunidade internacional, favorecendo a causa sionista.

Sob a liderança dos Estados Unidos, em uma assembleia realizada na ONU em 1947, foi decidida a partilha do território da Palestina entre judeus e árabes palestinos: 54% do território para os judeus, 45% para os árabes palestinos e o restante, 1%, que correspondia ao território da capital, Jerusalém, seria administrado pela ONU.

Jerusalém, cidade sagrada

Jerusalém é uma cidade com mais de 3 mil anos, considerada sagrada para os seguidores das três grandes religiões monoteístas. Para os **judeus**, ela foi a capital do antigo Reino de Israel, governada pelo rei Davi por volta do ano 1000 a.C. Para os **cristãos**, é a cidade onde Jesus Cristo teria vivido e iniciado a difusão de seus ensinamentos. Para os **muçulmanos**, é a cidade onde o profeta Maomé morou em seus últimos anos de vida.

A fundação de Israel

O plano de divisão territorial da Palestina proposto pela ONU foi bem aceito pelos judeus, mas foi recusado pelas autoridades árabes. Milícias sionistas passaram a atuar na região, expulsando os palestinos que lá viviam para garantir a parcela israelense do território.

Desde então, iniciaram-se diversos conflitos entre judeus e palestinos. Com o fim do domínio britânico nesse território, os judeus ocuparam a cidade de Jerusalém e proclamaram a fundação do Estado de Israel em 14 de maio de 1948.

Os palestinos resistiram a essa medida com o apoio militar de outros países árabes, como o Egito, a Síria e a Jordânia, mas foram derrotados, perdendo grandes extensões territoriais na Palestina.

As guerras árabe-israelenses

A criação do Estado de Israel deu início a uma série de outros conflitos que se estendem até a atualidade, trazendo enormes prejuízos e sofrimento tanto aos israelenses como aos árabes palestinos.

Em 1949, para fugir da violência dos conflitos, aproximadamente 750 mil árabes deixaram a Palestina e refugiaram-se em outros países.

A Guerra dos Seis Dias

O Estado de Israel, com ajuda financeira e militar dos Estados Unidos, consolidou seu domínio na região ao longo dos anos. Nesse período, os países árabes continuaram resistindo, lançando frequentes ataques aos israelenses, com o intuito de recuperar os territórios perdidos.

Em 1967, rumores de que tropas israelenses atacariam o Egito levaram os egípcios a mobilizar suas tropas na fronteira com Israel, bloqueando o estreito de Tirã e impedindo o acesso dos israelenses ao mar Índico.

Em um ataque considerado "preventivo", os israelenses iniciaram uma guerra conhecida como Guerra dos Seis Dias, derrotando o Egito e seus aliados, a Síria e a Jordânia.

No final do conflito, além do grande número de mortos e feridos, os países derrotados tiveram parte de seus territórios ocupada, e cerca de 500 mil palestinos tiveram de se refugiar.

A Palestina (1967)

Fonte: Paulo Zocchi (Ed.). *Guia do Estudante*: atualidades. São Paulo: Abril, 2013. p. 85.

A política de ocupação

A partir da Guerra dos Seis Dias, os israelenses iniciaram a instalação de **assentamentos judaicos** nos territórios palestinos na Cisjordânia e na Faixa de Gaza (veja no mapa da página **151**).

Essa medida fazia parte de uma política de ocupação que, a longo prazo, pretendia dificultar a devolução das terras aos palestinos, à medida que a população israelense aumentasse no território.

Essas ocupações eram feitas estrategicamente próximo aos trechos de terras férteis. Assim, muitos mananciais de água passaram a ser controlados pelos israelenses e canalizados para esses assentamentos. O controle desse recurso natural privou grande parte da população palestina de praticar a agricultura, a atividade econômica predominante na região, gerando ainda mais revolta entre os palestinos.

Homem hasteia bandeira palestina como forma de protesto em muro que separa assentamento judaico (ao fundo), no território palestino da Cisjordânia. Foto de 2015.

Manancial: mina ou fonte de água, nascente de um rio.

Autodeterminação: ato de decidir por si mesmo.

A Organização para a Libertação da Palestina

Em 1964, os países árabes que apoiavam a causa palestina criaram a Organização para a Libertação da Palestina (OLP). Liderada pelo egípcio Yasser Arafat (1929-2004), a OLP defendia o direito à autodeterminação dos povos árabes na Palestina e a devolução dos territórios que foram ocupados pelos israelenses nas guerras de 1949 e de 1967.

Inicialmente, os membros da OLP resistiram aos israelenses por meio da luta armada, promovendo ações violentas. Atualmente, esse grupo age por meios pacíficos, exercendo um importante papel nas negociações e nas tentativas de conciliação entre judeus e árabes, tornando-se um dos únicos órgãos de representação política dos palestinos.

A guerra do Yom Kippur

Na tentativa de conter os avanços israelenses na região, as comunidades árabes cobravam da OLP uma atuação mais firme. O governo egípcio, aliado à Síria, decidiu então organizar uma nova ofensiva contra os israelenses em 1973, com a intenção de forçar a intervenção dos Estados Unidos em um possível acordo de paz.

O ataque ocorreu no dia 6 de outubro, às vésperas do Yom Kippur, uma importante celebração judaica, também conhecida como "Dia do Perdão". Surpreendidos, os israelenses sofreram muitas baixas, mas logo reverteram a situação, vencendo a guerra no dia 26 do mesmo mês.

A intervenção estadunidense, que era desejada pelo governo egípcio, só ocorreu alguns anos depois, quando os Estados Unidos mediaram o Acordo de Camp David, selando a paz entre o Egito e Israel. Esse acordo foi assinado em 26 de março de 1979 e não foi bem recebido pela OLP e por outros países árabes.

A Intifada

A Intifada (que significa "levante", em árabe) foi uma revolta árabe que teve início na Faixa de Gaza, em 1987. A morte por atropelamento de quatro crianças palestinas por caminhões israelenses foi o estopim para essa revolta.

Os protestos e as manifestações cresceram até se tornarem generalizados. Nos confrontos com as forças israelenses, que eram muito bem equipadas, os palestinos utilizavam pedras e pedaços de madeira. Os atos duraram até 1993, quando houve uma das primeiras tentativas de negociação de paz.

Esse confronto, em que milhares de palestinos e centenas de israelenses foram mortos, provocou grande repercussão, chamando a atenção de todo o mundo para os conflitos no Oriente Médio.

O fundamentalismo religioso

O fundamentalismo religioso tem como base a defesa da interpretação literal dos livros sagrados. Os fundamentalistas acreditam que seguir à risca os preceitos religiosos é o único meio de garantir o retorno à fé original.

No Oriente Médio, existem grupos fundamentalistas islâmicos e judaicos. Na Palestina, desde a década de 1980, os fundamentalistas do grupo Hamas defendem a criação de um Estado islâmico palestino e não reconhecem a legitimidade do Estado de Israel. Eles promovem ataques suicidas contra militares e civis israelenses.

Os fundamentalistas judaicos, por sua vez, dividem-se em dois grupos principais. Há os que são contrários à criação do Estado de Israel, pois acreditam que a política não deve interferir na religião judaica. Os mais radicais, como os do grupo Neturei Karta, de Jerusalém, defendem ainda a criação de um Estado palestino. Sua ação principal é o boicote às instituições do governo de Israel.

Por outro lado, há os que defendem o sionismo na Palestina, como os fundamentalistas do grupo Lehava, de Israel, que são contrários à presença de palestinos e de cristãos na região. Eles promovem ataques terroristas contra casas, escolas e templos islâmicos e cristãos.

Na foto, grupo de judeus em manifestação contra o sionismo realizada em Washington, D.C., Estados Unidos, em 2016. No cartaz, traduzida do inglês, a seguinte frase: "Judaísmo rejeita o sionismo e o Estado de 'Israel'."

153

Os refugiados palestinos

Desde o agravamento dos conflitos entre judeus e palestinos, em 1948, o número de refugiados palestinos cresce cada vez mais. Esses refugiados têm migrado para países como o Líbano, a Síria, a Jordânia, a Cisjordânia e, também, para a Faixa de Gaza, instalando-se nas cidades ou em campos de refugiados.

Atualmente, o número de refugiados palestinos é de aproximadamente 5 milhões de pessoas. Algumas famílias que chegaram aos campos de refugiados no início dos conflitos já se encontram na quarta geração.

Campo de refugiados de Jabalia, na Faixa de Gaza. Foto de 2018.

Quando os refugiados passam a viver em outros países, geralmente não possuem plenos direitos. Como estrangeiros, ficam à margem da sociedade, trabalhando em troca de baixos salários e vivendo em condições precárias, sem direito à saúde e à educação.

Nos campos de refugiados, eles dependem da ajuda humanitária, que fornece os elementos básicos para sua sobrevivência. Nesses locais, são instalados centros de distribuição de alimentos, escolas, moradias, hospitais, entre outros estabelecimentos. Porém, por causa da superpopulação e da falta de infraestrutura, a vida no campo de refugiados é muito difícil.

Nos dias atuais, muitos refugiados palestinos aguardam o fim dos conflitos na Palestina para retornar à região. Como símbolo dessa vontade, eles carregam chaves que simbolizam a casa onde moravam antes de serem ocupadas pelos israelenses.

Na foto, palestinos realizam manifestação na Faixa de Gaza, em 2017, para protestar contra a ocupação israelense na Palestina.

Diálogos para a paz

Os conflitos entre Israel e Palestina intensificaram-se desde que o Estado de Israel foi criado, em 1948. Para tentar fazer com que a região alcance a **paz**, diversos governos, a ONU e outras organizações vêm tentando promover o diálogo entre ambos os lados. Há uma preocupação e um esforço por parte dos países árabes e de outros países que estão ligados aos conflitos para que as principais reivindicações da Palestina e de Israel sejam atendidas.

Terra por paz

Na tentativa de se estabelecer a paz foram debatidos acordos em que os pontos fundamentais em questão se baseiam no princípio da troca de terras por paz, ou seja, que haja a devolução de territórios ocupados por Israel como meio para colocar um fim nos conflitos. Esses pontos são, basicamente:

- o reconhecimento recíproco dos dois Estados, por parte de Israel e da Palestina;
- a restituição de territórios ocupados por israelenses durante as guerras;
- a disputa por Jerusalém, cidade sagrada tanto para judeus quanto para muçulmanos e também para os cristãos.

Os Acordos de Oslo

Em 1993, na cidade de Oslo, capital da Noruega, foram realizadas as primeiras negociações diretas entre Israel e a Palestina para tentar estabelecer a paz.

O líder palestino, Yasser Arafat, e o primeiro-ministro israelense, Ytzhak Rabin, assinaram diversos acordos que ficaram conhecidos como Acordos de Oslo. Uma das consequências imediatas desses acordos foi o reconhecimento recíproco de Israel e da OLP.

Na ocasião, ficou acertada a retirada das tropas israelenses da Cisjordânia e da Faixa de Gaza (ocupadas desde a Guerra dos Seis Dias) e a criação de um governo palestino com sede em Gaza, que lideraria essa região por cinco anos. No fim desse período, seria criado o Estado árabe-palestino. Porém, a implementação desses termos se deu de forma parcial. A atuação de grupos fundamentalistas religiosos foi o principal obstáculo para que suas resoluções tivessem continuidade.

Na foto, tirada em Oslo, Noruega, Yasser Arafat, Shimon Peres e Ytzhak Rabin (da esquerda para a direita) recebem o prêmio Nobel da Paz, em 1994, pelo esforço político--diplomático empreendido por eles nos acordos de paz entre Israel e a Palestina.

Além das negociações

Mesmo com a resistência de grupos extremistas e fundamentalistas palestinos e israelenses na efetivação desses acordos de paz, a maioria da população de ambos os lados é contra atos radicais de intolerância e busca meios para alcançar uma convivência pacífica.

Foto retratando grupo de judeus em manifestação contraria a intervenção de Israel na Faixa de Gaza. Na cidade de Nova York, Estados Unidos, em 2018.

1. Como vimos, a maior parte dos palestinos e dos israelenses é a favor dos acordos de paz. Qual é o principal argumento dos judeus que são a favor desses acordos?

2. O diálogo é importante para resolver problemas que temos com os outros, pois, por meio dele, podemos compreender os vários lados de uma mesma questão. Você concorda com essa afirmação? Debata com os colegas.

3. Observe a foto abaixo. Como você acha que é viver em um local dividido por causa de conflitos com outros povos?

Ao lado, parte do muro de concreto construído para separar os palestinos de Belém, na Cisjordânia, do território ocupado por Israel. Diversos artistas urbanos fizeram intervenções e deixaram suas obras nesse muro como maneira de criticar a segregação imposta pelos israelenses. Nessa imagem, de um artista desconhecido, é possível perceber uma crítica à violência e à opressão contra o povo palestino. Foto de 2014.

Atividades

Organizando o conhecimento

1. Explique as principais ideias propostas pelo sionismo.

2. Quais foram as consequências da criação do Estado de Israel, em 1947?

3. Compare os mapas das páginas **150** e **151**. Identifique as principais diferenças entre eles e aponte os elementos que ajudaram a diferenciá-los. Depois, produza um texto explicando os processos que levaram Israel a ocupar os territórios mostrados no mapa de 1967.

4. Como são as condições de vida dos refugiados palestinos em outros países e nos campos de refugiados?

Conectando ideias

5. Leia a manchete e o texto apresentados abaixo. Depois, responda às questões.

> **Israel aprova lei que proíbe grupos pró-direitos de palestinos em escolas**
>
> Israel aprova lei que proíbe grupos pró-direitos de palestinos em escolas. *O Globo*, 17 de jul. 2018. Disponível em: <http://oglobo.globo.com/mundo/israel-aprova-lei-que-proibe-grupos-pro-direitos-de-palestinos-em-escolas-22894437#ixzz5Ldyshpdk>. Acesso em: 18 jul. 2018.

> [...] A Palestina é a última grande causa do século XX cujas raízes remontam ao período do imperialismo clássico. Estou certo de que seus partidários, árabes e judeus, vencerão a oposição, porque é certo que a coexistência, o compartilhamento e a comunidade devem vencer o exclusivismo, a intransigência e o rejeicionismo.
> [...]
>
> Edward W. Said. *A questão da Palestina*. Tradução de Sonia Midori. São Paulo: Ed. da Unesp, 2012. p. 278.

Imperialismo clássico: neste caso, conjunto de práticas de dominação territorial, política, econômica e cultural, impostas por potências europeias sobre países da Ásia e da África, vigente entre o final do século XIX e o início do século XX.

Intransigência: intolerância, rigidez.

a) Qual é a data de publicação da manchete apresentada?

b) Você costuma ver, nos meios de comunicação, manchetes semelhantes a essa? O que isso pode indicar sobre os conflitos entre judeus e palestinos na atualidade?

c) Qual é a relação entre o texto de Edward W. Said e a manchete?

d) De acordo com o que você estudou neste capítulo, quando começaram os conflitos entre judeus e palestinos?

e) Conforme o ponto de vista de Said, quais são os valores que devem prevalecer nesse contexto de disputa?

f) Você concorda com o ponto de vista de Said? Por quê? Converse com os colegas.

CAPÍTULO 11

Independências na África e na Ásia

Desde meados do século XIX até o início do século XX, alguns países europeus, como França, Bélgica, Inglaterra e Portugal, impuseram uma dominação colonial em várias regiões da África e da Ásia. Essa dominação estava baseada na ocupação territorial e na submissão política, econômica e cultural dos povos dominados. Esse conjunto de práticas de dominação é característica do chamado **neocolonialismo**, para diferenciar das práticas coloniais vigentes no início da Idade Moderna, nos séculos XVI e XVII.

As sociedades locais, no entanto, resistiram de diferentes maneiras, principalmente por meio da preservação de suas culturas e de suas tradições.

No contexto do fim da Segunda Guerra Mundial, surgiram novas estratégias de resistência. Formaram-se movimentos organizados política e ideologicamente, que difundiram ideias de valorização das culturas locais e de emancipação, que influenciaram as lutas pela independência na Ásia e na África.

▌ A independência na Índia

Na Ásia, um dos principais movimentos de resistência à dominação colonial ocorreu na Índia, que era dominada pelos britânicos desde o século XIX.

Algumas décadas após a dominação britânica, surgiram movimentos de contestação que deram origem, em 1885, ao Partido do Congresso, resultado da articulação de diversos intelectuais indianos que defendiam a expulsão dos ingleses e a independência da Índia.

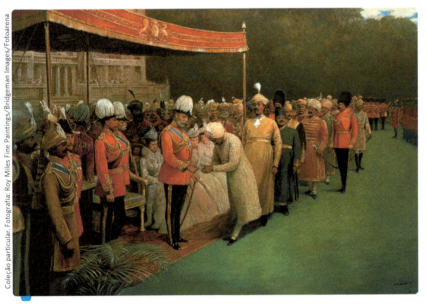

Óleo sobre tela de Albert E. Harris, de 1901, mostrando membros da elite indiana prestando homenagens aos representantes do colonialismo britânico na Índia. Acervo particular

O contato com os ingleses

Desde o início do século XVII, ingleses e indianos mantinham relações comerciais.

No entanto, em 1756, um conflito envolvendo um súdito do imperador indiano com os ingleses deu início a uma violenta reação militar inglesa e ao processo de dominação. Em 1858, com a conquista da cidade de Punjab, os ingleses consolidaram seu domínio colonial sobre a Índia.

Gandhi e o anticolonialismo

Na primeira metade do século XX, uma das figuras mais importantes na luta anticolonialista na Índia foi Mohandas Karamchand Gandhi (1869-1948), também chamado de Mahatma (traduzindo do hindi, "Grande Alma") Gandhi. Ele defendia a luta pela independência por meio da **resistência pacífica**, baseada nos conceitos de não violência e de desobediência civil.

Um dos exemplos de desobediência civil liderada por Gandhi foi a realização de um boicote aos produtos ingleses. Muitos indianos passaram a confeccionar a própria roupa em vez de comprar as importadas.

As ideias e as atitudes de Gandhi influenciaram muitas pessoas a resistir ao domínio britânico e a continuar pressionando os colonialistas, até que, com o final da Segunda Guerra Mundial, a independência da Índia foi conquistada, em 15 de agosto de 1947.

Em um ato de desobediência civil na Índia, Gandhi liderou a **Marcha do Sal** contra o monopólio britânico da extração desse mineral. Entre os meses de março e abril de 1930, Gandhi e seus seguidores marcharam por aproximadamente 400 quilômetros, partindo da cidade de Ahmedabad em direção à vila litorânea de Dandi, para retirar um pouco de sal como forma de protesto.

Os conflitos pós-independência

Durante o processo de independência na Índia, conflitos religiosos internos opuseram a maioria da população hindu e a minoria muçulmana. Esses embates acabaram levando à criação de dois países, em agosto de 1947: a Índia, de maioria hindu, e o Paquistão, de maioria muçulmana.

Mesmo com a criação dos dois países, a intolerância religiosa entre hindus e muçulmanos e os conflitos territoriais dificultavam a paz na região. Mahatma Gandhi, que pregava a tolerância religiosa e a convivência pacífica entre os indianos, foi assassinado em janeiro de 1948 por um fundamentalista hindu.

Os conflitos entre os dois países persistem até os dias de hoje. A corrida armamentista pela hegemonia militar na região, por exemplo, levou os dois países a desenvolver armas nucleares no final do século XX, causando preocupação em toda a comunidade internacional.

Os processos de independência na África

No continente africano, ao longo do período de dominação estrangeira, no contexto do neocolonialismo, o clima de tensão e de revoltas era constante.

As lutas pela independência nos países africanos aconteceram de diferentes maneiras e, em diversos casos, o combate e a resistência armada foram fundamentais. No entanto, também houve casos de independências conquistadas por meio da resistência pacífica ou de acordos com os países colonialistas, o que mostra como as relações entre colonizadores e colonizados eram complexas.

Além disso, no contexto da Guerra Fria, a rivalidade entre a União Soviética e os Estados Unidos fazia que eles competissem pelo apoio de países ao redor do mundo. Por isso, ambas as potências pressionavam os países europeus para que interrompessem o colonialismo, defendendo o direito de autodeterminação das nações africanas com o intuito de atraí-las para as suas áreas de influência.

Luta armada pela independência

A Argélia, no norte da África, foi um dos países onde ocorreram conflitos armados na luta pela independência. Entre os anos de 1954 e 1962, os argelinos, liderados pela Frente de Libertação Nacional (FLN), engajaram-se em vários confrontos contra os colonizadores franceses até a conquista de sua independência, em 5 de julho de 1962.

Nos países sob o domínio colonial português, organizaram-se diversos movimentos na luta pela independência, como o Movimento Popular de Libertação de Angola (MPLA), a Frente de Libertação de Moçambique (Frelimo) e o Partido Africano da Independência da Guiné e Cabo Verde (PAIGC).

Foto de guerrilheiros do MPLA, em 1968, durante a guerra pela independência da Angola.

A Revolução dos Cravos

Em Portugal, na década de 1970, grande parte da população estava insatisfeita com o governo do presidente Marcelo Caetano, sucessor do ditador Antônio de Oliveira Salazar. Além da falta de liberdade vivida cotidianamente, a manutenção das colônias na África mobilizava muitos recursos humanos e financeiros, o que tornava o país cada vez mais dependente do capital estrangeiro.

Essa situação, aliada à crescente atuação dos movimentos pela independência na África, levou à eclosão de um movimento social que ficou conhecido como Revolução dos Cravos, ocorrida em 25 de abril de 1974. Nesse dia, grupos de militares insatisfeitos lideraram uma marcha até a sede do governo em Lisboa para depor o presidente.

Poucas horas após a chegada dos revolucionários, a ditadura que vigorava no país desde 1933 foi derrubada, sem violência e com grande adesão popular. A população ocupou os espaços públicos com faixas e cartazes comemorando o fim da ditadura. Além disso, floristas distribuíram cravos, que é a flor-símbolo da cidade, para os soldados revolucionários.

A pressão popular e os acordos de independência

Em outros países, como a Costa do Ouro, atual Gana, a independência foi conquistada por causa da grande pressão popular exercida sobre o colonizador britânico.

Nesse país, desde 1946, o intelectual e político Kwame Nkrumah (1909-1972), do Partido da Convenção Popular, liderava uma luta baseada nos princípios da resistência pacífica, por meio da desobediência civil, promovendo manifestações, boicotes e greves contra os colonizadores britânicos.

Enfrentando a pressão popular pela independência e as críticas da comunidade internacional, os britânicos cederam, reconhecendo a independência da Costa do Ouro em 1957, que passou a chamar-se Gana.

A partir de 1960, outros países tiveram sua independência reconhecida. Diversos acordos foram estabelecidos entre colonizadores e novos países independentes, como Camarões, Costa do Marfim, Nigéria, Senegal e Congo.

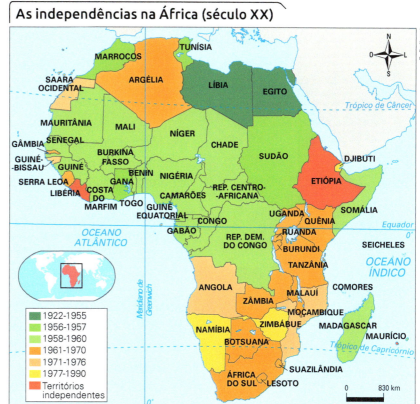

As independências na África (século XX)

Fonte: Tony Allan (Ed.). *A Era Nuclear*: 1950-1990. Rio de Janeiro: Abril, 1993. p. 92.

A luta no campo das ideias

Nas primeiras décadas do século XX, formou-se uma elite intelectual africana que difundiu ideias contra o racismo sofrido pela população local e contra a dominação colonial, as quais influenciaram os movimentos de independência.

Kwame Nkrumah foi um dos maiores defensores da igualdade racial, do combate ao colonialismo e da unificação dos diversos povos negros na África e em outros continentes.

A ideia de unificação dos povos negros deu origem ao **pan-africanismo**, que se consolidou no século XIX por meio de pensamentos de intelectuais afro-americanos nos Estados Unidos. Depois, essas ideias foram difundidas na África e em outras regiões, fortalecendo movimentos como o da **negritude**, a partir de 1939. A negritude valorizava o conjunto de elementos culturais próprios às sociedades africanas e afrodescendentes negras em contraposição à cultura dominante, branca e ocidental, além de nutrir forte sentimento anticolonial.

161

A situação pós-independências

Após a conquista das independências na África, os países recém-independentes tiveram de lidar com uma série de dificuldades causadas por décadas de dominação e exploração europeia.

Muitos países enfrentaram períodos de instabilidade política e guerras civis, decorrentes das disputas internas pelo poder. Além disso, diversas instituições importantes, como hospitais e escolas, foram desmanteladas, já que muitos profissionais europeus voltaram às suas nações de origem.

O Congo, ex-colônia belga, por exemplo, passou por uma transição conturbada. Após conquistar a independência, em 1960, o ativista político Patrice Lumumba assumiu o cargo de primeiro-ministro.

Lumumba propunha um governo nacionalista, que contrariava os interesses das potências capitalistas. Poucos meses depois de sua posse, no entanto, ele foi deposto por um golpe militar liderado pelo coronel Mobutu. Acusado de ser comunista, Lumumba foi sequestrado e assassinado. O regime ditatorial imposto por Mobutu perdurou até 2006, quando se realizaram as primeiras eleições presidenciais.

▶ Essa foto, tirada em Kinshasa, no Congo, retrata o momento em que Patrice Lumumba (ao centro) foi capturado pelas tropas do coronel Mobutu, em janeiro de 1961.

▶ **Calvinismo:** doutrina religiosa criada por João Calvino (1509-1564) no contexto dos movimentos de reformas religiosas ocorridos na Europa durante o século XVI.

O *apartheid* na África do Sul

No século XVII, colonizadores europeus de religião calvinista dominaram o sul do atual território da África do Sul. Desde sua chegada, os colonizadores praticavam um tipo de segregação racista. Utilizando uma justificativa religiosa, procuravam desestimular o casamento entre europeus calvinistas e nativos. Mais tarde, os descendentes desses primeiros colonizadores ficaram conhecidos como africânderes.

Motivados por interesses econômicos na região, no início do século XIX, os ingleses conquistaram o território que era dominado pelos africânderes. Estes, por sua vez, iniciaram a conquista de outros territórios próximos. Em 1910, movidos por interesses em comum, como o de exercer maior domínio sobre a população nativa, britânicos e africânderes formaram um Estado unificado, chamado União da África do Sul.

Nesse Estado, as pessoas que não eram de origem europeia tinham direitos políticos e sociais restritos. A maior parte da população, formada por negros, mestiços e descendentes de indianos, tinha direito a ocupar apenas 8% das terras do país.

Os africânderes

Também conhecidos como africâneres ou bôeres, esses europeus calvinistas descendiam de pessoas de várias nacionalidades, como Alemanha, França, Grã-Bretanha, mas principalmente da Holanda. Os holandeses representavam cerca de um terço de todos os colonos calvinistas que foram para a atual África do Sul.

Na década de 1920, surgiram movimentos de resistência contra a discriminação racial. Em resposta a esses movimentos, os descendentes de europeus limitaram cada vez mais os direitos do restante da população.

Assim, em 1948, teve início uma política conhecida como *apartheid*, que traduzindo da língua dos africânderes significa "segregação". O *apartheid* impôs uma série de medidas racistas que separavam as pessoas de pele branca das demais. Entre outras medidas, o casamento entre pessoas consideradas de raças diferentes tornou-se crime, os espaços públicos passaram a ser divididos e houve separação de escolas, hospitais, cinemas, transportes públicos e bairros, sempre destinando aos descendentes de europeus os melhores serviços.

Túnel com passagem permitida apenas para brancos. África do Sul, foto de 1977.

A luta contra o *apartheid*

Nas décadas seguintes, houve uma intensa mobilização contra o *apartheid*. O Estado reagiu de maneira violenta a essas manifestações. Em 1962, em uma manifestação contra medidas racistas, 69 pessoas foram mortas pela polícia. No mesmo ano, uma das principais lideranças dos movimentos contra a segregação racial, **Nelson Mandela** (1918-2013), foi preso por seu ativismo e condenado à prisão perpétua.

Apesar da repressão violenta praticada pelo Estado, a luta contra o *apartheid* continuou na África do Sul. Além disso, devido à repressão e à luta contra o *apartheid*, a política racista praticada pelo governo sul-africano passou a ser repudiada internacionalmente. A África do Sul tornou-se um país cada vez mais isolado, condenado por diversos países e pela ONU.

No final da década de 1980, o governo sul-africano começou a negociar e a tomar algumas medidas que marcaram a transição para o fim do *apartheid*, como acabar com algumas das leis que sustentavam o regime de segregação. Nelson Mandela foi libertado em 1990 e eleito presidente do país em 1994, colocando fim definitivo ao *apartheid*. Em seu governo, ele procurou unir a população sul-africana e reconstruir o país em torno de valores de liberdade e igualdade.

Foto de manifestação contra o *apartheid* em Joanesburgo, na África do Sul, em 1989.

163

Nelson Mandela

O discurso de Mandela

Nelson Mandela esteve preso por 27 anos por lutar pelo fim do *apartheid* e foi libertado no início da década de 1990. Mandela foi eleito o primeiro presidente negro da África do Sul, em 1994, e governou o país até 1999. Ele recebeu diversos prêmios e condecorações por sua luta, exercendo um papel muito importante na política do país até sua morte, em Joanesburgo, no final de 2013.

Ao tomar posse da presidência, em 1994, Mandela realizou um discurso que marcou o momento histórico do país. Leia a seguir.

"Chegou o momento de construir"

Nelson Mandela, Pretória, 10 de maio de 1994.

Hoje, através da nossa presença aqui e das celebrações que têm lugar noutras partes do nosso país e do mundo, conferimos glória e esperança à liberdade recém-conquistada.

Da experiência de um extraordinário desastre humano que durou demais, deve nascer uma sociedade da qual toda a humanidade se orgulhará.

Os nossos comportamentos diários como sul-africanos comuns devem produzir uma realidade sul-africana que reforce a crença da humanidade na justiça, fortaleça a sua confiança na nobreza da alma humana e alente as nossas esperanças de uma vida gloriosa para todos.

Devemos tudo isto a nós próprios e aos povos do mundo, hoje aqui tão bem representados.

[...]

Esta união espiritual e física que partilhamos com esta pátria comum explica a profunda dor que trazíamos no nosso coração quando víamos o nosso país despedaçar-se num terrível conflito, quando o víamos desprezado, proscrito e isolado pelos povos do mundo, precisamente por se ter tornado a sede universal da perniciosa ideologia e prática do racismo e da opressão racial.

[...]

Chegou o momento de sarar as feridas.

Chegou o momento de transpor os abismos que nos dividem.

Chegou o momento de construir.

Conseguimos finalmente a nossa emancipação política. Comprometemo-nos a libertar todo o nosso povo do continuado cativeiro da pobreza, das privações, do sofrimento, da discriminação sexual e de quaisquer outras.

Conseguimos dar os últimos passos em direção à liberdade em condições de paz relativa. Comprometemo-nos a construir uma paz completa, justa e duradoura.

Triunfamos no nosso intento de implantar a esperança no coração de milhões de compatriotas. Assumimos o compromisso de construir uma sociedade na qual todos os sul-africanos, quer sejam negros ou brancos, possam caminhar de cabeça erguida, sem receios no coração, certos do seu inalienável direito à dignidade humana: uma nação arco-íris, em paz consigo própria e com o mundo.

[...]
Que haja justiça para todos.
Que haja paz para todos.
Que haja trabalho, pão, água e sal para todos.
Que cada um de nós saiba que o seu corpo, a sua mente e a sua alma foram libertados para se realizarem.
Nunca, nunca e nunca mais voltará esta maravilhosa terra a experimentar a opressão de uns sobre os outros, nem a sofrer a humilhação de ser a escória do mundo.
Que reine a liberdade.
O sol nunca se porá sobre um tão glorioso feito humano.
Que Deus abençoe África!

<small>Nelson Mandela. Chegou o momento de construir. Em: Douglas Belchior. Hoje na História, 18 de julho de 1918, nascia Nelson Mandela. *Geledés*, 18 jul. 2014. Disponível em: <https://www.geledes.org.br/hoje-na-historia-18-de-julho-de-1918-nascia-nelson-mandela/>. Acesso em: 16 nov. 2018.</small>

1. Explique o que é um discurso político.

2. Qual é o assunto principal do discurso de Nelson Mandela?

3. Levando em consideração o contexto em que esse discurso foi feito, comente sobre a intenção de Mandela ao fazê-lo.

Na foto, Nelson Mandela saúda eleitores após um discurso na cidade de Rutemburgo, África do Sul, em 1994. O braço erguido e o punho cerrado simbolizam a força, a vontade de lutar, a resistência às adversidades e a desejada vitória.

Atividades

▍Organizando o conhecimento

1. Quais foram os meios utilizados por Mahatma Gandhi para lutar pela independência da Índia? Explique.

2. Explique os conflitos religiosos que ocorreram após o processo de independência na Índia.

3. Qual foi a importância do pan-africanismo e do movimento da negritude para os movimentos de independência de países da África?

4. Escreva um pequeno texto sobre as principais dificuldades enfrentadas pelos países africanos após conquistarem a independência.

▍Conectando ideias

5. Observe a fotografia e responda às questões.

Foto tirada na cidade de Durban, na África do Sul, 1962.

a) Descreva a foto acima.
b) O que estava acontecendo na África do Sul, no contexto em que essa foto foi tirada?
c) Explique o que foi o *apartheid*.
d) Quem foi Nelson Mandela? Qual é a relação dele com o *apartheid*?

6. O texto a seguir aborda a produção cultural africana após o período de independências. Leia-o e responda às questões em seguida.

166

Em meio a tantas dificuldades, no plano cultural os africanos conseguiram se impor diante das tendências hegemônicas e marcar sua posição nas principais modalidades da criação científica, filosófica e artística do mundo contemporâneo. [...]

Inúmeros intelectuais africanos alcançaram posições de destaque internacional, como criadores, poetas, ensaístas, romancistas e cineastas, com obras cuja preocupação com os destinos da África e dos africanos sempre está em primeiro plano. [...]

Nas criações desses artistas e intelectuais, a África recupera a personalidade que o colonialismo lhe retirou. O que se sobressai em suas obras é o constante diálogo entre a tradição e a modernidade que, em vez de aparecerem como fenômenos antagônicos, são apresentados como complementares. [...]

Seja como for, a vitalidade das criações culturais, a pluralidade das manifestações sociais e a visibilidade do continente no tempo presente atestam o dinamismo e a capacidade de superação dos africanos. Entre calamidades, dissensões e conflitos, eles têm demonstrado a excepcional capacidade de criar e propor alternativas para seus próprios problemas. Voltaram a ser os senhores de seu destino, os promotores de sua história e os artífices de seu futuro.

[...]

José Rivair Macedo. *História da África*. São Paulo: Contexto, 2013. p. 175-176; 178.

Selo impresso em 1980, reproduzindo uma tela de Malangatana, importante pintor de Moçambique. Acervo particular.

Dissensão: divergência, desacordo.

a) De acordo com o texto, que preocupação está em primeiro plano nas obras de artistas e intelectuais africanos?
b) Conforme o texto, o que se destaca nessas obras?
c) Para os países africanos, qual é a importância da produção cultural pós-independências?

ACESSE O RECURSO DIGITAL

Verificando rota

Como você resumiria cada capítulo estudado nesta unidade? Anote no caderno os temas que você considera mais importantes. Depois, compare as suas anotações com as de um colega, verificando se estão parecidas ou não. Para finalizar, procure responder aos seguintes questionamentos.

- Nesta unidade, sobre qual assunto você gostaria de aprofundar os estudos? Por quê?
- Você buscou informações sobre os temas utilizando outros recursos? Quais?
- Você teve alguma dúvida ou dificuldade para estudar os conteúdos da unidade? Quais?
- O título "A divisão do mundo na Guerra Fria" justifica os assuntos estudados nesta unidade? Por quê? Que outro título você sugeriria?
- Você acredita que os temas estudados podem ajudar a compreender melhor a história da Guerra Fria, os conflitos entre judeus e palestinos e as independências na Ásia e na África?

Ampliando fronteiras

O *provos* de Amsterdã

Em meados da década de 1960, em plena efervescência da contracultura nos Estados Unidos, surgiu em Amsterdã, na Holanda, um movimento organizado por jovens que questionavam os valores e o modo de vida da sociedade holandesa. Esse movimento foi chamado de *provos*, uma abreviação da palavra "provocação" no idioma holandês.

O movimento teve curta duração, entretanto foi pioneiro em algumas de suas reivindicações, ajudando a transformar a sociedade holandesa e a abrir debates sobre questões importantes até os dias de hoje. Além disso, influenciou outros movimentos de contestação, como o dos *hippies*.

Entre outros problemas, esse movimento abordou a questão ecológica, a violência policial e a propaganda enganosa promovida pela indústria tabagista, que escondia os malefícios à saúde causados pelo hábito de fumar. Solicitou também a igualdade de direitos para homossexuais, além de investimentos do Estado em educação sexual.

Para alcançar seus objetivos, os membros do *provos* utilizavam métodos criativos: colocavam panfletos com suas propostas dentro de jornais que tinham ideias contrárias, adulteravam *outdoors* de propaganda tabagista, denunciando os efeitos nocivos do tabaco. Para chamar a atenção das pessoas, faziam *happenings*, que são espetáculos dramáticos realizados em lugares públicos.

O Plano da Bicicleta Branca

Uma das atuações do *provos* que ganharam maior destaque foi o Plano da Bicicleta Branca, no qual seus membros solicitaram a compra de bicicletas pela prefeitura de Amsterdã para servir como alternativa de transporte público para a população. O uso de bicicletas era incentivado pelo movimento, pois trazia benefícios à saúde de seus usuários e não poluía o ar.

Para dar visibilidade a essa questão, eles pintaram cerca de cinquenta bicicletas de branco e espalharam-nas pela cidade. Quem quisesse podia utilizar uma bicicleta sem qualquer custo e depois deixá-la em algum lugar público para que outras pessoas também a utilizassem. A ação foi um sucesso, mas logo a polícia confiscou as bicicletas alegando que deixá-las em locais públicos incentivava o roubo delas.

Mesmo com o fim do *provos*, em 1967, ganhou força na Holanda a reivindicação de que o Estado incentivasse o uso de bicicletas como meio de transporte. Aos poucos, diversas políticas públicas transformaram algumas das cidades holandesas em modelo de infraestrutura para o ciclismo urbano.

Atualmente, em Amsterdã, aproximadamente 50% da população utiliza bicicleta para se locomover, mostrando que movimentos de contestação podem acelerar processos de transformações necessárias nas sociedades.

1. Quais questões levantadas pelo *provos* nos anos 1960 são temas de debate atualmente no mundo?

2. Em sua opinião, a bicicleta deve ser utilizada como meio de transporte por mais pessoas? Por quê?

3. Com o auxílio do professor, discuta com os colegas sobre temas contemporâneos, relativos à realidade local, e que poderiam ser objeto de ativismo. Depois, elaborem e coloquem em prática na escola ações de ativismo relacionadas aos temas levantados.

Waldomiro Neto

169

UNIDADE 6

Os governos militares no Brasil

Capítulos desta unidade
- **Capítulo 12** - O regime militar no Brasil
- **Capítulo 13** - A resistência contra a ditadura

Foto que retrata civis e militares em uma rua da cidade de Porto Alegre (RS) logo após o golpe de 1964.

Acervo Iconographia/Reminiscências

Iniciando rota

1. Em que situação as pessoas retratadas na foto estão envolvidas? O que elas parecem estar sentindo?

2. Em sua opinião, como era a vida durante o regime militar no Brasil, entre 1964 e 1985?

3. Você já presenciou situações como esta retratada na foto? O que você pensa sobre isso?

171

CAPÍTULO 12
O regime militar no Brasil

No início da década de 1960, a comunidade internacional vivia uma época conturbada. Era o período da Guerra Fria, em que o mundo estava dividido em áreas de influência dos Estados Unidos e da União Soviética.

Nesse contexto, as reformas sociais propostas por João Goulart, então presidente do Brasil, foram vistas como uma ameaça de implantação do comunismo no país.

Para muitos brasileiros, a ideia que se tinha do comunismo era a divulgada pela propaganda estadunidense, ou seja, de que se tratava de um regime de subversão da moral e dos valores éticos dos cidadãos. Por isso, grande parte da população acreditava que somente os militares poderiam salvar o país do avanço comunista.

Dessa forma, como vimos no final da unidade **4**, por meio do golpe de 1º de abril de 1964, João Goulart foi deposto e os militares assumiram o poder.

> **Insídia:** cilada, traição.
> **Contemporizar:** estar de acordo.
> *Putsch*: palavra de origem alemã que significa "golpe de Estado".

As reações ao golpe de 1964

Leia o texto a seguir, publicado no jornal *O Globo* no dia seguinte ao golpe.

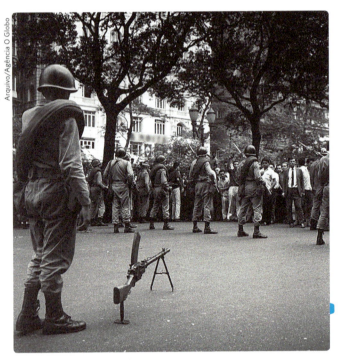

[...] Agora é a Nação toda de pé, para defender as suas Forças Armadas, a fim de que essas continuem a defendê-la dos ataques e das insídias comunistas. Neste momento grave da História, quando os brasileiros, patriotas e democratas veem que não é mais possível contemporizar com a subversão, pois a subversão partindo do governo fatalmente conduziria ao "*Putsch*" e à entrega do país aos vermelhos, elevemos a Deus o nosso pensamento, pedindo-lhe que proteja a Pátria Cristã [...].

O Globo, Rio de Janeiro, 2 de abril de 1964, p. 3. Em: Jorge Ferreira; Angela de Castro Gomes. *1964: o golpe que derrubou um presidente, pôs fim ao regime democrático e instituiu a ditadura no Brasil*. Rio de Janeiro: Civilização Brasileira, 2014. p. 347.

Na foto, tropas do Exército ocupam as ruas do Rio de Janeiro (RJ) após o golpe, no dia 1º abril de 1964.

Naquela época, muitas pessoas acreditavam que o golpe de 1964 impediria a "ameaça comunista" e que os militares, em pouco tempo, devolveriam o poder aos governantes civis.

Logo após o golpe, o presidente da Câmara dos Deputados, Ranieri Mazzilli, assumiu interinamente o cargo de presidente. No entanto, na prática, o poder era exercido por uma Junta Militar formada por um representante do Exército, um da Aeronáutica e um da Marinha.

Interino: o que é provisório, temporário.

Com os militares no poder, muitas pessoas passaram a sofrer com a repressão, com as perseguições e com a violência. Leia a seguir o texto publicado no jornal *Correio da Manhã*, no dia 12 de abril de 1964.

> [...] é claro, evidente, que não será viável coexistirem a autoridade sem limites de uma Junta Militar e o mecanismo de um sistema liberal-democrata. [...] Ou a Nação consegue restaurar sua ordem democrática ou terá que sofrer o jugo de uma ditadura que já se delineia. [...]
>
> A face e o braço. *Correio da Manhã*, Rio de Janeiro, 12 abr. 1964. 1º Caderno, p. 6. Disponível em: <http://memoria.bn.br/pdf/089842/per089842_1964_A21786.pdf>. Acesso em: 18 jul. 2018.

> O texto citado acima e o citado na página **172** apresentam opiniões diferentes sobre o golpe. Quais são essas diferenças? Justifique sua resposta.

O dia a dia sob a ditadura

Com a implantação da ditadura civil-militar no Brasil, muitos direitos garantidos pela Constituição passaram a ser anulados pelo governo.

Naquele período, a liberdade de expressão, por exemplo, não era um direito garantido. Qualquer manifestação crítica ao governo, feita em uma reunião de escola, no trabalho ou em qualquer outro lugar público, poderia ser reprimida pela força policial.

A presença de tanques de guerra era comum no dia a dia das grandes cidades brasileiras durante a ditadura. Acima, tanques de guerra percorrem as ruas do Recife (PE), à esquerda, e de São Paulo (SP), à direita. Fotos de abril de 1964.

A consolidação do regime militar

No dia 11 de abril de 1964, o Congresso Nacional elegeu para a presidência da República o marechal Humberto de Alencar Castelo Branco.

Para consolidar o novo regime, foram criados os Atos Institucionais, decretos de caráter centralizador e autoritário, emitidos pelos governantes para garantir a legitimidade do regime militar. Conheça alguns deles a seguir.

- **AI-1** (abril de 1964): proporcionava o poder de cassar mandatos e suprimir direitos políticos dos cidadãos por um período de dez anos. Permitia ao governo decretar estado de sítio, o qual suspende os direitos individuais e dá plenos poderes às forças policiais em casos de conflito.
- **AI-2** (outubro de 1965): extinguiu os vários partidos políticos e estabeleceu o bipartidarismo e as eleições indiretas para o cargo de presidente da República.
- **AI-3** (fevereiro de 1966): estabeleceu eleições indiretas para os cargos de governador e de vice-governador.
- **AI-4** (dezembro de 1966): convocou o Congresso Nacional para a elaboração de uma nova Constituição Federal.
- **AI-5** (dezembro de 1968): suspendeu o direito de habeas corpus, regulamentou a censura prévia nos meios de comunicação e deu plenos poderes ao presidente para cancelar direitos políticos, públicos e privados.

Reprodução da primeira página do *Jornal da Tarde*, de 14 de dezembro de 1968, anunciando a implementação do AI-5.

Bipartidarismo: estabelecia a existência de somente dois partidos, a Aliança Renovadora Nacional (Arena) e o Movimento Democrático Brasileiro (MDB).

Habeas corpus: medida judicial que visa garantir a liberdade de pessoas que foram aprisionadas por atos injustificados ou por abuso de autoridade.

Uma cronologia do período militar

Veja na linha do tempo a seguir alguns fatos históricos do período do governo militar no Brasil.

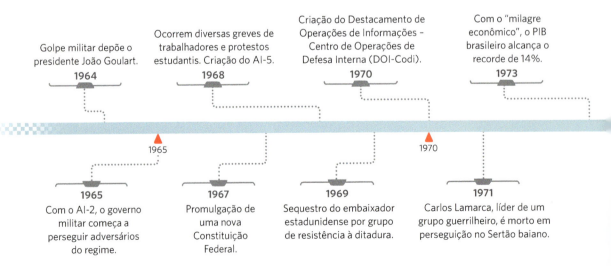

1964 — Golpe militar depõe o presidente João Goulart.

1968 — Ocorrem diversas greves de trabalhadores e protestos estudantis. Criação do AI-5.

1970 — Criação do Destacamento de Operações de Informações – Centro de Operações de Defesa Interna (DOI-Codi).

1973 — Com o "milagre econômico", o PIB brasileiro alcança o recorde de 14%.

1965 — Com o AI-2, o governo militar começa a perseguir adversários do regime.

1967 — Promulgação de uma nova Constituição Federal.

1969 — Sequestro do embaixador estadunidense por grupo de resistência à ditadura.

1971 — Carlos Lamarca, líder de um grupo guerrilheiro, é morto em perseguição no Sertão baiano.

Os mecanismos de controle

Logo nos primeiros dias após o golpe de 1964, o governo estabeleceu mecanismos para controlar a sociedade, como o AI-1, por meio do qual muitas pessoas tiveram seus direitos políticos cassados, entre elas: Luís Carlos Prestes, que na época era secretário-geral do Partido Comunista do Brasil (PCB); o ex-presidente João Goulart, que foi deposto pelos militares; e Juscelino Kubitschek, que exercia o cargo de senador na época.

Em junho de 1964, foi criado pelo governo o **Serviço Nacional de Informações (SNI)**, com o intuito de vigiar e de perseguir os grupos considerados hostis ao regime. Iniciou-se, então, um período de perseguições políticas sistemáticas e de progressiva perda das liberdades individuais.

Os presidentes da ditadura

Entre os anos de 1964 e 1985, o Brasil teve os seguintes militares na presidência:
- Humberto de Alencar Castelo Branco, de 1964 a 1967;
- Arthur da Costa e Silva, de 1967 a 1969;
- Emílio Garrastazu Médici, de 1969 a 1974;
- Ernesto Geisel, de 1974 a 1979;
- João Baptista Figueiredo, de 1979 a 1985.

Em 1965, a União Nacional dos Estudantes (UNE) e os centros acadêmicos das escolas foram fechados pelo governo. O movimento estudantil começou, então, a manifestar-se de maneira cada vez mais radical à medida que o governo aumentava a repressão. Esta foto retrata um confronto entre estudantes e militares no Rio de Janeiro (RJ), em 1968.

1978 - Ocorrem grandes greves na região do ABC paulista. Governo revoga o AI-5.

1981 - Atentado no Centro de Convenções Riocentro.

1983 - Início do movimento das Diretas Já.

1975 - Morte do jornalista Vladimir Herzog, após ele ser preso e torturado por militares.

1979 - É sancionada a Lei da Anistia. Ocorrem novamente grandes greves na região do ABC paulista.

1982 - Realização das primeiras eleições diretas para governador de estado.

1985 - José Sarney toma posse como primeiro presidente civil da República desde 1964.

175

Governos militares na América Latina

No contexto da Guerra Fria, diversos países da América Latina se tornaram alvo de disputas entre os blocos socialista e capitalista. Sobretudo após a Revolução Cubana, em 1959, países capitalistas, liderados pelos Estados Unidos, temiam que outros acontecimentos revolucionários semelhantes ocorressem, ameaçando seus interesses.

Nesse sentido, os EUA, junto a diversos representantes das elites latino-americanas, promoveram uma série de ações que visavam consolidar o capitalismo na América Latina. Uma dessas medidas foi a criação da chamada Aliança para o Progresso, que visava melhorar os índices econômicos no continente sul-americano ao mesmo tempo que reafirmava a presença dos EUA na região e sua vigilância sobre os possíveis focos de "agitação" comunista.

No entanto, essas ações não impediram o crescimento de grupos de esquerda que buscavam mudanças de ordem social, econômica e política.

A reação conservadora

Assim como no Brasil, em outros países da América Latina, grupos conservadores que eram contrários às mudanças propostas por grupos de esquerda se articularam para conquistar a opinião pública e ganhar o apoio da população.

Então, entre as décadas de 1960 e 1970, com o apoio das elites industriais e agrícolas e da classe média, os militares promoveram golpes para assumir o poder em diversos países, dando início a regimes ditatoriais.

Foto do presidente chileno Salvador Allende (ao centro) resistindo à invasão do Palácio de La Moneda durante o golpe militar no Chile. Em Santiago, 1973.

A Operação Condor

Após a tomada do poder nos diversos países latinos, os militares do Chile, da Bolívia, do Uruguai, do Paraguai, da Argentina e do Brasil promoveram uma aliança que ficou conhecida como Operação Condor. Essa aliança tinha como principal objetivo perseguir as pessoas que eram contrárias às ideias e aos valores defendidos pelos ditadores, formando uma verdadeira rede de informação e repressão entre os países envolvidos.

A violência dos regimes militares

As ditaduras que se estabeleceram no continente utilizaram vários métodos violentos para reprimir a população. Perseguições políticas, censura nos meios de comunicação, prisões, exílios e a tortura eram legitimados pelos governos militares.

Nesse período, muitas pessoas desapareceram ou foram mortas pelo regime militar.

Foto retratando repressão policial em manifestação contrária a interesses da ditadura uruguaia (1973-1985). Em Montevideo, Uruguai, 1984.

A resistência às ditaduras

Graças ao alinhamento dos governos militares ao bloco capitalista, por um breve período houve um crescimento econômico em alguns países da América Latina, promovido principalmente pela ajuda financeira dos EUA. Porém, esse crescimento econômico beneficiou principalmente as elites e não promoveu a melhoria das condições de vida das camadas mais pobres.

Essa situação, aliada à escalada da violência causada pelos militares, favoreceu o surgimento de grupos armados que lutaram contra a ditadura, como o Movimento 14 de Maio (M-14) e a Frente Unida de Libertação Nacional (Fulna), no Paraguai, mas também grupos de mobilização social, como as Mães da Praça de Maio, na Argentina, que buscam informações sobre seus filhos e filhas desaparecidos durante a ditadura e promovem, até os dias atuais, ações pelos direitos humanos, pela conscientização política, igualdade de direitos entre mulheres e homens, entre outros.

As Mães da Praça de Maio atuam politicamente até hoje para manter viva a memória das pessoas desaparecidas durante a ditadura e para relembrar a população da importância da conscientização e da luta contra os regimes políticos autoritários. Foto das Mães da Praça de Maio durante manifestação, em Buenos Aires, Argentina, 2017.

Os "anos de chumbo" no Brasil

Em março de 1967 foi criada a **Lei de Segurança Nacional**, que tinha como objetivos principais impedir o suposto avanço do comunismo e reforçar a segurança interna do país para garantir o desenvolvimento nacional. Assim, era dever do Estado vigiar e reprimir os conflitos sociais internos que pudessem desestabilizar a nação.

Na prática, essa lei aumentou o poder dos militares, que passaram a reprimir sistematicamente, em nome da segurança nacional, os diversos setores da sociedade insatisfeitos com o regime.

Com a Lei de Segurança Nacional, junto à promulgação do AI-5, em 1968, o governo dispunha de todo o aparato necessário para vigiar e punir pessoas de diversos grupos sociais, dando início a um período da ditadura que ficou conhecido como "anos de chumbo".

A partir de 1968, os mecanismos de controle, como a censura, a repressão e a violência contra os opositores do regime militar, se intensificaram. Esta foto retrata uma fila de tanques de guerra mobilizados para impedir uma manifestação estudantil no Rio de Janeiro (RJ), em 1968.

A censura

Com o estabelecimento da **Lei de Imprensa**, em 1967, e da censura prévia, em 1968, muitas publicações e meios de comunicação em massa passaram a ser censurados diretamente pelo governo. Todo e qualquer conteúdo que pudesse ser considerado subversivo, ou que pudesse vir a divulgar uma imagem negativa do governo, poderia ser censurado.

Dessa forma, durante o regime militar, muitos jornais e revistas tiveram o conteúdo integral ou partes dele censurados. A censura atingia também peças de teatro, letras de música, filmes e documentários.

Charge de Fortuna publicada no *Correio da Manhã*, em 7 de outubro de 1966, pouco antes de entrar em vigor a Lei de Imprensa. Acervo particular.

A repressão

No ano de 1970 o governo criou o Destacamento de Operações de Informações – Centro de Operações de Defesa Interna (DOI-Codi), órgão responsável pela repressão sistemática e captura dos opositores do regime.

Agindo com grande violência, os integrantes do DOI-Codi realizavam prisões e interrogatórios de muitas pessoas, usando a tortura física e psicológica para obter informações. Nesses interrogatórios, as vítimas sofriam os mais terríveis traumas, decorrentes de agressões como afogamentos, choques elétricos e mutilações.

Por causa dessa violência que sofreram, várias pessoas morreram nas dependências desse órgão. A verdadeira causa das mortes geralmente era ocultada ou justificada com a emissão de certidões de óbito forjadas ou com falsas alegações de fuga ou de resistência armada.

Houve, ainda, a morte de várias pessoas consideradas desaparecidas pelas autoridades, mas que, na verdade, foram sepultadas em valas coletivas; outras vítimas tiveram a identidade trocada pelos militares para que o reconhecimento dos corpos fosse dificultado.

A morte de Vladimir Herzog

No dia 25 de outubro de 1975, o jornalista da TV Cultura de São Paulo Vladimir Herzog compareceu à sede do DOI-Codi, em São Paulo, por causa da intimação que recebeu para prestar esclarecimentos sobre sua suposta ligação com o Partido Comunista do Brasil.

No mesmo dia, após ser intensamente torturado, Vladimir Herzog morreu. Na versão oficial dos militares, que incluía um laudo médico falso, uma carta de confissão e uma cena forjada registrada em foto, o jornalista havia cometido suicídio na cela em que estava.

No entanto, essa versão foi contestada por muitas pessoas. Assim, com enorme comoção e revolta, cerca de 8 mil pessoas reuniram-se no dia 31 de outubro de 1975 em frente à catedral da Sé, em São Paulo, onde foi realizada uma missa ecumênica para Herzog. Essa mobilização foi uma das primeiras grandes manifestações populares contra a ditadura civil-militar desde a promulgação do AI-5.

Em 4 de julho de 2018, o Estado brasileiro foi condenado pela Corte Interamericana de Direitos Humanos (CIDH) pela falta de investigação, julgamento e punição aos responsáveis pela tortura e assassinato do jornalista Vladimir Herzog. O tribunal internacional também responsabilizou o Estado pela violação ao direito dos familiares de Herzog de conhecer a verdade sobre o caso.

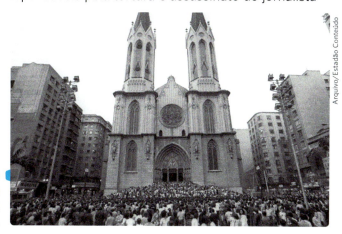

Na foto, missa ecumênica em memória de Vladimir Herzog, em São Paulo (SP), em 1975.

Os relatos de tortura

Durante o regime militar, a tortura foi utilizada de forma sistemática pelo governo para obter informações e confissões dos presos políticos e para intimidar os movimentos de oposição. Os métodos empregados afetavam profundamente a dignidade humana e envolviam ameaças psicológicas, violência sexual e outros tipos de agressões físicas. Leia a seguir alguns depoimentos de pessoas que passaram por essas experiências.

> [...] Sofri a seguinte tortura: tortura psicológica, eu era mantido em vigilância durante a noite para ouvir os sons dos presos comuns que eram torturados na madrugada, porque não podiam fazê-lo de dia, quando havia imprensa. Ameaças de morte constante, ameaças de tortura constante, ofensas, chantagens [...].
>
> Raul Ellwanger (ex-militante da Vanguarda Armada Revolucionária). Tomada de depoimento. *Comissão Nacional da Verdade*. Porto Alegre, 2013, p. 3. Disponível em: <www.cnv.gov.br/images/pdf/depoimentos/vitimas_civis/vm_Raul_Ellwanger_-_Ubiratan_de_Souza.pdf>. Acesso em: 18 jul 2018.

> [...] E aí fui aguentando, desmaiava, ia pra cela. Nessa ocasião o DOI-Codi tava superlotado, tinha muita gente deitada no chão no corredor, todo mundo machucadíssimo e eles me levavam entre uma sessão e outra de tortura, os intervalos eram muito pequenos, era mais tortura do que intervalo [...].
>
> Vânia Amoretty Abrantes (ex-militante política). Tomada de depoimento. *Comissão Nacional da Verdade*. Rio de Janeiro, 2014, p. 14. Disponível em: <www.cnv.gov.br/images/pdf/depoimentos/vitimas_civis/Vania_Amoretty_Abrantes.pdf>. Acesso em: 18 jul. 2018.

Manifestantes participam de ato em memória de vítimas do regime militar. São Paulo (SP). Foto de 2017.

O "milagre econômico"

Durante o período da ditadura, uma nova política econômica, idealizada pelo então ministro da Fazenda, Delfim Netto, impulsionou a economia do país, fato que ficou conhecido como "milagre econômico", entre os anos de 1968 e 1973.

Naquela época, o governo estimulou a entrada de empresas multinacionais no país com a isenção do pagamento de alguns impostos, concedeu créditos a empresários brasileiros e controlou os reajustes salariais dos trabalhadores por meio da política de arrocho salarial, a qual consiste em efetuar ajustes nos salários dos trabalhadores com índices abaixo dos da inflação. Essa medida favoreceu os empresários brasileiros e estrangeiros, pois o dinheiro que deveria ser investido na melhoria dos salários era aplicado em suas empresas, aumentando a produção.

Essa nova política favoreceu principalmente os grandes empresários vinculados aos setores da construção civil, da agropecuária e do automobilismo, que passaram a produzir também para o mercado externo.

Com isso, as classes de maior poder aquisitivo e que eram atreladas a esses setores puderam ter ganhos ainda maiores. O Produto Interno Bruto (PIB) — índice que calcula a soma de todas as riquezas produzidas no país em determinado período — atingiu 13% em 1973, um dos maiores registrados no Brasil.

> **Inflação:** alta de preços de produtos de um país em determinado período, que causa, entre outros problemas, a desvalorização da moeda. A inflação pode ser ocasionada por vários motivos, como o aumento da procura ou dos custos de produção de determinados produtos.

O outro lado do "milagre"

O fato de o "milagre econômico" favorecer a população de maior poder aquisitivo era defendido por Delfim Netto, que dizia que "antes era preciso crescer o bolo para depois dividi-lo". Porém, a "divisão do bolo" nunca ocorreu.

Houve grande **concentração de renda** nas mãos dessas camadas mais ricas da sociedade, além de elevação no custo de vida. Essa situação, aliada à política de arrocho salarial dos trabalhadores, diminuiu o poder de compra das camadas mais pobres da sociedade dia após dia, aumentando as desigualdades sociais.

A euforia do "milagre econômico" durou até 1973. A partir daí, com a elevação do preço mundial do petróleo por causa dos conflitos entre árabes e israelenses no Oriente Médio, entre outros fatores, os índices de inflação aumentaram, gerando uma crise econômica no país que se estendeu até a década seguinte.

Foto de automóveis fabricados no Brasil sendo embarcados no porto de Santos (SP) com destino a países da África, em foto de 1974.

Visões sobre o regime militar brasileiro

Para que possamos ter uma melhor compreensão sobre determinados fatos ou períodos históricos, devemos analisar diferentes pontos de vista sobre eles. Porém, ao fazer esse tipo de análise, é preciso ter cautela para não interpretarmos determinado ponto de vista como algo absoluto, incontestável. Assim, é necessário confrontar um ponto de vista com outras fontes históricas e outras visões sobre o assunto.

A respeito do regime militar brasileiro, além dos relatos daqueles que foram vítimas desse regime ou que se opuseram a ele, como os apresentados na página **180**, há também diversos relatos de militares que participaram do governo nesse período. De modo geral, o contato com esses relatos nos ajuda a perceber a diversidade de posicionamentos existentes entre os militares e de que maneira eles compreendiam a conjuntura do país antes e após 1964.

O relato a seguir, concedido pelo General Otávio Pereira Costa em 1992, trata dos principais motivos que, na visão dele, levaram ao golpe de 1964.

> [...]
> Basicamente, a Revolução se fundamentava no anticomunismo exacerbado, que vinha de 1935. Partia-se da convicção de que estava em marcha uma tentativa de socialização e que o agente dessa socialização era o presidente Goulart. [...] Considerava-se que as grandes ameaças estavam nas Ligas Camponesas, [...] no projeto da república sindicalista atribuído ao Goulart e, por tudo isso, Goulart e Brizola eram os grandes inimigos a combater. [...]
>
> Maria Celina D'Araujo; Glaucio Ary Dillon Soares; Celso Castro. *Visões do golpe*: 12 depoimentos de oficiais que articularam o golpe militar em 1964. 3. ed. Rio de Janeiro: Nova Fronteira, 2014. p. 87.

Já o relato a seguir, do general Carlos de Meira Mattos, concedido em 1992, aborda a existência de grupos divergentes dentro das Forças Armadas.

Marechal Humberto de Alencar Castelo Branco sobe a rampa do Palácio do Planalto, em Brasília (DF), ao tomar posse como presidente da República em 15 de abril de 1964.

> [...]
> A conspiração que acabou na Revolução de 31 de março de 1964 foi uma conspiração multipolar. Houve vários pólos de conspiração, e esses pólos não tinham muito entendimento. Não havia um líder revolucionário, nem um chefe revolucionário. Havia um descontentamento geral, uma frustração com a posse de João Goulart. Frustração que aumentou quando ele, um ano e pouco depois, fez um movimento derrubando o parlamentarismo, transformando-se em presidente. Em São Paulo houve quatro ou cinco focos de conspiração, no Rio houve quatro, cinco, e outros no Rio Grande do Sul, na Bahia, no Recife, no Paraná. É interessante, todos queriam derrubar o João Goulart, mas não havia um comando, não havia ninguém que coordenasse isso tudo. [...]
>
> O que polarizou o movimento foi a hora em que se soube que Castelo Branco aceitava a Revolução. [...]
>
> Maria Celina D'Araujo; Glaucio Ary Dillon Soares; Celso Castro. *Visões do golpe*: 12 depoimentos de oficiais que articularam o golpe militar em 1964. 3. ed. Rio de Janeiro: Nova Fronteira, 2014. p. 96-97.

Leia a seguir o relato do general Gustavo Moraes Rego Reis, também de 1992, que trata de sua visão sobre a chamada "linha dura", grupo das Forças Armadas abertamente favorável ao endurecimento do regime militar.

[...]

A origem da denominação ["linha dura"] eu não conheço. O caso é que seus próprios componentes, melhor dizendo, aqueles assim identificados e que disso se orgulhavam, caracterizavam-se pelo radicalismo, arbitrariedade, intransigência, e pela adoção de meios e processos violentos de intimidação e coação. "Sinceros porém radicais", como bem caracterizou o presidente Geisel. Porém, nem sempre e nem todos sinceros. Os "linhas-duras" não chegaram a constituir organizações estáveis, segmentos ordenados ou estruturas mais ou menos hierarquizadas. [...]

Gustavo Moraes Rego Reis. *FGV/CPDOC*. Disponível em: <http://www.fgv.br/cpdoc/historal/arq/Entrevista631.pdf>. Acesso em: 10 nov. 2018.

O trecho do depoimento do tenente Deoclécio Lima de Siqueira, concedido em 1993, trata da maneira como muitos militares compreendiam a criação do AI-5.

[...]

Talvez pudesse ter sido um pouco mais brando o AI-5. Mas, em princípio, foi necessário. Porque a repressão tinha que ter certos meios. É como um estado de guerra. O estado de guerra é um estado de exceção. Aí é que eu acho que nessa parte o Brasil não quer se convencer que vivíamos uma Guerra Fria. [...]

Deoclécio Lima de Siqueira. *FGV/CPDOC*. Disponível em: <http://www.fgv.br/cpdoc/historal/arq/Entrevista629.pdf>. Acesso em: 16 nov. 2018.

O depoimento do general Carlos Alberto da Fontoura, de 1993, por sua vez, nos ajuda a compreender como parte dos militares pensava a atuação das Forças Armadas no governo de um país.

[...] Nenhuma força armada do mundo pode dirigir um país, política e administrativamente, por mais de cinco anos. Nem a inglesa, nem a francesa, nem a americana, nem a alemã, ninguém. Não pode.
[...]

Carlos Alberto da Fontoura. *FGV/CPDOC*. Disponível em: <http://www.fgv.br/cpdoc/historal/arq/Entrevista626.pdf>. Acesso em: 16 nov. 2018.

Marcha da Família com Deus pela Liberdade, manifestação em apoio à intervenção militar, realizada na cidade de São Paulo (SP), em março de 1964. O apoio de uma parcela da sociedade civil foi fundamental para que os militares tomassem o poder.

Para investigar

O antes e o depois da censura

Após a instauração do AI-5, a censura se intensificou no Brasil, restringindo cada vez mais a liberdade de expressão. Para não prejudicar a imagem do governo militar com a divulgação de informações consideradas subversivas, o controle dos órgãos de censura sobre os meios de comunicação passou a exigir que notícias e textos literários ou científicos fossem avaliados antes de sua publicação. Nos casos em que seu conteúdo criticasse ou transmitisse uma imagem negativa do governo, eles eram censurados.

As ações restritivas dos censores atingiam diversos setores, como imprensa, teatro, música, teledramaturgia, literatura, artes plásticas, entre outros. Observe a análise a seguir de uma página de jornal antes e depois de passar pela censura.

Essa página do jornal O *Estado de S. Paulo* foi escrita para ser publicada no dia 4 de setembro de 1974. Originalmente, havia uma notícia com o título "A defesa da liberdade de imprensa não é solitária", tema considerado subversivo pela censura. Observe que no acervo do jornal a imagem da página aparece com a inscrição "CENSURADA".

Arquivo/Estadão Conteúdo

Arquivo/Estadão Conteúdo

Analise agora a página que foi publicada após a original ser censurada. Em alguns casos, como forma de protesto, os jornais colocavam outras informações no lugar da notícia censurada, como receitas culinárias, poemas e anúncios. No caso ao lado, foi colocado um trecho da obra literária *Os Lusíadas*, do poeta português Luís Vaz de Camões (1524-1580). Observe como o poema destoa do restante da página.

184

Agora, analise o caso de uma letra de música composta por Raul Seixas (1945-1989) e Paulo Coelho (1947-), que passou pela censura em 1973 e teve alguns versos alterados, conforme exigido pelos censores.

Versão **A**, proibida em 1973.

Como vovó já dizia

[...]

Quem não tem colírio usa óculos escuros

Quem não tem papel dá recado pelo muro

Quem não tem presente se conforma com o futuro.

Quem não tem colírio usa óculos escuros.

[...]

> Raul Seixas e Paulo Coelho. Como vovó já dizia (Óculos escuros). Intérprete: Vivi Seixas. Em: *Geração da Luz*. São Paulo: Warner Music, 2013. Faixa 11.
> © Kika Seixas Produções Artísticas Ltda. (Som Livre Edições Musicais).
> © Warner Chappell Edições Musicais Ltda. Todos os direitos reservados.

Versão **B**, lançada em 1974, depois de passar pela censura.

Como vovó já dizia

[...]

Quem não tem colírio usa óculos escuros

Quem não tem filé come pão e osso duro

Quem não tem visão bate a cara contra o muro.

Quem não tem colírio usa óculos escuros.

[...]

> Raul Seixas e Paulo Coelho. Como vovó já dizia (Óculos escuros). Intérprete: Raul Seixas. Em: *O Rebu*. Rio de Janeiro: Som Livre, 1974. Faixa 1.
> © Kika Seixas Produções Artísticas Ltda. (Som Livre Edições Musicais).
> © Warner Chappell Edições Musicais Ltda. Todos os direitos reservados.

1. Compare os versos da versão **A** com os da versão **B**. Quais versos permaneceram inalterados? E quais foram alterados?

2. Analise a versão **A**. Conforme o que você estudou no capítulo, por que os censores exigiram a alteração dessa letra de música? Justifique sua resposta.

3. Em sua opinião, o que os compositores quiseram dizer com as frases "quem não tem presente se conforma com o futuro" e "quem não tem papel dá recado pelo muro"?

4. Depois que os versos foram alterados, o sentido dessa letra de música foi modificado. Qual o sentido que a letra ganhou?

Atividades

Organizando o conhecimento

1. Qual era a intenção do governo militar ao decretar os Atos Institucionais?

2. Por que, no final da década de 1960, a ditadura ficou conhecida como "anos de chumbo"?

3. Observe a charge da página **178**. Por que o artista representou um buraco no meio da página do jornal? O que ele quis denunciar?

4. Como era institucionalizada a repressão durante a ditadura? Cite alguns órgãos criados pelo governo para exemplificar sua resposta.

Conectando ideias

5. Muitos opositores do regime militar foram exilados, ou seja, tiveram de sair do Brasil por causa das perseguições que sofriam por parte de agentes do governo. Leia o texto a seguir e faça o que se pede.

> [...] A partir do século XX, o exílio político passa a ser usado cada vez mais frequentemente contra ativistas políticos e sindicais, intelectuais, estudantes e profissionais de todas as classes sociais, cujo único delito havia sido a participação e a mobilização política contra um governo ou regime eventual. [...]
>
> O exílio adquire, desse modo, seu perfil político como mecanismo de exclusão institucionalizada, ao lado da prisão, da pena de morte e de outras medidas de exceção e de emergência usadas exaustivamente desde então [...].
>
> Luis Roniger. Exílio massivo, inclusão e exclusão política no século XX. *Revista de Ciências Sociais*, Rio de Janeiro, v. 53, n. 1, 2010. p. 91-94. Disponível em: <www.scielo.br/pdf/dados/v53n1/04.pdf>. Acesso em: 3 set. 2018.

a) De acordo com o autor do texto, o exílio político atingiu quais parcelas da população a partir do século XX?

b) De acordo com o que foi estudado no capítulo e conforme o texto, aponte alguns dos motivos que levaram as pessoas a serem exiladas durante o regime militar brasileiro.

c) Junte-se a um colega e pesquisem sobre pessoas que foram exiladas durante a ditadura no Brasil. Procurem descobrir por que elas foram exiladas, em quais países elas foram viver e quais atividades passaram a realizar. Tragam os resultados da pesquisa e apresentem-nos aos colegas.

6. Analise o gráfico abaixo e leia o texto. Depois, responda às questões.

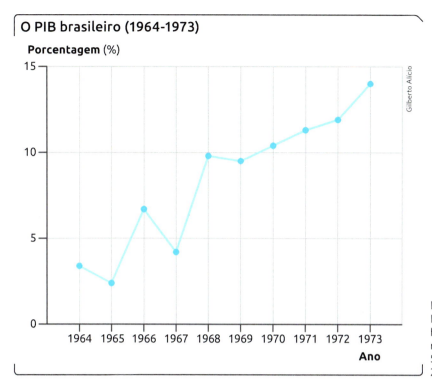

Fonte: Marcos Napolitano. *1964*: história do regime militar brasileiro. São Paulo: Contexto, 2014. p. 172.

> [...]
> A concentração de renda e o arrocho salarial [...] eram notórios. Em 1970, comparando-se os números com dez anos antes, os 5% mais ricos da população aumentaram sua participação na renda nacional em 9%, e detinham 36,3% da renda nacional. Os 80% mais pobres diminuíram sua participação em 8,7%, ficando com 36,8% da renda nacional. Quando a inflação voltou a subir com força, a partir de 1974 e, sobretudo, a partir de 1979, os efeitos dessa perda de renda relativa e do arrocho salarial ficariam mais patentes, gerando ampla insatisfação nas classes populares que, ao contrário da classe média, não tinham gorduras para cortar. Era a própria subsistência que se via ameaçada.
> [...]
>
> Marcos Napolitano. *1964*: história do regime militar brasileiro. São Paulo: Contexto, 2014. p. 164.

a) De acordo com o gráfico, como foi o desenvolvimento do PIB brasileiro entre 1964 e 1973?

b) No intervalo de tempo representado no gráfico, qual foi o período em que o crescimento do PIB foi ininterrupto? Como esse período ficou conhecido?

c) Compare o gráfico com as informações do texto e responda: podemos afirmar que as vantagens do crescimento do PIB durante o "milagre econômico" beneficiaram toda a população brasileira? Utilize as informações apresentadas no gráfico, no texto e na página **181** para compor sua resposta.

187

CAPÍTULO 13

A resistência contra a ditadura

Desde a instauração do governo ditatorial, houve resistência por parte de diversos grupos da sociedade. Eram operários, camponeses, estudantes, artistas, indígenas, negros, feministas que faziam oposição ao regime, denunciando, entre outros problemas, a falta de liberdade de expressão, as condições de pobreza e miséria de grande parte da população, a violência e o autoritarismo do governo.

Mobilização social

Nesse período, apesar de toda a violência e repressão das forças militares do governo, os grupos de oposição resistiam de diversas maneiras, organizando passeatas, greves, protestos e outros tipos de manifestações. Havia também a produção cultural de vários artistas que contestavam o regime, muitos deles exilados. Além disso, houve a mobilização de grupos de oposição armada ao regime militar.

Foto de manifestação em defesa da igualdade racial, organizada pelo Movimento Negro Unificado (MNU), em São Paulo (SP), em 1978. Como o MNU reivindicava o fim da discriminação racial e apoiava a organização da comunidade afro-brasileira, seus integrantes eram considerados subversivos pelo governo e foram perseguidos durante a ditadura.

O movimento estudantil

O movimento estudantil, representado principalmente pela União Nacional dos Estudantes (UNE), exerceu importante papel de oposição à ditadura civil-militar. No final de 1964, mesmo com a proibição do governo, os estudantes mantiveram várias atividades políticas e realizaram congressos e encontros clandestinos.

Um dos eventos que marcaram o movimento estudantil foi o assassinato do estudante Edson Luís de Lima Souto, de 18 anos, por policiais. O assassinato ocorreu durante a ação repressiva de um grupo de militares em um restaurante conhecido como Calabouço, na cidade do Rio de Janeiro, em 1968, onde os estudantes estavam reunidos para organizar uma passeata pacífica.

A reação à morte do estudante deu origem a diversas mobilizações populares contra o regime, como a **Passeata dos Cem Mil**, realizada em 1968, com a participação de artistas, professores, operários, intelectuais, entre outros membros da sociedade.

Foto retratando manifestantes com faixas e cartazes contra a ditadura durante a Passeata dos Cem Mil, no Rio de Janeiro (RJ), em 1968.

A luta armada

A luta armada foi considerada por alguns grupos uma alternativa para se opor ao regime militar, principalmente durante os "anos de chumbo". Houve oposição armada nas áreas urbanas e rurais, envolvendo, entre outros, a participação de estudantes, de operários, de camponeses e de ex-militares, sobretudo os que haviam sido expulsos das Forças Armadas após 1964.

Sob forte influência dos ideais de esquerda e de movimentos revolucionários, como a Revolução Cubana, a oposição armada deu origem a grupos de guerrilha, que foram combatidos com violência pelos governos militares. Entre as organizações guerrilheiras estavam o Movimento Revolucionário 8 de Outubro (MR-8); a Ação Libertadora Nacional (ALN); e a Vanguarda Popular Revolucionária (VPR).

Esses grupos agiam principalmente por meio de assaltos, roubando dinheiro e armas para a causa revolucionária, e de sequestros de diplomatas estrangeiros, que depois eram trocados pela libertação de presos políticos.

A resistência indígena na ditadura

Durante a ditadura, a política de Estado voltou-se também para a expansão econômica do interior do país. Essas medidas faziam parte do Plano de Integração Nacional (PIN), lançado pelo governo em 1970.

A construção de grandes obras, como rodovias e hidrelétricas, a concessão de áreas para empresas de mineração e o desmatamento de enormes extensões de terras para a agropecuária provocavam a expulsão dos povos indígenas que habitavam esses locais.

Vários deles acabaram vítimas de atos criminosos, como torturas e assassinatos. Por causa da censura, esses crimes não eram divulgados na imprensa.

Um recente estudo sobre a resistência indígena durante o período da ditadura é o livro do jornalista Rubens Valente, intitulado *Os fuzis e as flechas: a história de sangue e resistência indígena na ditadura*. O livro tem como base pesquisa nos arquivos oficiais abertos a partir de 2008, além de entrevistas com indígenas e ex-funcionários do SPI (Serviço de Proteção ao Índio, criado em 1910) e de sua sucessora criada em 1967, a Fundação Nacional do Índio (Funai).

Um dos casos abordados pelo autor foi a construção da BR-174 no território de Roraima, cujo traçado cortaria o território indígena waimiri-atroari. As obras foram marcadas pela violência contra os indígenas e por uma série de epidemias causadas pelo contato com os trabalhadores.

[...] a partir da chegada das primeiras turmas de trabalhadores da Perimetral à região de Catrimani, em abri de 1974, os atendimentos médicos na missão da Consolata explodiram, de cerca de 150 a duzentos atendimentos por mês para 450 a quinhentos. Em dez meses, "os índios sofreram onze surtos de gripe, um de sarampo, e a incidência de malária vêm aumentando consideravelmente". [...]

Rubens Valente. *Os fuzis e as flechas*: a história de sangue e resistência indígena na ditadura. São Paulo: Companhia das Letras, 2017. p. 183.

Como forma de resistência, em 1980, lideranças indígenas formaram a **União das Nações Indígenas (UNI)**, a primeira organização indígena de caráter nacional em prol da luta pela demarcação de terras e da garantia de direitos dos povos indígenas.

Uma das principais lideranças indígenas durante a ditadura civil-militar no Brasil foi Mário Juruna (1943-2002). Ele foi o primeiro indígena eleito deputado federal no país, cargo que exerceu entre 1983 e 1987. Na foto, Juruna discursa na Câmara dos Deputados, em Brasília (DF), em 1986.

A resistência negra

No contexto da ditadura, mesmo com a perseguição e a repressão aos movimentos culturais e políticos, a luta e a resistência da população negra continuou.

Na política, como vimos na foto apresentada na página **188**, o Movimento Negro Unificado (MNU), fundado em 1978, desempenhou um importante papel na resistência e na luta pela igualdade racial no Brasil.

O MNU foi criado por meio de um ato público que reuniu cerca de 2 mil pessoas nas escadarias do Teatro Municipal de São Paulo. Esse movimento unificou várias organizações negras e tinha em sua pauta, entre outras questões, a luta contra a discriminação racial, contra a violência policial e pelas liberdades democráticas. Após a criação do MNU, outros movimentos surgiram e se fortaleceram em todo o país.

Já no campo cultural, ocorreu a fundação do primeiro bloco de carnaval afro do Brasil, o *Ilê Aiyê* (expressão em iorubá que significa "o mundo negro"), em 1974, em Salvador (BA).

A proposta do bloco era celebrar o carnaval por meio da valorização da cultura e da identidade afro-brasileiras, sem deixar de lado o protesto contra o preconceito e o racismo, disfarçados ou explícitos, que marcavam a sociedade da época.

A valorização das raízes africanas no Brasil teve grande influência cultural de movimentos como o Black Power ("poder negro"), que se manifestava nos cabelos, nas roupas, nos gestos, representando o orgulho pela cor de pele. Foto do cantor Tony Tornado durante apresentação no Festival Internacional da Canção, Rio de Janeiro (RJ), em 1970.

Imprensa negra

A resistência negra também teve forte presença na imprensa. Desde o século XIX, escritores, militantes e jornalistas negros utilizaram o jornalismo para denunciar o racismo e lutar pela cidadania da população negra no Brasil.

A imprensa teve início no Brasil em 1808, após a chegada da família real portuguesa ao país. Já em 1833 teve início a chamada Imprensa Negra, com a publicação do jornal *O Homem de Cor*.

Desde então, tivemos a circulação de diversas revistas e jornais que buscavam combater o racismo e a discriminação no Brasil. Muitos periódicos tinham o objetivo de valorizar a cultura africana e afro-brasileira.

Durante a ditadura, a Imprensa Negra continuou resistindo, denunciando o racismo e a situação de exclusão da população negra no país, como a publicação mostrada ao lado, a *Revista Tição*, de Porto Alegre (RS).

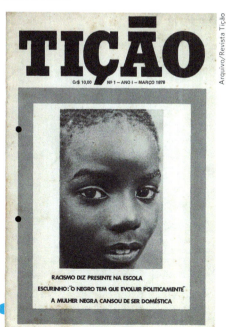

Reprodução da capa da *Revista Tição*, publicada em 1978.

Produção cultural brasileira e resistência

Como vimos, a ditadura civil-militar no Brasil ampliou as desigualdades sociais, restringiu a liberdade e institucionalizou a violência praticada pelo Estado, marcada pela repressão e pelo autoritarismo. Diante disso, diversos artistas tornaram-se cada vez mais engajados politicamente.

Durante todo o período entre 1964 e 1985, houve intensa e diversificada produção cultural direcionada para as questões políticas e sociais, que denunciavam as arbitrariedades praticadas pelos militares. As críticas promovidas pelos artistas contribuíram amplamente para desgastar a ditadura perante a opinião pública.

A música

Diversas canções foram compostas para fazer oposição ao regime militar. Por seu caráter político, elas eram conhecidas como "canções de protesto". Na década de 1960, os festivais de música promovidos pelas emissoras de televisão garantiram grande difusão de algumas delas.

Muitos compositores, como Chico Buarque e Geraldo Vandré, foram censurados, perseguidos e até presos durante a ditadura.

A partir de 1968, os compositores foram obrigados a mudar a maneira de escrever suas canções. Para fugir da censura, eles passaram a produzir obras mais complexas, nas quais as críticas feitas à ditadura eram apresentadas de modo menos explícito, tentando confundir os censores.

O teatro

Diversos espetáculos fizeram oposição ao regime militar. O espetáculo *Opinião*, por exemplo, dirigido por Augusto Boal (1931-2009), em 1964, foi considerado uma das primeiras reações à ditadura, apresentando canções com temáticas políticas intercaladas com cenas teatrais que abordavam problemas sociais do país.

Após o AI-5, diversos autores, diretores e atores foram presos, e muitos deles, como Augusto Boal, precisaram se exilar.

Entretanto, mesmo com toda a repressão, peças teatrais que faziam críticas à ditadura continuaram em cartaz, denunciando a violência e a repressão praticadas pelos militares, assim como a exclusão das classes populares do processo de modernização e de crescimento econômico do país.

Foto que mostra uma cena do espetáculo *Opinião*, com Nara Leão, Zé Ketti e João do Vale, em 1964, no Rio de Janeiro (RJ).

O cinema

No início da década de 1960, o cinema brasileiro passava por um período bastante criativo e de intensa produção, conquistando grande prestígio internacional.

Parte da produção cinematográfica brasileira desse período buscava revelar as contradições do país, mostrando a convivência entre aspectos tradicionais da cultura brasileira, ainda muito ligada às origens rurais de nossa sociedade, e aspectos modernos, promovidos pela industrialização e pela urbanização de algumas regiões.

Após o golpe de 1964, a censura promovida pela ditadura passou a proibir a veiculação de filmes que abordavam conteúdos considerados subversivos. Assim, os censores vetavam filmes que abordassem questões políticas, criticassem o governo e até mesmo os que tratassem de temas considerados "imorais", relacionados ao comportamento sexual das personagens. Naquela época, os censores chegaram a ordenar a completa destruição de muitos filmes.

Maria do Rosário, Paulo José e Grande Otelo em cena de *Macunaíma, o herói sem nenhum caráter*. Direção: Joaquim Pedro de Andrade. Brasil, 1969. Esse filme, baseado em livro de Mário de Andrade, teve diversas cenas cortadas pela censura.

As artes plásticas

Nas artes plásticas, também houve diversos artistas engajados na luta contra a ditadura.

Após o endurecimento do regime, em 1968, muitos artistas encontraram formas alternativas para se expressar. Cildo Meireles, por exemplo, em seu *Projeto Cédula*, carimbou a pergunta "Quem matou Herzog?" em notas de dinheiro, colocando-as para circular em seguida. Com isso, o artista conseguiu despistar a censura, levando sua crítica a um público diverso.

Outros artistas, como Antonio Henrique Amaral e Alex Flemming, denunciaram a grande violência e a tortura praticadas pelos militares com séries de pinturas sobre o tema.

Nota de dinheiro carimbado pelo *Projeto Cédula*, de Cildo Meireles, de 1975. Acervo particular.

Abertura política

A partir de meados da década de 1970, após o curto período de "milagre econômico", a economia brasileira entrou em crise. A dívida externa, a inflação, o desemprego e a concentração de renda passaram a crescer ano após ano.

Durante o governo do general Ernesto Geisel, entre 1974 e 1979, os militares sinalizaram que estavam dispostos a promover uma abertura política, a qual seria realizada de maneira "lenta, gradual e segura". Esse período de avanços, no entanto, também foi marcado por diversos retrocessos.

Nesse período, o Movimento Democrático Liberal (MDB) ganhou força e tornou-se uma forte oposição à ditadura. Em reação ao crescimento do MDB, em abril de 1977 os militares fecharam temporariamente o Congresso e instituíram um conjunto de medidas que ficaram conhecidas como "Pacote de Abril". Considerado um dos maiores retrocessos durante a abertura política, o pacote garantia o domínio da Arena (que era o partido alinhado aos militares) no Congresso e no governo dos estados, fazendo com que os militares tivessem maior controle sobre o processo de redemocratização do país.

Crescimento da oposição à ditadura

Mesmo com os esforços dos militares para tentar barrar o avanço da oposição, as manifestações de contestação à ditadura cresceram e ganharam força popular.

Em 1977, o movimento estudantil organizou grandes manifestações pedindo a redemocratização. Outros setores da sociedade, como a Igreja católica e o MDB, declararam seu apoio aos estudantes.

Em 1978, os operários da região do ABC paulista, insatisfeitos com o arrocho salarial ocorrido nos anos anteriores, entraram em greve. No ano seguinte, uma nova greve, maior e mais organizada, teve início na mesma região.

As greves, organizadas por sindicatos de diversas categorias profissionais, foram amplamente noticiadas pela imprensa, alcançando grande visibilidade em todo o país. Assim, embora tenha sido duramente reprimida pela força policial, a organização dos trabalhadores teve um papel importante no processo de desgaste da ditadura, pois questionou a política econômica desenvolvida pelos militares, que favorecia a concentração de renda, prejudicando as camadas mais pobres da população.

Na foto, grevistas realizam assembleia em estádio de futebol em São Bernardo do Campo (SP), no ano de 1979.

O movimento pela anistia

A partir de 1977, diversos movimentos sociais começaram a se organizar em torno de uma grande campanha que pedia anistia a todos os que haviam sido punidos pela ditadura civil-militar.

Em 1979, durante o governo de João Figueiredo, os militares aprovaram a Lei da Anistia. Ela não atendia todas as reivindicações dos movimentos sociais, pois parte das pessoas punidas pela ditadura não foi anistiada. Além disso, essa lei concedeu perdão aos que atuaram ao lado da ditadura e haviam praticado crimes como torturas e assassinatos.

Ainda assim, a Lei da Anistia beneficiou diversos presos políticos e permitiu o retorno de pessoas que estavam exiladas e não podiam voltar ao país por ainda existir o risco de serem presas.

Diretas Já

No final de 1979, os militares decretaram o fim do bipartidarismo no país, permitindo a criação de outros partidos políticos, como Partido Democrático Social (PDS), Partido do Movimento Democrático Brasileiro (PMDB), Partido Democrático Trabalhista (PDT) e o Partido dos Trabalhadores (PT). A partir de 1983, alguns desses novos partidos começaram a organizar uma campanha pedindo eleições diretas para a presidência da República, a qual passou a ser chamada de **Diretas Já**.

No ano seguinte, a campanha pelas Diretas Já reuniu centenas de milhares de pessoas em comícios e manifestações, tornando-se extremamente popular, indo muito além do esperado pelas organizações dos partidos políticos.

No entanto, frustrando o desejo da maioria dos brasileiros, as eleições para presidente da República ocorridas em janeiro de 1985 foram indiretas. Quem venceu essas eleições foi o candidato civil do PMDB, Tancredo Neves, colocando fim na ditadura civil-militar no Brasil depois de 21 anos no poder. Entretanto, Tancredo faleceu antes de tomar posse da presidência, que foi assumida pelo seu vice, José Sarney, em março de 1985.

Na foto, comício da campanha das Diretas Já, que reuniu 300 mil pessoas, em São Paulo (SP), no dia 25 de janeiro de 1984.

História e memória

A preservação da memória é essencial para que possamos refletir sobre os acontecimentos do passado e para compreendermos melhor suas relações com a realidade atual.

A memória sobre determinados fatos ou períodos, no entanto, pode sofrer alterações ao longo do tempo. Novos estudos, a descoberta de novos documentos históricos ou novas interpretações sobre eles, por exemplo, podem contribuir para essas alterações.

Nesse sentido, a Comissão Nacional da Verdade (CNV) é um exemplo de processo investigativo que pode influenciar a transformação da memória sobre parte do século XX em nosso país. A CNV foi criada no ano de 2011 para investigar e apurar os casos de desrespeito aos direitos humanos no Brasil entre os anos de 1946 e 1988.

Para muitas famílias cujos parentes foram vítimas de torturas e perseguições durante a ditadura, essa comissão exerceu importante papel. A CNV atuou na busca pelo esclarecimento de determinadas questões que, no período da ditadura, não foram bem explicadas, como o paradeiro de pessoas desaparecidas e as condições reais das prisões e mortes de outras. Leia a seguir o depoimento de João Vicente Goulart, filho do ex-presidente João Goulart.

> [...] É necessário que a Comissão da Verdade, que o Ministério Público, que a nossa Secretaria dos Direitos Humanos façam esse esforço, um esforço que vai resgatar a história desse país, um esforço que vai resgatar a história para as novas gerações, um esforço que vai resgatar e fechar algumas feridas, não somente a da nossa família, como as feridas que ainda se encontram abertas de tantos mortos e de tantos desaparecidos no nosso país.
> [...]
>
> João Vicente Goulart. Tomada de depoimento. *Comissão Nacional da Verdade*. Disponível em: <www.cnv.gov.br/images/pdf/depoimentos/familiares/Joao_Vicente_Goulart_18.03.2013.pdf>. Acesso em: 18 jul. 2018.

Na foto, membros da Comissão Nacional da Verdade interrogam o delegado aposentado Aparecido Laertes Calandra, conhecido como "capitão Ubirajara", acusado por vários presos políticos de ter praticado tortura na época do regime militar. São Paulo (SP), 2013.

Os relatórios da Comissão

Em 2014, foram disponibilizados os relatórios finais da Comissão Nacional da Verdade. A comissão não conseguiu alcançar conclusões em todos os casos de desrespeito aos direitos humanos, por causa do enorme volume de trabalho e da falta de documentação. No entanto, ela chegou a algumas conclusões, como a de que as violações dos direitos humanos ocorridas na época da ditadura civil-militar foram realizadas por meio de uma política de Estado e não apenas por ações esparsas de pessoas ligadas ao governo.

Leia a seguir um trecho do relatório.

> [...]
>
> Conforme se encontra amplamente demonstrado pela apuração dos fatos apresentados ao longo deste Relatório, as graves violações de direitos humanos perpetradas durante o período investigado pela CNV, especialmente nos 21 anos do regime ditatorial instaurado em 1964, foram o resultado de uma ação generalizada e sistemática do Estado brasileiro. [...]
>
> Brasil. Comissão Nacional da Verdade. *Relatório/Comissão Nacional da Verdade.* Brasília: CNV, 2014. v. 1. p. 963.

Porém, os trabalhos realizados pela CNV foram questionados por parte da sociedade brasileira, principalmente por militares, que consideram que, em vários casos, a comissão foi parcial em seu julgamento.

Leia a declaração do general da reserva Gilberto Pimentel sobre esse assunto.

> [...]
>
> Não se trata de defender quem violou direitos humanos. Também não aceitamos isso. Mas a comissão precisava tratar os dois lados de forma imparcial porque, do nosso lado, também houve mortos e direitos humanos é para todo mundo. [...]
>
> Para generais, Comissão da Verdade cometeu "injustiça". *Diário de Pernambuco.* <http://www.diariodepernambuco.com.br/app/noticia/politica/2014/12/10/interna_politica,548338/para-generais-comissao-da-verdade-cometeu-injustica.shtml>. Acesso em: 10 set. 2018.

Monumento feito pelo artista Ricardo Ohtake em homenagem aos mortos e desaparecidos políticos do período do regime militar. A obra traz inscrições com o nome de pessoas presas ou desaparecidas e foi inaugurada em dezembro de 2014 no Parque Ibirapuera, em São Paulo (SP). Foto de 2016.

Atividades

Organizando o conhecimento

1. Quais eram os principais grupos da sociedade que formavam a oposição ao regime militar? Como eles se organizaram nos movimentos de resistência?

2. Cite as principais ações empreendidas pelos grupos de luta armada.

3. Copie o quadro abaixo no caderno. Em seguida, complete os acontecimentos mencionados com o período em que ocorreram e faça um resumo dos fatos relacionados a eles durante o processo de abertura política.

Lei de Anistia	Greves no ABC	Diretas Já

Conectando ideias

4. A peça de teatro *Roda Viva*, escrita por Chico Buarque, teve sua estreia em 1968 no Rio de Janeiro (RJ). Os agentes da censura consideraram que a obra fazia "severas críticas" políticas e provocava o espectador a uma "tomada de posição". Depois de algumas apresentações, os atores da peça sofreram um violento atentado de autoria do CCC (Comando de Caça aos Comunistas) e, ainda em 1968, ela foi proibida pela censura. Leia o texto a seguir e depois responda às questões.

Foto de cena da peça *Roda Viva*, de 1968, no Rio de Janeiro (RJ).

Seviciar: causar maus-tratos, torturar.

> No final da encenação da peça *Roda Viva*, o teatro Galpão, rua dos Ingleses, 209, foi invadido por cerca de vinte elementos armados de cassetetes, soco-inglês sob as luvas, que espancaram os artistas, sobretudo as atrizes, depredaram todo o teatro, desde bancos, refletores, instrumentos e equipamentos elétricos até os camarins, onde as atrizes foram violentamente agredidas e seviciadas.
> [...]
>
> Invadido e depredado o Teatro Galpão. *Folha de S.Paulo*, 19 jul. 1968. Banco de dados da Folha. Disponível em: <http://almanaque.folha.uol.com.br/ilustrada_19jul1968.htm>. Acesso em: 18 jul 2018.

a) Descreva o atentado sofrido pelos atores da peça, de acordo com o texto.

b) Com base no texto e nos conteúdos estudados neste capítulo, como ocorria a repressão aos grupos que atuavam na resistência cultural à ditadura?

c) Por que as peças teatrais podem ser consideradas uma forma de resistência contra o governo militar?

d) Mesmo com as perseguições sofridas por artistas e escritores, muitas peças de teatro continuaram denunciando o autoritarismo do governo. Com a ajuda de seus pais ou familiares, pesquise sobre outras peças brasileiras que contestavam o regime militar. Selecione uma delas e anote suas principais informações, verificando também os motivos da repressão e outros dados importantes.

5. Leia um depoimento de Ailton Krenak, líder indígena que luta pela participação política dos indígenas no contexto nacional, publicado na década de 1980. Depois, responda às questões.

> **"Os índios não estão preparados para votar, para trabalhar, para existir..."**
>
> [...]
>
> Ao longo dos séculos de colonização, em diferentes regiões do país, os índios sempre fizeram movimentos de resistência e de organização. Mas uma representação a nível nacional só foi possível agora, no final dos anos 70, quando esses povos começaram a se encontrar, começaram a ver que tinham problemas comuns e que podiam encaminhar algumas soluções juntos.
>
> A grande novidade da UNI é que ela não é um partido, não é um clube, nem representa um interesse restrito de grupo. A União das Nações Indígenas é uma forma institucional de representação, que a gente encontrou para reunir as diferentes nações indígenas e defender organizadamente seus interesses e necessidades.
>
> [...]
>
> Ailton Krenak. "Os índios não estão preparados para votar, para trabalhar, para existir...". *Lua Nova:* Revista de Cultura e Política. v. 1. n. 1. São Paulo, 1984. Disponível em: <www.scielo.br/scielo.php?pid=S0102-64451984000100019&script=sci_arttext>. Acesso em: 18 jul. 2018.

Ailton Krenak pintando o rosto em sinal de protesto durante um discurso no plenário da Câmara dos Deputados, em Brasília (DF). Foto de 1987.

a) Leia o título do texto. Em sua opinião, por que ele está entre aspas?

b) Segundo Ailton Krenak, os movimentos de resistência indígena são recentes? Em qual momento eles passaram a se organizar de maneira mais sistemática?

c) Em qual contexto a UNI foi criada? Qual o papel e a importância dessa organização para os indígenas?

Verificando rota

Com o auxílio do professor, promova um debate em sala de aula para discutir os problemas de viver sob um regime político autoritário e violento, como ocorreu no Brasil durante a ditadura civil-militar. Depois, junto com os colegas de sala, produza um texto coletivo sobre o que foi debatido.

Para finalizar, procure responder aos seguintes questionamentos.

- Qual dos temas estudados chamou mais sua atenção? Escreva um pequeno texto sobre ele.
- Sobre qual dos temas estudados nesta unidade você gostaria de obter mais informações? Por quê?
- Os conteúdos apresentados nesta unidade ajudaram você a refletir sobre alguns dos problemas atuais da sociedade brasileira? Quais são esses problemas?
- Em sua opinião, qual a importância de viver em um regime democrático de governo?
- Você considera importante esclarecer os crimes cometidos pelo Estado durante a ditadura civil-militar? Por quê?

Ampliando fronteiras

A imprensa alternativa no Brasil

Durante a ditadura, a grande imprensa brasileira sofreu com a censura e com a repressão exercidas pelo governo. Por isso, muitos jornalistas, insatisfeitos com essa condição, deixaram de trabalhar para esses veículos de comunicação. Os movimentos de esquerda buscaram, também, uma maneira de se manifestar, já que diversos jornais de esquerda foram fechados antes e durante a instauração do regime militar.

Assim, nasceu a chamada imprensa alternativa ou imprensa nanica, para fazer referência aos pequenos jornais, fundados por militantes, por jornalistas e por intelectuais, segundo os quais os jornais deveriam contribuir para a formação de uma consciência crítica. Por isso, essas publicações priorizaram o conteúdo engajado, de modo a denunciar e criticar o período pelo qual o país estava passando.

Os jornalistas da imprensa alternativa trabalharam de maneira clandestina, escondendo-se de oficiais da ditadura, e a distribuição desses jornais ocorria na militância e em bancas de jornal, além de outros estabelecimentos, como supermercados.

Diversificação

Foram aproximadamente 150 jornais alternativos produzidos em todo o Brasil durante o período de 1964 até o início da década de 1980, fora o material feito por exilados brasileiros em outros países.

Com a expansão desse ramo da imprensa, as publicações tornaram-se cada vez mais diversificadas, com o surgimento de periódicos das mais diferentes áreas e linguagens, desde jornais ligados a movimentos sociais até jornais regionais e estudantis.

Mesmo com essa diversificação, havia duas classes principais de publicações: as de cunho político e as que pretendiam fazer crítica aos costumes, inspiradas na contracultura estadunidense.

Grande imprensa: conjunto dos principais veículos de comunicação impressa de determinada localidade.

Capa da primeira edição do jornal *Brasil Mulher*, publicada em dezembro de 1975.

Alternativa feminista

Um tipo de jornal que se destacou no auge da imprensa alternativa foram os periódicos feministas. Eles apresentavam um ponto de vista marcadamente político e tratavam da questão da mulher, já que o tema era deixado de lado pela grande imprensa.

Em 1975, foi criado o primeiro jornal alternativo feminista do país, chamado *Brasil Mulher*. Esse jornal de esquerda abordava temas como a pobreza e a miséria, discutindo os problemas femininos provenientes dessas condições.

De acordo com seus editores, o *Brasil Mulher* destinava-se não apenas às mulheres, mas também aos homens, e buscava promover a igualdade entre os gêneros.

O jornal *Brasil Mulher* era bimestral, com tiragem de 10 mil exemplares e distribuição nacional, e durou até 1977. Depois dele foram lançados ainda *Nós, Mulheres, Maria Quitéria, Correio da Mulher*, entre outras publicações que tratavam da questão feminina.

A imprensa alternativa hoje

Apesar de ter na ditadura seu período de auge, a imprensa alternativa não deixou de existir no Brasil. Atualmente, por fazer oposição à grande imprensa, ela é muitas vezes associada à ideologia de esquerda. No entanto, está geralmente voltada para a divulgação de informações que costumam ser negligenciadas pela grande imprensa, utilizando a internet como um dos principais veículos.

1. Você sabia da existência da imprensa alternativa no Brasil? Quais as diferenças entre os conteúdos publicados pelos grandes meios de comunicação e os publicados pela imprensa alternativa durante a ditadura?

2. Em sua opinião, qual a importância de existirem jornais com temática feminista durante o período da ditadura?

3. Forme um grupo com seus colegas e, juntos, levantem alguns temas que vocês consideram importantes e que, na atualidade, não são tratados pela grande imprensa. Depois, escolham um desses temas, façam uma pesquisa a respeito e criem um jornal impresso para ser distribuído na escola, como forma de divulgar as informações que vocês reuniram.

UNIDADE

7

O Brasil e o mundo contemporâneo

Capítulos desta unidade
- **Capítulo 14** - A Nova República
- **Capítulo 15** - O mundo contemporâneo

Na foto, jovem berlinense participa da demolição do Muro de Berlim, na Alemanha, em 1989.

Iniciando rota

1. Descreva a foto. O que as pessoas retratadas estão fazendo?

2. A qual acontecimento do século XX a queda do Muro de Berlim está relacionada?

3. Você conhece algum grande muro que na atualidade separa um povo de outro? Converse com os colegas.

CAPÍTULO 14

A Nova República

Como visto no capítulo **13**, na transição de uma ditadura no Brasil para um governo democrático, Tancredo Neves foi eleito, ainda que de forma indireta, como presidente, em 1985.

Na foto, Tancredo Neves é cumprimentado por parlamentares no Congresso Nacional, em Brasília (DF), em 15 de janeiro de 1985, após vencer as eleições indiretas, tornando-se o primeiro presidente civil após a ditadura no Brasil.

Rumo à democracia

Tancredo Neves, em seu governo, teria que enfrentar vários desafios, como acabar com os resquícios da ditadura, por meio da revogação das leis autoritárias (o chamado "entulho autoritário"); combater a crise econômica que se agravava desde a década de 1970; e convocar uma Assembleia Nacional Constituinte, que tinha como objetivo elaborar uma nova Constituição para o Brasil.

No entanto, com a morte de Tancredo Neves às vésperas de assumir o cargo de presidente da República, em 1985, o seu vice, José Sarney, do Partido do Movimento Democrático Brasileiro (PMDB), assumiu a presidência do país. Ele governou durante o processo de reconstrução da democracia, na chamada **Nova República**.

O Plano Cruzado

Por conta do desrespeito à iniciativa de congelamento de preços do Plano Cruzado, o governo convocou o povo para fiscalizar os estabelecimentos comerciais que praticavam a remarcação de preço das mercadorias. Os chamados "fiscais do Sarney" foram responsáveis pelo fechamento de muitos estabelecimentos comerciais. Acima, bóton usado pelos fiscais do Sarney em 1986.

Para conter a inflação, que em janeiro de 1986 atingiu o índice anual de 255,16%, o governo federal lançou um plano econômico, em fevereiro do mesmo ano, denominado Plano Cruzado.

Esse plano era composto de três medidas principais: a substituição da moeda, que na época era o cruzeiro, pelo **cruzado**; o abono salarial de 8% aos trabalhadores, além de posteriores reajustes de salário cada vez que a inflação atingisse 20%; e o congelamento de preços de produtos e de aluguéis por um ano.

Essas medidas garantiram a estabilidade econômica por um curto período. Em pouco tempo, começou a faltar produtos, até mesmo alimentos, nas prateleiras das lojas e dos supermercados.

Com a falta de bens de consumo, muitos fabricantes e comerciantes começaram a estocar mercadorias à espera da alta dos preços, gerando uma crise no abastecimento. No início de 1987, a inflação já havia voltado e a economia estava em recessão.

A Assembleia Nacional Constituinte

Convocada por José Sarney em 1987, a Assembleia Nacional Constituinte foi presidida pelo deputado federal Ulysses Guimarães. No decorrer dos trabalhos, representantes de diversos movimentos sociais, como operários, trabalhadores do campo, indígenas, negros, mulheres e religiosos, encaminharam aos constituintes milhares de emendas populares.

Na foto, indígenas acompanham sessão da Assembleia Nacional Constituinte, em Brasília (DF), em 1988. As principais reivindicações dos indígenas eram a demarcação de suas terras e o direito de preservarem sua cultura e seu modo de vida tradicional.

A Constituição Cidadã

Promulgada em 5 de outubro de 1988, a nova Constituição Federal do Brasil ficou conhecida como **Constituição Cidadã**, pois foi considerada a mais democrática da história do país. Ela restabeleceu as eleições diretas para os cargos de presidente da República e governadores e garantiu a liberdade de expressão nos meios de comunicação. Além disso, assegurou outros direitos e trouxe importantes inovações, como aborda o texto a seguir.

> **Emenda popular:** proposta de lei elaborada por iniciativa da população.

> [...]
> Como exemplos dos direitos e inovações, a Constituição reforçou o princípio da igualdade entre os gêneros; ampliou a defesa dos direitos [...]; impôs ao Estado a proteção do consumidor; deu atenção ao portador de deficiência física; tornou o racismo crime imprescritível; adotou orientação de preservação da cultura; e previu políticas de orientação preservacionista ao meio ambiente.
> [...]
>
> Mário Sérgio de Moraes. *50 anos construindo a democracia*: do Golpe de 64 à Comissão Nacional da Verdade. São Paulo: Instituto Vladimir Herzog, 2014. p. 250.

> Em sua opinião, os direitos garantidos pela Constituição são respeitados? Converse com os colegas.

Momento da promulgação da nova Constituição Federal do Brasil, em Brasília (DF), 1988.

Eleições diretas após a ditadura

José Sarney, em seu governo, foi muito criticado pela opinião pública. A grave crise econômica com a qual ele teve de lidar durante sua gestão, assim como as tentativas frustradas de resolvê-la, geraram greves e um clima de caos no país.

Foi nesse cenário que, durante a campanha eleitoral para presidente da República de 1989, a imagem do candidato Fernando Collor de Mello ganhou força. Collor era do Partido da Reconstrução Nacional (PRN), um partido político pequeno e com pouca expressão. Sua equipe de *marketing*, porém, procurou associar a imagem do candidato às ideias de força e juventude. Em seus discursos, Collor prometeu melhorar a vida da população mais pobre, além de acabar com a corrupção e com a crise econômica no Brasil.

Assim, com o apoio dos principais meios de comunicação do país, que ajudaram a criar a imagem de "salvador da pátria", Collor venceu as primeiras eleições diretas para presidente após o fim da ditadura civil-militar no Brasil.

O Plano Collor

> **Confiscar:** tomar algo pela força, por direito e/ou sob ameaça de punição.

Com o intuito de conter a inflação, no início de seu mandato, o presidente lançou o **Plano Collor**, que, entre outras medidas, promoveu a privatização de empresas estatais, incentivou a entrada de produtos importados no país, congelou preços e salários, além de confiscar os depósitos bancários e as aplicações financeiras por dezoito meses.

Esse plano econômico não conseguiu conter a inflação e levou o país à recessão, com falências, aumento do desemprego e queda do poder aquisitivo da população. Além disso, Collor foi envolvido em várias denúncias de corrupção. A gravidade das denúncias levou ao início de uma Comissão Parlamentar de Inquérito (CPI) no Congresso Nacional, que confirmou parte das acusações contra o presidente.

Os escândalos de corrupção levaram milhares de pessoas de diferentes lugares do Brasil às ruas para exigir a saída de Fernando Collor da presidência. No final de 1992, em meio a um processo de *impeachment* instaurado contra Collor, ele renunciou. Assim, o vice-presidente Itamar Franco assumiu a presidência.

Na foto, manifestação em São Paulo (SP), em 1992, pedindo o *impeachment* do presidente Collor. Nessas manifestações, destacaram-se professores e também jovens estudantes, que pintavam o rosto para participar das passeatas e por isso ficaram conhecidos como "caras-pintadas".

As privatizações

Os governos que se seguiram após a redemocratização caracterizaram-se pela forte influência do capital estrangeiro no país.

No governo do presidente Itamar Franco, do PMDB, deu-se continuidade à política de privatizações iniciada no governo Collor. Desse modo, muitas empresas que antes eram administradas pelo Estado passaram a ser controladas por companhias privadas, nacionais ou estrangeiras.

A política de privatizações permitiu a entrada de grandes investidores estrangeiros no Brasil, que passaram a monopolizar diversos setores, como o de telefonia e o de energia elétrica.

Na foto, Companhia Siderúrgica Nacional (CSN), localizada em Volta Redonda (RJ), em 1994. Essa empresa, a maior usina siderúrgica do Brasil, foi privatizada durante o governo de Itamar Franco.

Como ocorre o *impeachment* de um presidente da República?

O *impeachment* (do inglês, "impedimento") é um processo político que apura a responsabilidade de uma autoridade em crimes políticos graves, como a violação da Constituição. Esse processo pode ser aplicado a membros do Poder Executivo, como prefeitos, governadores e presidentes da República, ou do Poder Judiciário, como ministros do Supremo Tribunal Federal (STF).

O primeiro passo para a abertura de um processo de *impeachment* é a apresentação de um pedido por escrito à Câmara dos Deputados apontando um crime cometido pelo presidente. Esse pedido pode ser feito por qualquer cidadão, e deve ser acompanhado de documentos que comprovem a acusação.

Para ter continuidade, o pedido precisa ser aceito pelo presidente da Câmara, depois, deve ser encaminhado para a análise dos deputados, que podem aprová-lo ou não. Em seguida, o processo é enviado para o Senado, onde passará por outra votação, nesse caso, dos senadores, a qual decidirá se o processo terá continuidade, ou seja, se será iniciado seu julgamento. Com a aprovação da abertura do processo, o presidente é afastado do cargo por até 180 dias, período em que o caso será julgado.

Caso o julgamento final seja favorável ao *impeachment*, de acordo com a legislação, o presidente da República perde o mandato e não pode concorrer a outra eleição por um período de oito anos.

O Plano Real

Na tentativa de combater a inflação e estabilizar a economia, o presidente Itamar Franco lançou o Plano Real, em 1994, com a criação de uma nova moeda, o real. Quem coordenou a implantação desse plano foi Fernando Henrique Cardoso (FHC, como era chamado), que na época exercia a função de ministro da Fazenda.

Os resultados econômicos satisfatórios obtidos após a implantação do Plano Real, com a inflação sendo reduzida e com o aumento do poder de compra da população, contribuíram para a eleição ao cargo de presidente da República, em 1994, de Fernando Henrique Cardoso, do Partido da Social Democracia Brasileira (PSDB).

A continuidade da política de privatizações

No início do governo de FHC, foi dada continuidade ao combate à inflação e à política de privatizações. Várias empresas estatais foram privatizadas, como parte da Companhia Energética de São Paulo (CESP) e a Companhia Vale do Rio Doce, importante empresa do setor de mineração e detentora de uma das maiores reservas de minério de ferro do mundo. Leia a fonte a seguir:

> [...]
>
> Inúmeros grupos de forte presença econômica consolidada no mercado de capital nacional e internacional tornaram-se proprietários daquelas empresas. [...]
>
> O investimento estrangeiro na economia brasileira explodiu na década de 1990. Passou, em 1995, da média anual de dois bilhões de dólares para doze bilhões de dólares, superando os quarenta bilhões de dólares no ano 2000.
>
> Mas o problema central eram os resultados. De um Estado ineficiente e, principalmente, pouco transparente ao controle social, as empresas foram transferidas a grupos econômicos que, com empréstimos obtidos no BNDES [Banco Nacional do Desenvolvimento Econômico e Social], passaram a controlar como monopólios e oligopólios a telefonia e a empresa de eletricidade, entre outros.
>
> Somados esses poderes aos de grupos anteriores existentes – bancos, supermercados, empresas automobilísticas, fábricas de cervejas, frigoríficos – a economia brasileira tornou-se fortemente concentradora de capital e poder. E aos consumidores foram oferecidos preços exorbitantes com baixa qualidade de serviços.
>
> [...]
>
> Mário Sérgio de Moraes. *50 anos construindo a democracia*: do golpe de 64 à Comissão Nacional da Verdade. São Paulo: Instituto Vladimir Herzog, 2014. p. 274.

Na foto, confronto entre a polícia e estudantes contrários às privatizações no dia do leilão da Companhia Vale do Rio Doce, no Rio de Janeiro (RJ), em 30 de abril de 1997.

Muitos movimentos sociais se opuseram às privatizações, alegando que elas enfraqueciam o Estado brasileiro e tornavam o Brasil mais dependente do grande capital internacional.

Em 1997, com a aprovação de uma emenda constitucional, ou seja, de uma mudança na Constituição que permitia a reeleição de ocupantes de cargos do Poder Executivo, FHC pôde concorrer novamente à presidência do Brasil.

Reformas e recessão no final do século XX

Em 1998, FHC foi reeleito e, no seu segundo mandato, foram implantados importantes programas sociais, como o Bolsa Alimentação e o Auxílio Gás.

O Bolsa Escola, que vigorava desde 1995 em Campinas, no estado de São Paulo, e em Brasília, no Distrito Federal, foi ampliado em âmbito federal. Foi também criado o Fundo de Manutenção e Desenvolvimento do Ensino Fundamental e de Valorização do Magistério (Fundef). Essas medidas aumentaram o número de crianças frequentando a escola e reduziram os índices de analfabetismo.

> **Denúncias de corrupção**
>
> Durante os dois mandatos presidenciais de FHC, ocorreram diversas denúncias de corrupção. As principais acusações foram de favorecimento irregular a pessoas e empresas na privatização das estatais e de pagamento de propinas para a aprovação da emenda constitucional que permitiu a reeleição do presidente da República.
>
> No entanto, não houve a devida apuração dessas denúncias de irregularidades.

Em 2000, foi instituída a Lei de Responsabilidade Fiscal, com o objetivo de limitar e de controlar os gastos públicos, tornando-os mais transparentes e acessíveis à população.

O aumento do poder de compra dos brasileiros, decorrente da implantação do Plano Real, gerou crescimento na demanda por produtos importados. Assim, grande quantidade de mercadorias importadas de baixo custo passou a concorrer com os produtos brasileiros. Muitas empresas nacionais, incapazes de competir com as estrangeiras, fecharam ou terceirizaram serviços, gerando demissões e aumento da taxa de desemprego. Para fugir do desemprego, muitas pessoas passaram a se dedicar a trabalhos informais.

Com o governo de FHC chegando a seus anos finais, o Brasil passava por muitos problemas que dificultavam seu crescimento econômico.

Fila de pessoas em busca de emprego em Brasília (DF). Foto de 1996.

O começo do século XXI e as expectativas de mudanças no país

No início do século XXI, o Brasil enfrentava um elevado índice de desemprego, grandes desigualdades sociais, uma pesada carga de impostos, além da inflação, que começava a subir novamente. Havia ainda o agravamento de questões como a disparidade de salários entre homens e mulheres e a falta de políticas afirmativas para a população negra e indígena, e trabalhadores rurais.

Foi nesse contexto de crise econômica, política e social pelo qual o Brasil passava que a população, na expectativa de mudanças no país, elegeu, em 2002, Luiz Inácio Lula da Silva, do Partido dos Trabalhadores (PT), como presidente da República.

> **Trabalho informal:** atividade profissional exercida por trabalhadores sem registro em carteira de trabalho, portanto sem a garantia de direitos trabalhistas, como 13º salário e férias remuneradas, entre outros.

Políticas sociais e combate à miséria

Lula iniciou seu mandato conservando as diretrizes econômicas do governo anterior, aumentando a taxa de juros para arrecadar mais impostos e controlar a inflação. Essa medida fez a inflação baixar e proporcionou maior credibilidade ao país com relação aos investidores estrangeiros. Ao mesmo tempo, o governo passou a desenvolver políticas sociais de combate à miséria.

Um dos principais programas de combate à miséria implantados pelo governo Lula foi o Bolsa Família, criado a partir da unificação de programas sociais do governo FHC, entre eles, o Bolsa Escola, o Bolsa Alimentação e o Auxílio Gás.

O Bolsa Família ajuda pessoas em situação de pobreza com uma quantia mensal em dinheiro e com iniciativas que visam à geração de renda e a permanência de crianças na escola.

Por meio de programas sociais como o Bolsa Família, o governo Lula promoveu maior redistribuição de renda, melhorando as condições de vida dos setores mais pobres da população, retirando milhões de pessoas da condição de extrema pobreza.

Apesar das denúncias de corrupção (ver boxe ao lado), Lula manteve seu prestígio e, nas eleições de 2006, foi reeleito presidente. O segundo mandato dele (de 2007 a 2010) foi marcado por avanços decorrentes da política de redistribuição de renda e combate às desigualdades sociais.

Além disso, foram promovidos reajustes salariais com índices acima da inflação, aumentando o poder de compra da parcela mais pobre da população, permitindo o desenvolvimento do mercado consumidor interno e o crescimento econômico.

> **O Mensalão**
>
> Em 2005, o governo federal sofreu denúncias de corrupção no chamado "Mensalão", que consistia no uso de dinheiro público para subornar políticos em troca de apoio ao governo.
>
> Durante a investigação, dezenas de pessoas foram denunciadas e até mesmo presas, gerando uma crise no governo.

Em seu segundo mandato, Lula lançou o programa Minha Casa, Minha Vida, que facilitou o crédito para a compra da casa própria pelas famílias de baixa renda.

No final de seu segundo mandato, em 2010, o governo de Lula tinha 83% de aprovação popular. Assim, a candidata apoiada por ele, Dilma Rousseff, do PT, venceu as eleições e se tornou a primeira mulher presidente do Brasil.

Operários trabalham na construção de uma casa financiada pelo programa Minha Casa, Minha Vida, em Uberaba (MG). Foto de 2009.

A continuidade dos programas sociais

O primeiro governo de Dilma Rousseff (2011 a 2014) foi marcado pela continuidade de programas e projetos de seu antecessor.

Com o objetivo de combater as desigualdades sociais, diversos programas existentes foram ampliados, como o Minha Casa, Minha Vida. Além disso, novos programas foram criados, como o Programa Nacional de Acesso ao Ensino Técnico e Emprego (Pronatec), cujo objetivo é o aumento da oferta de cursos de educação tecnológica e profissional no Brasil.

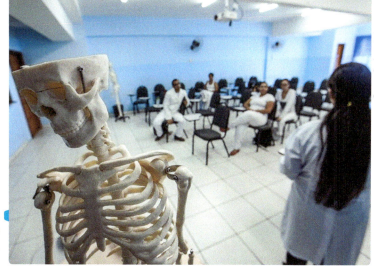

Aula de formação de técnicos em enfermagem pelo Pronatec em Maringá (PR). Foto de 2015.

Em 2014, Dilma foi reeleita, com 51,64% dos votos, em uma disputa acirrada contra seu concorrente, Aécio Neves, do PSDB. Em seu segundo mandato, no entanto, ela passou a enfrentar uma grave crise econômica ocasionada por problemas como a falta de investimentos em infraestrutura e a falta de credibilidade no exterior por causa das denúncias de corrupção, fato que levou o país a grande instabilidade política e afastou muitos investidores estrangeiros.

Essa situação política e econômica desgastou a imagem da presidente, que teve de enfrentar cada vez mais críticas da oposição ao governo e de parte da população, principalmente pelas camadas média e alta da sociedade.

Ainda em 2014, teve início uma importante investigação realizada pela Polícia Federal (leia o boxe abaixo), que contribuiu para aprofundar a crise política que se instaurara no país.

A Operação Lava Jato

A Operação Lava Jato teve início como uma das maiores investigações de corrupção no país realizada até então. Por meio dela, foram descobertos esquemas de desvio e lavagem de dinheiro público envolvendo a Petrobras, a maior empresa estatal do país, grandes executivos e políticos de diversos partidos, muitos deles no exercício do poder.

Durante o andamento das investigações, mostrou-se também que os desvios estavam ocorrendo em outras estatais, como a Caixa Econômica Federal, e em obras como a construção da Usina de Belo Monte, no Pará.

Em abril de 2018 a Lava Jato completou 4 anos (e continua em andamento), com cerca de 50 fases até o momento e aproximadamente 188 pessoas condenadas, entre eles políticos de diferentes partidos e grandes empresários.

Lavagem de dinheiro: prática corrupta que consiste em esconder ou disfarçar a origem ilícita de bens ou dinheiro, fazendo-os passar por lícitos.

A instabilidade econômica e política

Com o agravamento da crise econômica e da instabilidade política, a população brasileira passou a vivenciar problemas como a alta da inflação, o baixo crescimento econômico e o aumento na taxa de desemprego. Assim, em 2015 e 2016, uma onda de manifestações mobilizou centenas de milhares de pessoas em todo o país. De um lado, grupos que pediam o *impeachment* da presidente Dilma, baseando-se nos problemas de ordem econômica que marcaram o início do segundo mandato. Por outro lado, houve mobilização em defesa da permanência de Dilma, sob o argumento de que um processo de afastamento ameaçaria o regime democrático em questão.

Acima, à esquerda, manifestação a favor do *impeachment* de Dilma Rousseff. À direita, manifestação contra o *impeachment* de Dilma. Fotos tiradas em março de 2016, em São Paulo (SP).

Após votações no Senado, em maio de 2016, o processo de abertura do *impeachment* foi aprovado, e o vice-presidente, Michel Temer, assumiu o governo de forma interina, ou seja, provisória, até o final do julgamento.

Em 31 de agosto de 2016, o *impeachment* foi aprovado no Congresso brasileiro, cassando, assim, o mandato de Dilma Rousseff. Porém, ela não perdeu seus direitos políticos.

Michel Temer assumiu a presidência do país, sob uma crise política e econômica. O presidente também enfrentou críticas de setores da sociedade que defendem que o processo de *impeachment* foi um "golpe parlamentar" e uma "ruptura da ordem democrática".

Além da oposição sofrida e da grande perda de popularidade ao longo de seu governo, Michel Temer também foi alvo de denúncias, chegando a ser incluído em inquérito para investigação da Operação Lava Jato por crimes como recebimento de propina.

Ao término de seu governo, em 2018, após um conturbado processo eleitoral, o político e militar da reserva Jair Messias Bolsonaro foi eleito presidente do Brasil.

Honestidade e corrupção no dia a dia

A honestidade é uma característica que deve ser valorizada entre as pessoas. Em nosso dia a dia, atitudes honestas facilitam a convivência em sociedade e manifestam nosso compromisso com outros valores morais, como a honradez.

É comum ouvirmos reclamações sobre a falta de honestidade dos políticos. Mas será que a corrupção está presente somente no âmbito dos governos? Que atitudes fazem com que uma pessoa seja considerada honesta ou corrupta? Leia o texto a seguir, do escritor Antonio Prata.

> [...]
> Lembro bem de quando fui apresentado à corrupção. Era domingo, eu tinha uns sete, oito anos de idade e almoçava na casa de um tio. Vamos chamá-lo de Arthur. Arthur era o meu parente mais rico e morava numa casa com piscina. Lá pelo meio do almoço ele contou à família, orgulhoso, como havia encontrado um jeito de desligar o registro de água em frente à casa, de modo a encher a piscina sem gastar um tostão. Não me lembro de o terem repreendido. Hoje, meu tio está aposentado, mora num apartamento e, vira e mexe, me repassa uns e-mails revoltados contra a corrupção [...].
>
> Antonio Prata. Eleições, tio Arthur e a geladeira. Folha de S.Paulo, 21 out. 2014. Disponível em: <www1.folha.uol.com.br/poder/2014/10/1536038-eleicoes-tio-arthur-e-a-geladeira.shtml>. Acesso em: 19 jul. 2018.

A corrupção está presente em nosso dia a dia de diversas maneiras. Atitudes como furar fila, colar na prova, estacionar em local proibido ou reservado para idosos ou pessoas com deficiência também são formas de corrupção, portanto, desonestas.

Um dos significados da palavra "corrupção" diz que é o ato de obter vantagem de maneira indevida. Em nossa sociedade, ela não está restrita ao governo. Temos razão quando reprovamos políticos corruptos, pois não podemos aceitar esse tipo de atitude de nossos governantes. Entretanto, se praticamos infrações como a do tio Arthur, por exemplo, não seríamos também, de certa forma, corruptos?

Nesse sentido, o papel da educação é fundamental. Além de não praticar e não apoiar atos de corrupção, é preciso debater constantemente o assunto, de modo que fique claro para todos quanto esses atos são danosos para a nossa sociedade.

Carro estacionado de maneira irregular em vaga reservada para idosos, em Petrolina (PE). Foto de 2016.

- A corrupção na política brasileira está relacionada ao costume de não condenar atos desonestos no dia a dia, os quais muitas vezes são considerados inofensivos. Você concorda com essa afirmação? Com o auxílio do professor, debata essa questão com seus colegas de sala e depois produzam um texto coletivo sobre o que foi debatido.

Atividades

Organizando o conhecimento

1. Quais eram os principais desafios a serem enfrentados pelos governantes do Brasil quando a ditadura civil-militar chegou ao fim?

2. Qual era a situação econômica do Brasil no período de volta à democracia? Como o governo reagiu a essa situação, em 1985?

3. A Constituição de 1988 é também chamada de "Constituição Cidadã". Cite quatro características dessa Constituição que justifiquem esse título.

4. Quais motivos levaram Fernando Collor a sofrer um processo de *impeachment*? Explique como isso ocorreu.

5. Explique a situação econômica do Brasil durante a implantação do Plano Real.

6. Quais foram as principais consequências da implantação do Plano Real?

7. Cite alguns dos programas sociais que foram implantados nos governos de FHC, Lula e Dilma Rousseff. Em sua opinião, qual a importância desses programas?

Conectando ideias

8. Analise o esquema e responda às questões.

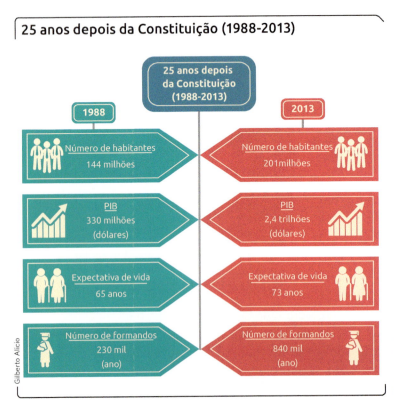

Fonte: Carlos Emílio Gomes (Coord.). *A Constituição de 1988, 25 anos*: a construção da democracia & liberdade de expressão: o Brasil antes, durante e depois da Constituinte. São Paulo: Instituto Vladimir Herzog, 2013. p. 147.

a) Qual é o tema principal tratado no esquema? Comente as informações apresentadas.

b) Qual dos dados mais chamou a sua atenção? Por quê?

c) Quais foram as mudanças em relação à expectativa de vida dos brasileiros?

d) Em sua opinião, como as medidas promulgadas na Constituição de 1988 se relacionam com os dados apresentados no esquema? Exponha sua argumentação em um breve texto.

9. Leia e compare os dois textos apresentados a seguir. O texto **A** contém a opinião de um jornal de grande circulação no país. O texto **B** contém a opinião do economista Samy Dana. Depois, responda às questões.

Texto A

A mais recente Síntese de Indicadores Sociais do IBGE mostra que os brasileiros mais pobres dependem cada vez mais dos programas de transferência de renda. [...] O Bolsa Família representa hoje a maior parte dos ganhos de uma parcela significativa da população. O programa — que deveria ser temporário e servir apenas como uma forma de auxiliar os beneficiários em sua luta para sair da miséria — consolidou-se como a base de sobrevivência dessas famílias, pois a renda do trabalho, quando existe, é insuficiente, e não há perspectivas de que essa situação mude num futuro previsível. Esses brasileiros se tornaram, portanto, clientes permanentes de favores do Estado.

[...]

A dependência do Bolsa Família. *Estadão*. 29 dez. 2014. Opinião. Disponível em: <http://opiniao.estadao.com.br/noticias/geral,a-dependencia-do-bolsa-familia-imp-,1613043>. Acesso em: 19 jul. 2018.

Texto B

[...]

Para se ter uma ideia, em 10 anos de Programa temos alguns números: O índice da população vivendo em situação de pobreza extrema caiu de 12% (2003) para 4,8% (2008). 27,9 milhões de pessoas superaram a pobreza e 35,7 milhões ascenderam para classes sociais mais elevadas. A taxa de analfabetismo e frequência na escola caiu drasticamente, bem como a mortalidade infantil.

Portanto, muito mais do que uma simples quantia em dinheiro, é uma maneira barata do governo de levar educação e saúde básica a grande parte da população de baixa renda.

[...]

Samy Dana. Bolsa Família. Ajudando o Brasil que você não conhece... *Folha de S.Paulo*. 24 maio 2013. Folhapress. Caro dinheiro. Disponível em: <https://carodinheiro.blogfolha.uol.com.br/2013/05/24/bolsa-familia-ajudando-o-brasil-que-voce-nao-conhece/>. Acesso em: 19 jul. 2018.

a) Qual texto apresenta a opinião de que os beneficiários do Bolsa Família se tornaram dependentes do programa? Qual é o argumento utilizado para sustentar essa ideia?

b) Para o economista Samy Dana, o Bolsa Família é "muito mais do que uma simples quantia em dinheiro". Por quê?

c) Com base no que você estudou até agora, qual a sua opinião sobre os programas de transferência de renda? Explique.

CAPÍTULO 15

O mundo contemporâneo

Vimos no capítulo **9** que a União Soviética saiu da Segunda Guerra Mundial (1939-1945) como uma grande potência econômica, liderando o bloco comunista. As intensas rivalidades entre a União Soviética e os Estados Unidos, líder do bloco capitalista, mantiveram a Guerra Fria até o fim da década de 1980, quando o socialismo soviético entrou em colapso.

Fila para comprar pão em Kirov, União Soviética, durante crise econômica. Foto de 1990.

▌A União Soviética

Colapso: perda súbita de poder, queda, ruína.

Expurgar: eliminar, livrar-se de impurezas.

Na União Soviética, a ditadura de Josef Stalin havia promovido grandes avanços em setores como a indústria, a agricultura, a educação e a saúde. Ao mesmo tempo, seu governo foi marcado pelo autoritarismo e pela perseguição e expurgo dos que eram considerados inimigos do regime.

Após a morte de Stalin, em 1953, Nikita Kruschev governou a União Soviética até o ano de 1964. Esse período ficou conhecido como desestalinização do regime, por causa da gradativa abertura política por meio de mudanças, como o fim do trabalho forçado nos *gulags* (campos de trabalho) e a flexibilização da censura.

Kruschev assumiu uma posição crítica em relação à política de Stalin, denunciando as atrocidades cometidas durante seu governo. As revelações sobre a brutalidade do regime stalinista causaram mal-estar entre os países alinhados à União Soviética. Muitos dirigentes retiraram-se do Partido Comunista e passaram a encorajar a libertação de seu país do controle de Moscou.

O Levante da Hungria

Uma das principais manifestações contra o domínio soviético ocorreu na Hungria, em 1956. No chamado Levante da Hungria ou Revolução Húngara, o movimento iniciado em 23 de outubro por estudantes e trabalhadores reivindicava o fim dos abusos autoritários e a democratização do governo.

Esse movimento teve um sucesso inicial, mas logo foi reprimido com grande violência pelas tropas soviéticas. O levante terminou em 10 de novembro, deixando um saldo de milhares de mortos e feridos.

Na foto, húngaros derrubam a estátua de Stalin em Budapeste, durante o Levante da Hungria, em 1956.

Após 1964, a União Soviética passou por um período de estagnação e, sob a liderança de Leonid Brejnev (1906-1982), o regime comunista retomou o controle sobre o bloco soviético. Nesse momento, todas as tentativas de abertura e as tendências liberais por parte dos países alinhados à União Soviética foram reprimidas pelas tropas russas.

Os setores agrícola e industrial soviéticos tiveram baixa produtividade, enquanto a população sofria com a crise de abastecimento de produtos básicos. Ao mesmo tempo, havia gastos excessivos com a produção de equipamentos militares e tecnologia espacial por causa da corrida armamentista, fator que contribuiu para agravar a crise.

As reformas soviéticas

Em 1985, Mikhail Gorbachev assumiu o poder na União Soviética e lançou programas de reformas para modernizar as estruturas políticas e econômicas do país, com o objetivo de superar a crise. Os dois principais programas propostos em 1985 foram a **perestroika** e a **glasnost**.

Na foto, Mikhail Gorbachev em Moscou, União Soviética, na década de 1980.

A *perestroika*

A *perestroika*, que traduzido do russo significa "reestruturação", foi um programa de reformas com o objetivo de diminuir a ação do Estado na economia. Ao permitir maior liberdade econômica, o governo soviético visava, principalmente, ampliar a produtividade e melhorar a qualidade de seus produtos. Esse programa, porém, não alcançou os objetivos esperados, e a população continuou sofrendo com a falta de produtos.

Selos que circularam na União Soviética nos anos 1980, que representam a *perestroika* como um processo de modernização da União Soviética.

A *glasnost*

Já a *glasnost*, que traduzido do russo significa "transparência", tinha como objetivo permitir maior transparência e liberdade política no país. Dessa maneira, uma série de medidas foi tomada, como o fim da perseguição aos opositores do governo, a abolição da censura e a libertação de presos políticos.

O fracasso da *perestroika* e o sucesso da *glasnost* contribuíram para aprofundar a crise na União Soviética. Os problemas econômicos soviéticos tornaram-se cada vez mais graves, e a maior liberdade política permitiu o aumento de críticas e manifestações contra a situação do país.

O fim dos regimes socialistas na Europa Oriental

Entre o final da década 1980 e o início da década de 1990, com o enfraquecimento do poder da União Soviética, diversos países socialistas do Leste Europeu, como a Hungria, a Polônia e a Bulgária, iniciaram um processo de transição para o sistema capitalista. Na maioria dos casos, essa transição ocorreu de maneira pacífica, porém em alguns países, como a Romênia e a Iugoslávia, houve conflitos violentos.

Um dos primeiros países socialistas a fazer a transição para o capitalismo foi a Polônia, com a organização do sindicato Solidariedade, formado por operários e intelectuais.
No final da década de 1980, o Solidariedade liderou uma série de greves, forçando o governo polonês a reconhecer as reivindicações dos trabalhadores e a legalidade da organização, que se tornou um partido político de grande expressão na defesa da abertura política e econômica no país. Na foto ao lado, passeata liderada pelo Solidariedade em Gdansk, na Polônia, em 1987.

A queda do Muro de Berlim

Um dos maiores símbolos da Guerra Fria, o Muro de Berlim, na Alemanha, separava a cidade em dois lados: o lado Ocidental, capitalista, e o lado Oriental, comunista, como visto no capítulo **9**.

A repercussão das reformas e das mobilizações ocorridas na União Soviética encorajou a organização de manifestações na Alemanha Oriental no fim da década de 1980, pedindo a reunificação do país e o retorno à democracia.

Em novembro de 1989, a população forçou a abertura das fronteiras e começou a derrubar o Muro. No ano seguinte, a Alemanha foi reunificada sob um regime democrático de governo.

Alemães comemoram a queda do Muro de Berlim, em frente ao portão de Brandemburgo, em foto de 1989.

O fim da União Soviética

Sem perspectiva de conseguir reverter a crise, em dezembro de 1991, os dirigentes soviéticos anunciaram o fim da União Soviética. Sua queda representou o término da Guerra Fria e da divisão do mundo em duas grandes áreas de influência. Assim, os Estados Unidos tornaram-se a única superpotência econômica e militar do planeta, ampliando sua política imperialista e intervencionista em muitos outros países.

Na foto, Boris Iéltsin acena para a multidão em Moscou, após se tornar o primeiro presidente da Rússia depois do fim da União Soviética, em 1991.

O mundo após a Guerra Fria

Aos poucos, no entanto, durante as décadas de 1990 e 2000, configurou-se uma nova organização política e econômica mundial. O comércio entre países do mundo todo aumentou, permitindo mais agilidade nas transações comerciais e financeiras, o que contribuiu para uma integração cada vez maior dos mercados. Por outro lado, a supremacia estadunidense perdeu parte de sua força com o crescimento econômico de repúblicas como a China e de blocos econômicos como a União Europeia.

> **União Europeia:** bloco econômico atualmente formado por 28 países europeus.

Além disso, foram criados blocos econômicos em outras regiões, como na América Latina, com o Mercado Comum do Sul (Mercosul), formado em 1991 por Brasil, Argentina, Uruguai e Paraguai, além da Venezuela, a partir de 2012.

Conflitos separatistas

Com a queda do socialismo na Europa, diversas repúblicas alinhadas à União Soviética iniciaram um processo de transição, em busca da independência política e econômica. Um dos casos mais conhecidos ocorreu na Iugoslávia, que tinha em seu território uma população de várias etnias e crenças religiosas. Tratava-se de uma federação socialista formada por seis repúblicas: Sérvia, Croácia, Macedônia, Eslovênia, Montenegro e Bósnia e Herzegóvina.

Com a morte do governante socialista da Iugoslávia, Josip Broz Tito, em 1980, a rivalidade entre os países da federação se intensificou. Os primeiros países a declararem independência foram a Eslovênia, a Croácia e a Macedônia, em 1991.

No entanto, o presidente da Sérvia, Slobodan Milosevic, que desejava manter a integridade da Iugoslávia, reagiu militarmente contra eslovenos e croatas, dando início a uma sangrenta guerra civil, envolvendo outras repúblicas iugoslavas e provocando a morte de centenas de milhares de pessoas. No final dos conflitos, os países que formavam a Iugoslávia tornaram-se independentes.

Vukovar, cidade da Croácia, após bombardeio feito pela aviação iugoslava, em foto de novembro de 1991.

O mundo globalizado

> **Interdependência:** dependência mútua, recíproca.

De acordo com historiadores e sociólogos, atualmente vivemos em um novo período da História contemporânea, marcado pela **globalização**. O conceito de globalização, utilizado para analisar as relações de interdependência política e econômica entre os países, adquiriu maior importância após o fim da União Soviética.

Nesse contexto, os sistemas capitalistas se expandiram, atingindo regiões antes dominadas pelo socialismo, iniciando uma integração global, intensificada pelo desenvolvimento tecnológico e pela expansão das redes de transporte e de telecomunicações.

Desse modo, o mundo globalizado é caracterizado pela expansão e compartilhamento de informações, pelo grande volume de transações econômicas e pelo intercâmbio cultural entre diferentes países.

Com a globalização, atualmente é possível conhecer e vivenciar aspectos de outros países e culturas, como culinária, arte, religião, etc. Acima, cena da animação *A viagem de Chihiro*, do diretor Hayao Miyazaki, feita no Japão em 2001 e divulgada em diversos países.

Os efeitos da globalização

Muitos especialistas acreditam que, de modo geral, o processo de integração global gera riquezas para os países desenvolvidos; no entanto, os resultados desse processo atingem de maneira desigual a população mundial.

A integração econômica entre os países, proporcionada pela globalização, possibilitou uma expansão das empresas de caráter multinacional, que aumentaram seu mercado, muitas vezes formando grandes monopólios. Essa situação gera problemas como a concentração de renda em determinados setores da sociedade, provocando a elevação da desigualdade social.

Até mesmo nos países considerados desenvolvidos encontram-se grupos marginalizados, formados por desempregados e trabalhadores informais, que possuem pouco ou nenhum acesso às vantagens da globalização.

O processo de globalização também aumentou os fluxos migratórios. Nos países mais desenvolvidos, a chegada de muitos imigrantes vindos de países pobres ou em conflito fortaleceu a xenofobia, principalmente de grupos de extrema-direita. Nessa foto, vemos um desses grupos em Berlim, em 2018, protestando contra a entrada de imigrantes árabes na Alemanha.

A revolução digital

Ainda durante o período da Guerra Fria, principalmente a partir da década de 1960, teve início um intenso desenvolvimento de tecnologias de transmissão de dados e de informações a longas distâncias. No final do século XX, os computadores se popularizaram e houve o advento da rede mundial de computadores, a **internet**.

Essa integração dos usuários em uma rede de compartilhamento de informações foi um dos maiores passos para a efetivação da **revolução digital**, que alterou profundamente a forma como muitas pessoas se comunicam no dia a dia e impulsionou a globalização.

No ano de 2014, parte considerável da população mundial já possuía acesso à internet, que alcançou aproximadamente 3 bilhões de usuários. No Brasil, conforme pesquisas realizadas pelo Instituto Brasileiro de Geografia e Estatística (IBGE), em 2015, mais da metade da população utilizava a internet regularmente. O acesso à internet por meio de dispositivos móveis, como *smartphones* e *tablets*, permitiu a inclusão de cidadãos que antes não usavam a rede em seu domicílio. Embora esse dado seja expressivo, ele indica que ainda há muita desigualdade social e grandes desafios para a inclusão digital no país.

Mundo conectado

A ampliação do acesso à internet e às novas tecnologias fez que o mundo ficasse cada vez mais conectado. Atualmente, com o acesso à rede, é possível a comunicação por meio de vídeos, áudios e mensagens instantâneas entre pessoas em várias partes do mundo, permitindo novos tipos de interações sociais.

Além disso, algumas sociedades que antes eram consideradas isoladas passaram a ter mais contato com a tecnologia, podendo, assim, expressar-se e compartilhar informações sobre sua cultura para um público mais amplo. Alguns povos indígenas que vivem no Brasil, por exemplo, desenvolvem *sites* com o objetivo de divulgar seus conhecimentos e expor suas ideias.

A revolução digital é o processo de alteração do nosso dia a dia pela introdução das novas tecnologias. Ultimamente, alguns estudiosos têm alertado para o uso exagerado de computadores, *smartphones* e *tablets*. Esse excesso estaria criando uma dependência nos usuários. Além disso, esses recursos tecnológicos, ao invés de aproximar, estariam afastando as pessoas. O que você pensa sobre isso? Acima, foto atual de pessoas usando *smartphones*.

Lançado em 2016, o jogo gratuito *Huni Kwin*: os caminhos da jiboia é um projeto desenvolvido por uma equipe de pesquisadores em parceria com indígenas Kaxinawá. Esse jogo possibilita conhecer histórias, mitos, cantos e rituais pertencentes à riqueza cultural indígena da Amazônia. Disponível em: <http://linkte.me/fj140>. Acesso em: 15 nov. 2018.

O Marco Civil da Internet

A Lei n. 12 965/14, conhecida como o Marco Civil da Internet, tem a função de regular o uso da internet ao estabelecer garantias, princípios, direitos e deveres em sua utilização no Brasil, como a questão da privacidade e dos dados pessoais dos usuários.

De acordo com essa lei, a internet é considerada um instrumento fundamental no exercício da liberdade de expressão. Assim, desde que esse assunto começou a ser discutido, em 2009, houve um debate público a respeito do tema, envolvendo sociedade civil, empresas e representantes de diferentes áreas do conhecimento. Esse debate originou o projeto de lei que, após algumas modificações, resultou no Marco Civil como ele foi aprovado.

Popularização da rede

Além de regulamentar o uso da rede para cidadãos e empresas, o Marco Civil ainda prevê como governos e Estado devem contribuir para a expansão e para o uso da internet, com o objetivo de diminuir as desigualdades sociais e de promover a produção e a circulação de conteúdos criados no país. Além disso, governos devem priorizar tecnologias de formatos abertos e livres e a criação de centros de armazenamento de dados no país, entre outras iniciativas.

A volta ao debate

A lei foi sancionada pela então presidente Dilma Rousseff em 23 de abril de 2014 e começou a vigorar em junho do mesmo ano. Diversos temas que dizem respeito aos direitos e deveres de usuários, empresas e governos foram decididos com a sanção do Marco Civil. Entre eles, alguns dos temas mais importantes são a liberdade de expressão e a privacidade dos usuários.

> Sancionar: nesse caso, aprovar uma lei.

Liberdade de expressão

O Marco Civil garante a todos a liberdade de expressão na internet. Desse modo, os usuários têm o direito de expressar suas opiniões e ideias na rede sem serem censurados, e são eles os responsáveis pelas publicações que fazem, e não os provedores que abrigam tais conteúdos. No entanto, quando determinada publicação tiver seu conteúdo considerado ofensivo por alguém, pode ser retirada da internet por meio de ordem judicial para que seja feita a comprovação ou não da ofensa.

Ficou decidido, porém, que existem exceções, como em casos de racismo, de violência ou de outros conteúdos que infrinjam a lei, cujas postagens poderão ser excluídas sem a necessidade do acionamento da justiça.

Privacidade dos usuários

Foi regulamentado pelo Marco Civil que os provedores não podem fornecer dados e informações dos usuários sem o consentimento e a autorização deles.

Dessa forma, empresas que vendem essas informações para fins de publicidade podem ser investigadas e até mesmo punidas.

Proteção de dados pessoais

Apesar de a lei do Marco Civil já ter entrado em vigor, alguns pontos ainda necessitam de uma regulamentação mais precisa, como a questão da proteção dos dados pessoais, pois essa lei atua apenas no ambiente da internet. Quando uma pessoa preenche um cadastro em uma loja física ou on-line, por exemplo, ela passa seus dados (CPF, RG, número de telefone, etc.) para determinada empresa, e uma das falhas da legislação brasileira é que ainda não há uma lei especificando o que essa empresa pode ou não fazer com tais dados.

Assim, foram disponibilizadas, no início de 2015, novas plataformas para debates e participação popular com o objetivo de criar leis para proteger o cidadão do uso inadequado de informações pessoais.

Comemoração da aprovação da Lei do Marco Civil da Internet no plenário do Senado, em Brasília (DF), em foto de 2014.

▎ O terror global

Alguns grupos extremistas religiosos adotam medidas radicais e tentam impor suas ideias por meio da violência e da luta armada. Atualmente, alguns grupos extremistas religiosos do Oriente Médio passaram também a ser influenciados por um sentimento de oposição aos valores ocidentais, decorrente da política imperialista de domínio à qual muitos ainda estão submetidos.

▎ O problema do terrorismo

Uma das medidas radicais empreendidas por esses grupos fundamentalistas é o ataque terrorista. O terrorismo ocorre quando há uso da violência para intimidar uma população ou governo para atingir objetivos políticos. Esses atos terroristas têm a finalidade de gerar grande repercussão na mídia e chamar a atenção do maior número possível de pessoas para as causas defendidas por esses grupos.

Os grupos terroristas desenvolvem suas ações por meio de sequestro, extrema violência e agressão moral. Um dos episódios de ataque terrorista mais marcante ocorreu no dia 11 de setembro de 2001, quando aviões sequestrados pela organização fundamentalista islâmica Al Qaeda foram jogados contra as duas torres do World Trade Center, um importante centro econômico e empresarial estadunidense, localizado em Nova York. Enquanto isso, outro avião sequestrado atingiu o Pentágono, próximo a Washington, sede do Departamento de Defesa dos Estados Unidos.

▎ Os ataques de 11 de setembro de 2001 causaram a morte de cerca de 3 mil pessoas e feriram outras 6 mil. Na foto, momento da explosão das chamadas torres gêmeas do World Trade Center, em Nova York, Estados Unidos.

Os Estados Unidos e a guerra ao terror

Depois dos atentados de 2001, o então presidente dos Estados Unidos, George W. Bush, fez um anúncio que ficou conhecido como "declaração de guerra ao terrorismo", adotando uma política de combate aos grupos terroristas. Diversos países europeus também aderiram a essa política, como a Alemanha e o Reino Unido.

A partir de então, medidas de vigilância e de monitoramento de estrangeiros foram intensificadas, principalmente em aeroportos e nas fronteiras desses países. Além disso, nos Estados Unidos, os serviços de inteligência ampliaram a supervisão da própria população estadunidense.

Atualmente, muitas pessoas são contrárias a esse controle rigoroso, pois afirmam que sua liberdade civil acaba comprometida.

Uma das consequências do combate estadunidense ao terrorismo foi a propagação do estereótipo de terrorista à população islâmica de forma geral. Na charge ao lado, produzida em 2011, por Carlos Latuff, vemos uma mão estadunidense segurando as torres gêmeas, como se fossem uma caneta, e desenhando um alvo em cada um dos membros de uma família islâmica, identificados por meio das roupas que estão vestindo.

Charge de Carlos Latuff. *Opera Mundi*. Disponível em: <http://operamundi.uol.com.br/conteudo/opiniao/17321/charges+dez+anos+do+11+de+setembro.shtml>. Acesso em: 2 maio 2016.

Os conflitos no Afeganistão e no Iraque

Em outubro de 2001, com a justificativa de que a organização islâmica Al Qaeda recebia apoio do Afeganistão, os Estados Unidos invadiram o país e depuseram o regime fundamentalista Talibã, que comandava a região.

Em 2003, o governo estadunidense liderou, mesmo sem o aval da ONU, a invasão do Iraque, com a alegação de que o país, além de apoiar grupos fundamentalistas, também possuía armas de destruição em massa. O líder iraquiano Saddam Hussein foi preso e condenado à morte em 2006, e nenhuma arma de destruição em massa foi encontrada no país.

Aval: apoio, aprovação.

A intervenção militar estadunidense no Afeganistão e no Iraque provocou destruição e trouxe grandes prejuízos à população desses países. Na foto, soldados estadunidenses patrulham as ruas de um bairro de Bagdá, no Iraque, em 2008.

A União Europeia

Moeda de um euro.

Vimos que após a Guerra Fria formaram-se diversos blocos econômicos no mundo globalizado. A União Europeia (UE), atualmente, é o mais importante deles, reunindo alguns dos países de maior economia do mundo, como a Alemanha e a França. Sua formação ocorreu em 1992 e teve como base a integração de blocos econômicos existentes no continente desde o final da Segunda Guerra Mundial, como a Comunidade Europeia do Carvão e do Aço (CECA) e a Comunidade Econômica Europeia (CEE).

Um dos principais objetivos da UE é promover o livre comércio entre seus países-membros. A abolição de taxas alfandegárias facilita a circulação de mercadorias dentro do bloco. Além disso, a UE permite a livre circulação de pessoas entre os países-membros. A partir de 2002, a UE adotou uma moeda única, o **euro**, utilizada pela maioria dos países do bloco.

Fonte: Fabio Volpe (Ed.). *Almanaque Abril 2015.* São Paulo: Abril, 2015. p. 363.

Europa em crise

▶ **Taxa alfandegária:** imposto cobrado sobre produtos importados e exportados.

▶ **Medida de austeridade:** medida que visa diminuir com rigor os gastos públicos.

A partir de 2010, alguns países-membros da UE, como Portugal, Itália, Grécia e Espanha, entraram em uma crise econômica, considerada uma consequência da crise financeira mundial que começou nos Estados Unidos em 2008. Essa crise fez vários bancos estadunidenses decretar falência, causando forte impacto no mercado financeiro. Como os Estados Unidos são grandes consumidores no mercado global, muitos países europeus também foram afetados por esse desequilíbrio econômico.

O caso mais grave ocorreu na Grécia, que não conseguiu pagar parte de suas dívidas. A crise gerou recessão econômica e elevou o desemprego. Inicialmente, para contornar esse período, o governo grego adotou medidas de austeridade, como o aumento de impostos e o corte de gastos com serviços públicos e programas sociais. A população grega reagiu à adoção dessas medidas, organizando protestos pedindo a renegociação das dívidas do país.

Imigrantes na Europa

Em meio à crise financeira, atualmente a UE ainda enfrenta outro desafio, que é lidar com a chegada de grande número de imigrantes ao continente.

Por diferentes motivos, como a desigualdade existente entre países ricos e pobres, além de guerras no país onde vivem, muitas pessoas migram para a Europa em busca de melhores condições de vida.

A partir de 2015, por exemplo, milhares de sírios têm migrado para o continente europeu para escapar da guerra civil travada em seu país. No entanto, por causa das dificuldades da viagem, muitos deles morrem antes mesmo de chegar ao seu destino. Entre os imigrantes que conseguem chegar, muitos ainda enfrentam outros problemas, como o desemprego e a discriminação.

Imigrantes sírios chegam ao território grego navegando em botes infláveis, em foto de 2015.

Xenofobia e intolerância

Com a crise econômica, houve um crescimento da xenofobia na Europa. Diversos casos de violência e discriminação contra estrangeiros ocorreram nos últimos anos.

Alguns grupos radicais, muitos deles identificados com o neonazismo, não aceitam a imigração de pessoas de culturas diferentes. Esses grupos, assim como partidos políticos de extrema-direita, culpam os imigrantes pela crise e por outros problemas, como o desemprego e a criminalidade.

No entanto, apesar da intolerância desses grupos, diversos países europeus têm recebido os imigrantes, integrando-os à sociedade sem prejuízos à sua economia.

Pessoas se manifestando contra o neonazismo, a xenofobia e o racismo, em Cracóvia, Polônia. Na faixa, escrita em polonês, lê-se a frase: "Nacionalismo não é patriotismo". Foto de 2017.

227

A América Latina no século XXI

Durante a primeira década do século XXI, de modo geral, os países da América Latina passaram por um período de desenvolvimento social e crescimento econômico, principalmente após o ano de 2003.

Um dos crescimentos mais marcantes nesse sentido ocorreu na Venezuela durante o governo de Hugo Chávez, entre os anos de 1999 e 2013. Em parte, seu governo foi caracterizado pelo aumento da presença do Estado na economia e no desenvolvimento de programas sociais para redução da pobreza em seu país.

Chávez nacionalizou, ou seja, tornou público, empresas privadas que exploravam setores estratégicos, como petrolíferas, siderúrgicas, elétricas e de telecomunicações. Essas medidas afastaram investidores estrangeiros e desagradaram algumas superpotências, principalmente os EUA.

Embora Hugo Chávez seja lembrado por suas políticas nacionalistas de combate à pobreza, ele também é visto por muitos como um ditador, com um governo marcado pela centralização do poder, pela perseguição aos seus opositores e pela censura aos meios de comunicação.

Outros países da América Latina, como Argentina, Chile e Brasil, iniciaram governos caracterizados como centro-esquerda, ou esquerda moderada, no início do século XXI.

Esses governos foram marcados principalmente pela busca do equilíbrio entre a realização de políticas sociais e a boa relação com os setores neoliberais, compostos principalmente pelas elites industriais e empresariais, com destaque para o agronegócio.

Nesse sentido, ao mesmo tempo em que esses governos promoviam programas de combate à pobreza e às desigualdades sociais, favoreciam também as elites, oferecendo-lhes subsídios, isenção de impostos, renegociação ou perdão de dívidas, entre outros, visando também atrair investidores e o capital estrangeiro, promovendo, assim, o desenvolvimento econômico na região.

Chefes de Estado da América Latina posam para foto durante a 29ª Cúpula do Mercosul (Mercado Comum do Sul), em Montevidéu, Uruguai. Foto de 2005.

A produção de *commodities* e as bolsas de valores

Na lógica econômica contemporânea, os preços das matérias-primas de exportação são estipulados antes mesmo de elas serem transformadas em mercadoria, nas chamadas bolsas de valores, onde as negociações de compra e venda ou oferta e procura são mediadas e seu preço é estipulado.

Por serem produtos procurados por indústrias de todo o mundo, produzidos em larga escala e com determinados padrões de qualidade, essas matérias-primas são chamadas de *commodities*, palavra da língua inglesa que significa mercadorias.

No início do século XXI, houve uma grande procura de *commodities* para abastecer as indústrias de outros países, principalmente da Europa e dos EUA. Esse contexto favoreceu os países latino-americanos produtores de *commodities*.

Trabalhadores na Bolsa de Valores de Nova York, Estados Unidos, uma das principais instituições financeiras do mundo. Foto de 2018.

A crise econômica

Apesar do desenvolvimento econômico e social alcançado pelos países latino-americanos, no final da primeira década do século XXI, apareceram os primeiros sinais de crise, iniciada já nos EUA desde 2008.

Países importadores europeus e os EUA passaram a comprar menos matéria-prima, prejudicando a principal atividade econômica da América Latina, a exportação de produtos agrícolas (soja, milho, trigo, cana-de-açúcar, etc.), e de produtos minerais (carvão, minério de ferro, petróleo, etc.).

Colheita de soja em propriedade agroexportadora em Formosa do Rio Preto (BA). Foto de 2017.

O aumento dos problemas sociais

Com a sua principal atividade econômica prejudicada, vários países latino-americanos entraram em crise.

De modo geral, sem capital, muitos investimentos na área social foram reduzidos ou cortados, prejudicando a população mais pobre, gerando grande insatisfação. As elites também se sentiram prejudicadas, pois, com a queda do poder de consumo da população em geral, muitas empresas e indústrias passaram a produzir e vender menos.

Assim, os governos de centro-esquerda ou de esquerda moderada passaram a sofrer cada vez mais críticas, principalmente dos setores mais ricos da sociedade e da classe média.

A crise política e econômica na Venezuela

Embora o fenômeno da crise econômica e política tenha atingido toda a América Latina de modo geral, um dos países que mais sofreu com essa situação foi a Venezuela.

O sucessor de Hugo Chávez, Nicolás Maduro, não conseguiu atenuar os efeitos da crise. A principal *commodity* produzida na Venezuela era o petróleo, que apresentou preços muito baixos durante seu governo. Leia o texto a seguir.

> [...]
> Cinco anos depois [da morte de Hugo Chávez], venezuelanos enfrentam uma situação complicada. Nos mercados, faltam alimentos, produtos de higiene e remédios. A inflação se encontra acima de 800% ao ano, aumentando o preço de insumos básicos, quando esses conseguem ser encontrados. As ruas se enchem de uma oposição cada vez mais radical, que encontra uma resposta igualmente radical por parte do governo do Partido Socialista Unido da Venezuela (PSUV), já há 18 anos no poder.
> [...]
>
> Entenda a crise na Venezuela que provocou forte onda migratória ao Brasil. *O Povo Online*, Fortaleza, 5 mar. 2018. Disponível em: <https://www.opovo.com.br/noticias/mundo/2018/03/entenda-a-crise-na-venezuela-que-provocou-onda-migratoria-ao-brasil.html>. Acesso em: 25 jul. 2018.

Esse contexto de crise gerou, na Venezuela, e em outros países da América Latina, uma situação de grande insatisfação popular, e de polarização política, uma vez que permitiu o fortalecimento da oposição, formada por partidos de centro direita e direita, dividindo a população entre apoiadores e opositores do governo.

Pessoas se manifestando contra o governo de Nicolás Maduro, em Caracas, Venezuela. Na faixa, escrita em espanhol, lê-se a frase: "Nosso silêncio é um grito de rebeldia". Foto de 2017.

Atividades

Organizando o conhecimento

1. Quais os objetivos do governo soviético ao criar, em 1985, os programas conhecidos como *perestroika* e *glasnost*?

2. Relacione o processo de crise e decadência do regime soviético com a queda do Muro de Berlim.

3. Explique o que é a globalização e comente suas principais consequências.

4. Qual é a importância do Marco Civil da Internet?

5. Escreva um breve texto sobre a "guerra ao terror", liderada pelos Estados Unidos.

Conectando ideias

6. Observe a manchete, a foto e o trecho apresentados abaixo. Depois, responda às questões.

Parar a islamofobia

Devemos trabalhar juntos para evitar o ódio e a incompreensão

El País. 25 ago. 2017. Disponível em: <https://brasil.elpais.com/brasil/2017/08/24/opinion/1503594162_742992.html>. Acesso em: 15 ago. 2018.

Islamofobia: aversão às pessoas da religião islâmica.

Pessoas se manifestam contra a islamofobia em Granada, Espanha em 2017.

[...] A transformação da paisagem política se acelerou a partir do fim da Guerra Fria, como se a vida pública de um país precisasse de um adversário que lhe servisse de contraste, e, após o desaparecimento do rival comunista, a população devesse fixar seus medos, suas inquietações ou suas rejeições em outro grupo qualquer. Serão os estrangeiros, sobretudo se forem muçulmanos, a provocar impulsos de xenofobia e islamofobia. O imigrado, personagem multiforme, veio ocupar o lugar da ameaça ideológica anterior.

[...]

Tzvetan Todorov. *Os inimigos íntimos da democracia*. Tradução de Joana Angélica d'Avila Melo. São Paulo: Companhia das Letras, 2012. p. 153.

a) Qual é a relação entre a manchete, a foto e o trecho?

b) Em sua opinião, como o preconceito contra diferentes povos pode ser combatido?

7. A revolução digital alterou profundamente o modo como interagimos com as tecnologias. Sobre esse tema, leia o texto e analise a tirinha a seguir, buscando relacioná-los. Depois, responda às questões.

> [...]
> O que se pode dizer em relação ao computador é que ele passou a ser usado constantemente, não apenas durante o trabalho, mas em casa por horas a fio. Às vezes, a digitação é feita de forma obstinada e compulsiva, numa postura inadequada, o que pode certamente gerar problemas musculoesqueléticos e de fadiga.[...]
>
> L.E.R. (Lesão por Esforço Repetitivo). *Drauzio Varella*, 28 set. 2018. Disponível em: <http://drauziovarella.com.br/entrevistas-2/l-e-r/>. Acesso em: 19 maio 2018.

Tira de Jean Galvão, publicada na revista *Recreio*, São Paulo, Abril, n. 433, jun. 2008.

a) Explique a relação que você fez entre o texto e a tira.

b) De acordo com o autor do texto, quais são as consequências do uso excessivo ou inadequado do computador?

c) Descreva a situação representada na tira e explique a ironia presente nela.

d) Você passa muito tempo em frente ao computador, ou utilizando *tablets* ou *smartphones*? Costuma se preocupar com sua postura corporal quando se encontra nessas situações? Converse com os colegas e reflita sobre o tema.

8. Leia as informações a seguir e, no caderno, copie somente as frases corretas. Em seguida, corrija as frases incorretas.

a) Alguns grupos fundamentalistas religiosos adotam medidas radicais, tentando impor suas ideias por meio da violência e da luta armada.

b) Após os atentados de 11 de setembro de 2001, o então presidente dos Estados Unidos, George W. Bush, adotou uma política de conciliação, buscando o diálogo e a paz com os grupos terroristas.

c) Uma das consequências do combate estadunidense ao terrorismo foi a propagação do estereótipo de terrorista à população islâmica de forma geral.

d) A política imperialista dos EUA com relação aos países do Oriente Médio gerou, ao longo do tempo, influências positivas que levaram muitos grupos fundamentalistas islâmicos a reproduzirem os valores ocidentais.

9. Analise os gráficos a seguir e, depois, responda às questões.

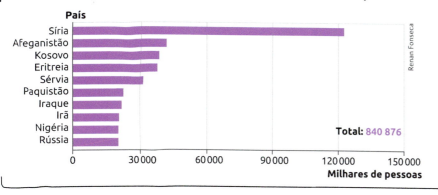

Fonte: Eurostat Newsrelease. Disponível em: <http://ec.europa.eu/eurostat/documents/2995521/8754388/3-20032018-AP-EN.pdf/50c2b5a5-3e6a-4732-82d0-1caf244549e3>. Acesso em: 5 nov. 2018.

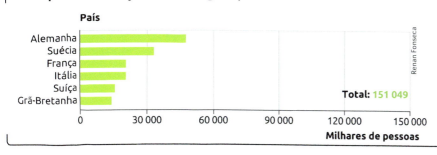

Fonte: Eurostat Newsrelease. Disponível em: <http://ec.europa.eu/eurostat/documents/2995521/8754388/3-20032018-AP-EN.pdf/50c2b5a5-3e6a-4732-82d0-1caf244549e3>. Acesso em: 5 nov. 2018.

a) Qual é o país com maior número de imigrantes refugiados que pretendiam entrar na Europa?

b) Em um mapa-múndi, identifique os continentes onde se localizam os países apontados no primeiro gráfico.

c) Quais são as principais razões que levam os refugiados a saírem de seu país e irem para os países da União Europeia?

d) Qual foi o país europeu que recebeu o maior número de refugiados em 2014? E o país que recebeu o menor número?

Verificando rota

Qual tema mais chamou sua atenção nesta unidade? Junte-se a um colega e converse sobre isso, apresentando-lhe, de forma resumida, algumas informações a respeito desse assunto. Ouça a explicação sobre o tema escolhido por ele e, depois, conversem sobre as possíveis dúvidas sobre os assuntos abordados.

Para finalizar, procure responder aos seguintes questionamentos.
- Qual é a importância de estudarmos os temas desta unidade?
- Qual tema você teve mais dificuldade em compreender? E qual você teve mais facilidade?
- Você gostaria de buscar em outras fontes de informação mais detalhes sobre algum dos temas estudados? Qual tema?
- Cite três aspectos tratados nesta unidade que podem ser relacionados diretamente ao seu cotidiano. De que forma eles se relacionam?

Ampliando fronteiras

Refugiados e deslocados internos

São consideradas **refugiadas** as pessoas que deixam seu país por motivos de guerra, de violação de direitos humanos, de catástrofes naturais, de violência generalizada ou de perseguições religiosas, étnicas e políticas. Nessas mesmas condições, existem pessoas que deixam seu local de residência, mas que se mantêm em seu país, formando o grupo dos **deslocados internos**.

Os refugiados e os deslocados internos muitas vezes vivem em condições precárias, em campos improvisados ou em alojamentos. Alguns se integram à economia local e conseguem trabalho. No entanto, grande parte deles sofre preconceito e xenofobia.

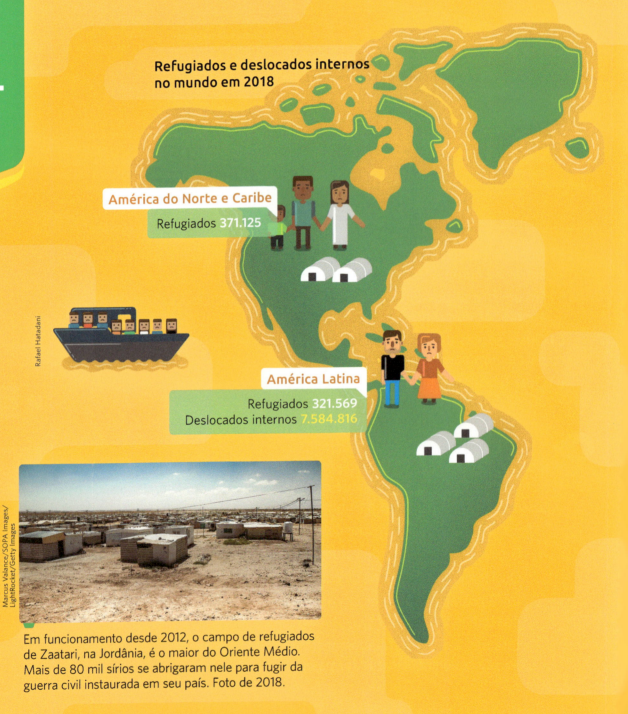

Refugiados e deslocados internos no mundo em 2018

América do Norte e Caribe
Refugiados 371.125

América Latina
Refugiados 321.569
Deslocados internos 7.584.816

Em funcionamento desde 2012, o campo de refugiados de Zaatari, na Jordânia, é o maior do Oriente Médio. Mais de 80 mil sírios se abrigaram nele para fugir da guerra civil instaurada em seu país. Foto de 2018.

1. Analise o mapa e identifique as regiões que possuem mais refugiados e mais deslocados internos.

2. Ao deixarem sua residência de maneira forçada, quais as dificuldades sofridas pelos refugiados e pelos deslocados internos?

3. Em sua opinião, é importante auxiliar essas pessoas a se integrarem nos novos países ou regiões? De que maneira?

4. Em duplas, escolham uma das regiões apontadas no mapa e produzam uma reportagem sobre a condição de vida de um refugiado. Para isso:

- pesquisem em jornais, revistas ou na internet um relato no qual o refugiado apresente sua situação de vida no país de origem e de destino;
- utilizem mapas, imagens e boxes informativos na reportagem;
- reúnam sua reportagem com as demais da turma e montem um dossiê para ser divulgado aos outros colegas da escola.

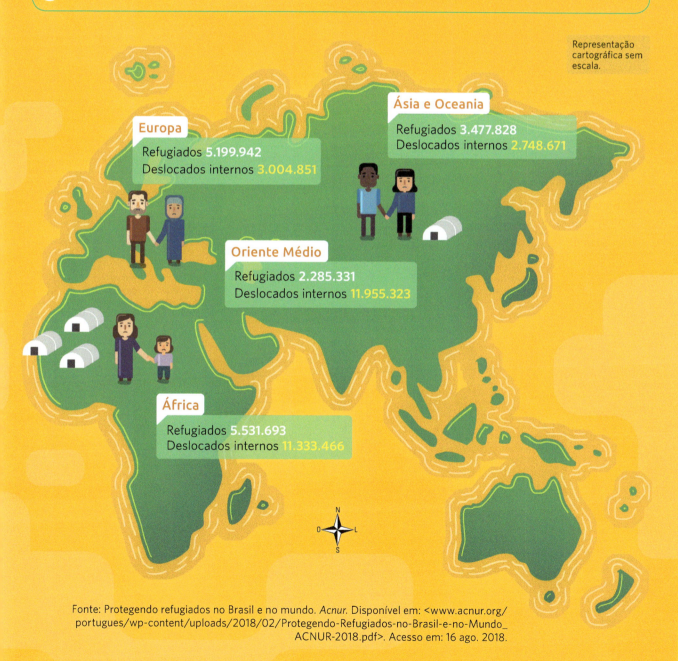

Representação cartográfica sem escala.

Europa
Refugiados 5.199.942
Deslocados internos 3.004.851

Ásia e Oceania
Refugiados 3.477.828
Deslocados internos 2.748.671

Oriente Médio
Refugiados 2.285.331
Deslocados internos 11.955.323

África
Refugiados 5.531.693
Deslocados internos 11.333.466

Fonte: Protegendo refugiados no Brasil e no mundo. Acnur. Disponível em: <www.acnur.org/portugues/wp-content/uploads/2018/02/Protegendo-Refugiados-no-Brasil-e-no-Mundo_ACNUR-2018.pdf>. Acesso em: 16 ago. 2018.

UNIDADE

8

Os desafios do mundo contemporâneo

Capítulos desta unidade
- **Capítulo 16** - Por um futuro melhor
- **Capítulo 17** - Meio ambiente, qualidade de vida e sustentabilidade

Iniciando rota

1. Quais são as reivindicações das pessoas que participam dessa manifestação? Como você chegou a essa conclusão?
2. Você conhece pessoas que já foram vítimas de discriminação? Comente.
3. Quais grupos sociais sofrem discriminação no Brasil? Em sua opinião, por que isso ocorre?

Na foto, mulheres de todo o Brasil participam da Marcha das Mulheres Negras Contra o Racismo, a Violência e pelo Bem Viver. Brasília (DF), em 2015.

237

CAPÍTULO 16
Por um futuro melhor

Como vimos na unidade **7**, a democracia é uma conquista recente da história do Brasil. A participação política e a conquista de direitos é um processo que se constrói cotidianamente, e a garantia da cidadania depende da ação dos diversos sujeitos históricos. Portanto, ainda há muito pelo que lutar e para se conquistar.

As desigualdades no Brasil

Questões como as desigualdades econômicas e sociais ainda prejudicam grande parte da população brasileira. Veja, a seguir, alguns dos principais problemas que constituem as desigualdades sociais no Brasil.

Má distribuição de renda

No Brasil, as primeiras medidas de enfrentamento da pobreza foram implantadas no início da década de 1990 por meio de programas de transferência de renda. A partir de 2001, esses programas foram ampliados e tornaram-se mais expressivos.

O crescimento econômico e os programas federais de transferência de renda contribuíram para que 25 milhões de pessoas deixassem de viver em condição de pobreza extrema entre os anos de 2001 e 2013, de acordo com estudos do Banco Mundial. Apesar desses resultados, aproximadamente 20 milhões de brasileiros ainda viviam em condição de extrema pobreza em 2013.

De acordo com o IBGE, dados da Pesquisa Nacional por Amostra de Domicílios Contínua (PNAD Contínua), divulgados em 2018, mostraram que, em 2017, a massa de rendimento domiciliar *per capita* do país foi de cerca de 263 bilhões. Desse total, 43,3% estavam concentrados nas mãos de 10% da população mais rica, ou seja, com os maiores rendimentos.

Leia o texto a seguir e observe a representação do gráfico:

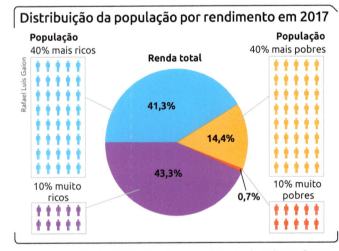

Fonte: PNAD Contínua: rendimento de todas as fontes 2017. *Agência IBGE Notícias*. p. 6. Disponível em: <https://agenciadenoticias.ibge.gov.br/media/com_mediaibge/arquivos/acfb1a9112a9eceedc4ea612d5aaf848.pdf>. Acesso em: 6 nov. 2018.

[...]

Se todas as pessoas que têm algum tipo de rendimento no Brasil recebessem o mesmo valor mensal, ele seria de R$ 2.112, mas não é isso que acontece. A metade dos trabalhadores com menores rendimentos recebe, em média, R$ 754, enquanto o 1% com os maiores rendimentos ganha, em média, R$ 27.213, ou seja, 36,1 vezes mais.

[...]

Marcelo Benedicto e Mônica Marli. 10% da população concentram quase metade da renda do país. *Agência IBGE Notícias*, Rio de Janeiro, 11 abr. 2018. Disponível em: <https://agenciadenoticias.ibge.gov.br/agencia-noticias/2012-agencia-de-noticias/noticias/20844-10-da-populacao-concentram-quase-metade-da-renda-do-pais.html>. Acesso em: 26 jul. 2018.

O problema do desemprego

Grande parte da população brasileira pobre ou extremamente pobre sofre com a falta de recursos básicos nas áreas da saúde, da educação, da moradia, entre outras.

Nos últimos anos, o aumento do desemprego no país vem gerando muita preocupação, principalmente após a crise econômica de 2008, que afetou países de todo o mundo. A diminuição do crescimento econômico foi um dos fatores que ocasionaram a redução da oferta de vagas de emprego e as demissões em diversos setores, principalmente na indústria.

No Brasil, o desemprego atinge uma parcela significativa da população. Conforme dados do IBGE, no primeiro trimestre de 2018, a taxa de desemprego era de 13,1% entre a População Economicamente Ativa (PEA).

Para garantir a sobrevivência, inúmeras pessoas recorrem ao trabalho informal, sem registro na carteira de trabalho. Dessa forma, muitos direitos, como férias remuneradas ou salário mínimo, não são garantidos ao trabalhador. Na foto, barraca de vendedor ambulante em São Paulo (SP), no ano de 2017.

A educação

Embora tenha ocorrido elevação do número de crianças frequentando a escola na última década, ainda há muito o que ser feito pela educação no Brasil. Várias medidas são necessárias, como o aumento nos investimentos em infraestrutura das escolas e a melhoria da remuneração e das condições de trabalho dos professores.

Uma das principais formas de solucionar os problemas relacionados ao desemprego é desenvolver melhorias na área da educação, com a garantia de escolas públicas de qualidade e a oferta de programas de atualização profissional.

A educação de qualidade ainda possibilita que crianças e adolescentes desenvolvam noções de respeito, de tolerância e de valorização da diversidade. Isso é imprescindível para a superação de outros problemas graves atuais em nossa sociedade, como o preconceito e a discriminação.

Na foto, professores da rede municipal fazem manifestação em São Paulo (SP), em 2018, exigindo mais investimentos na educação e melhores condições de trabalho.

Preconceito e intolerância

No Brasil, são muitos os problemas sociais a serem enfrentados, como visto anteriormente. Além disso, há ainda outros problemas que devem ser combatidos por toda a sociedade, como o preconceito e a intolerância, os quais provocam situações de racismo, de homofobia e de violência, tanto verbal, quanto psicológica ou física.

Preconceito, a base do racismo

De acordo com a Constituição de 1988, o racismo é considerado um crime inafiançável e imprescritível, ou seja, não há possibilidade de alívio da pena, e o autor do crime pode ser punido pelo Estado a qualquer tempo.

A herança cultural do escravismo continua sendo bastante forte no nosso país, ainda que em alguns momentos ela seja velada. Passados quase 130 anos após o fim da escravidão, a população afro-brasileira ainda sofre com os problemas decorrentes do racismo, como a discriminação, a desigualdade social e econômica e a violência.

Na foto, família de ex-escravizados na cidade do Rio de Janeiro (RJ), no início do século XX. Após a abolição da escravidão, em 1888, não houve nenhum plano de inclusão social e econômica dos ex-escravizados. Assim, a maior parte da população afrodescendente, além da discriminação e do racismo, não teve acesso à educação e a boas oportunidades de trabalho.

Dados atuais

A discriminação pode ser percebida claramente por meio da análise de dados estatísticos. Embora pouco mais da metade da população brasileira seja formada por pessoas que se autodeclaram negras (pretas ou pardas), ainda há grandes diferenças, por exemplo, no nível de instrução. De acordo com pesquisas do IBGE, em 2015, o percentual de pessoas negras com idade entre 18 e 24 anos que frequentavam ou concluíram o ensino superior era de 12,8%, o que equivale a menos da metade dos jovens brancos com a mesma oportunidade, que eram 26,5%.

Em 2016, de acordo com o IBGE, entre as pessoas com os 10% de menores rendimentos, os negros eram 78,5%.

> Reflita sobre os anúncios publicitários em jornais, revistas e outros meios de comunicação. Em quantos deles aparecem pessoas negras? Por que você acha que isso acontece? Converse com os colegas.

Lutas e conquistas

Atualmente, muitos grupos e organizações do Movimento Negro promovem campanhas para combater o racismo, a discriminação e a intolerância, por meio de projetos de inclusão social, da organização de eventos para a conscientização e a promoção da cultura africana e afro-brasileira, entre outras medidas.

Uma organização de forte atuação na atualidade é o **Geledés Instituto da Mulher Negra**, criado em 1988 e que desenvolve projetos com a intenção, entre outras propostas, de valorizar a cultura afro-brasileira e de combater o racismo, o preconceito contra mulheres negras e a exclusão.

Ativistas do Movimento Negro Larissa Santiago, Ana Flávia Magalhães Pinto, Sueli Carneiro e Angélica Basthi durante debate sobre a condição da mulher negra no Brasil realizado no Festival Latinidades, em Brasília (DF), em 2016.

O sistema de cotas

Para combater as desigualdades sociais, o governo federal sancionou em 2012 a Lei n. 12 711, conhecida como **Lei de Cotas**, que garante vagas nas universidades e nos concursos públicos para grupos sociais vulneráveis, entre eles, estudantes pobres, oriundos de escolas públicas, além de estudantes negros e indígenas.

O sistema de cotas, como é chamado, seria uma medida temporária com o objetivo de corrigir as desigualdades que atingem os grupos discriminados historicamente.

Em 2015, de acordo com dados da Secretaria Especial de Políticas de Promoção da Igualdade Racial (Seppir), em três anos, a Lei de Cotas ofertou aproximadamente 150 mil vagas para pessoas negras em cursos superiores.

Apesar dos avanços obtidos, o sistema de cotas ainda gera bastante polêmica, pois muitas pessoas são contrárias e resistem à medida, argumentando, por exemplo, que esse sistema reforça o preconceito nas universidades.

Desigualdade entre homens e mulheres

Em nossa sociedade, milhares de pessoas de diferentes idades sofrem constantemente preconceito e discriminação relacionados ao gênero, nos mais diversos espaços. Por isso, o debate sobre essas questões é uma importante forma de combater os problemas gerados pela desigualdade de gêneros.

Um dos movimentos cuja principal bandeira é o combate à desigualdade de gêneros é o **feminismo**, que luta pela liberdade e pela igualdade de direitos entre homens e mulheres no Brasil e no mundo.

No Brasil, os movimentos feministas garantiram muitos avanços, como o direito das mulheres ao voto, obtido em 1932. No entanto, ainda existem grandes desafios na luta pela igualdade de direitos, como a disparidade salarial. De acordo com dados do IBGE de 2016, as mulheres recebem cerca de 25% a menos que os homens de mesma idade e nível de instrução.

Violência contra a mulher

A Central de Atendimento à Mulher – Ligue 180 foi criada em 2005. De acordo com o Balanço Anual de 2016, foram realizados aproximadamente 1 milhão e cem atendimentos, uma média de 3 mil por dia. Desde a criação do serviço até 2016, foram realizados quase 6 milhões de atendimentos.

Durante muito tempo, a diferença de gêneros foi marcada pela hierarquia, pelo poder ou pela dominação de um gênero sobre o outro. As relações de gênero construídas historicamente no Brasil e em diversas partes do mundo deram aos homens grande poder sobre as mulheres, até mesmo justificando-se os atos de violência praticados contra elas.

Atualmente, a violência contra a mulher é reconhecida como um grave problema social. No Brasil, a cada ano aumentam as denúncias de casos de agressões contra as mulheres, com os agressores sendo, na maioria das situações, pessoas próximas às vítimas, como maridos e namorados.

Um marco na defesa das mulheres contra a violência foi a aprovação da Lei n. 11340, a **Lei Maria da Penha**, em 7 de agosto de 2006, por meio da qual são considerados crimes todos os tipos de violência contra a mulher (física, verbal, psicológica, entre outras situações). A violência contra a mulher é uma grave violação aos direitos humanos.

Manifestantes durante ato de repúdio à violência contra as mulheres, em São Paulo (SP). Foto de 2016.

Intolerância religiosa

Outro problema que deve ser combatido pela sociedade brasileira é a intolerância religiosa, como a que afeta os seguidores das diversas religiões de matriz africana no país, entre elas, o candomblé e a umbanda.

A intolerância religiosa, que pode ser manifestada por meio de violência física ou psicológica, muitas vezes leva as pessoas que professam tais religiões a se isolar ou até mesmo a negar sua identidade cultural para se protegerem.

Para combater a intolerância religiosa, é necessário que todos compreendam a religião como um aspecto cultural importante para muitas pessoas, e que a negação ou a proibição das expressões religiosas fere o princípio constitucional de liberdade de culto.

Caminhada em defesa da liberdade religiosa realizada na cidade do Rio de Janeiro (RJ), em 2017.

Homofobia

Homofobia é um dos termos utilizados para se referir ao preconceito e à aversão aos grupos inseridos na sigla LGBT (Lésbicas, Gays, Bissexuais, Travestis, Transexuais e Transgêneros). Embora a Constituição brasileira apresente como objetivo promover o bem de todos, sem qualquer tipo de preconceito ou discriminação (Art. 3º), não há uma legislação específica para tratar casos de homofobia no país.

Casos de discriminação e violência motivados por homofobia ainda ocorrem com frequência no Brasil. De acordo com diversas pesquisas, o país é um dos que registram maior número de crimes homofóbicos no mundo. Dessa maneira, para combater esses problemas, grupos e organizações ligados ao Movimento LGBT buscam promover campanhas de conscientização contra a intolerância e organizam eventos e manifestações exigindo respeito, liberdade e segurança.

Debate sobre direito LGBT realizado durante o 13º Seminário LGBT do Congresso Nacional, em Brasília (DF), em 2016.

A luta dos povos indígenas

Desde o início da colonização do território brasileiro, no século XVI, os indígenas resistiram contra o extermínio, a escravização, a expropriação de suas terras, entre outras formas de violência praticadas contra eles.

O direito à terra

Por meio da Constituição de 1988, os indígenas tiveram o reconhecimento, por lei, do direito à terra, na extensão e nas condições necessárias para a manutenção de seus costumes e de seu modo de vida.

Além disso, a Constituição reconheceu o direito dos povos indígenas de manter sua própria organização social, sua língua, seus costumes, suas crenças e suas tradições.

No início do século XX, as terras tradicionalmente ocupadas pelos povos indígenas eram consideradas públicas pelo governo. Muitas foram vendidas ou doadas a fazendeiros posteriormente, gerando diversos conflitos com os indígenas, que eram obrigados a se mudar para outros locais ou acabavam sendo mortos.

As Terras Indígenas

Atualmente, as chamadas Terras Indígenas (TIs) são reconhecidas, demarcadas e regularizadas pelo governo federal. No entanto, apesar de ser um direito garantido por lei, muitas vezes os indígenas têm de lutar para que ele seja cumprido. As TIs são constantemente alvos de invasores, como de fazendeiros que não reconhecem seus limites territoriais, ou de madeireiros que extraem ilegalmente os seus recursos naturais.

As Terras Indígenas no Brasil (2016)

Fonte: Beto Ricardo e Fany Ricardo (Ed.). *Povos indígenas do Brasil*: 2011-2016. São Paulo: Instituto Socioambiental, 2017. s. p.

244

As condições de vida

Atualmente, há muitas populações indígenas que sofrem outros problemas, como fome e diversas doenças. De acordo com dados fornecidos pela Fundação Nacional de Saúde (Funasa), em 2010, quase metade das crianças indígenas sofria com a anemia. Além disso, foram apresentados altos índices de mortalidade infantil: aproximadamente 42 a cada mil crianças morreram antes de completar 1 ano de idade. Por outro lado, a Secretaria Especial de Saúde Indígena (Sesai) tem registrado alguns avanços importantes na saúde da população indígena. A maior atuação nas aldeias, além de medidas de saneamento ambiental, foram fatores que contribuíram para a redução da mortalidade infantil. Entre os anos de 2016 e 2017, a mortalidade infantil caiu de 33,26 para 29,53 a cada mil nascidos.

A educação indígena e a valorização da cultura

Entre os fatores que ajudam a promover melhorias nas condições de vida das populações indígenas no Brasil, estão a educação e o reconhecimento de sua cultura.

Um dos resultados da luta dos povos indígenas por direitos foi a garantia a uma educação específica, que atenda às necessidades de cada povo. Muitas aldeias possuem escolas onde o ensino é bilíngue, ou seja, feito na língua portuguesa e na língua tradicional de cada povo.

Além disso, o calendário do ano letivo nessas escolas é flexível, para que atividades escolares não interfiram nos eventos tradicionais ou nas festas religiosas, por exemplo. Atualmente, existem mais de 3 mil escolas indígenas em todo o Brasil.

A demarcação das TIs e a existência de escolas indígenas são importantes exemplos da luta pela conquista de direitos, pela dignidade e pela preservação da cultura dos povos indígenas no Brasil.

Alunos do povo Guarani Mbya estudando na Escola Municipal Indígena Guarani *Poty Nhe Ja*, em Maricá (RJ). Foto de 2018.

Nos meses de outubro e novembro de 2015, realizou-se a primeira edição dos Jogos Mundiais dos Povos Indígenas, em Palmas (TO). Nesse evento, reuniram-se indígenas de diversas etnias do Brasil e do mundo para participarem de jogos tradicionais, promovendo a integração e a valorização da cultura de diversos povos indígenas durante a cerimônia de abertura dos Jogos.

A luta dos quilombolas

Semelhantemente à situação dos povos indígenas, as comunidades quilombolas também lutam historicamente para garantir seus direitos à terra, à liberdade, à manutenção de seu estilo de vida e cultura tradicionais.

Presentes no território desde o período colonial, diversos povos africanos foram trazidos à força para trabalhar como escravizados nas lavouras de cana e, posteriormente, nas fazendas de café e em outras atividades urbanas, sofrendo com as injustiças da escravidão: longas jornadas de trabalho, castigos físicos e psicológicos, má alimentação, separação de suas famílias, entre outras.

Desde que foram escravizados, esses povos e, depois, os seus descendentes, lutaram e resistiram contra essa situação das mais diversas formas, pelo embate físico com seus escravizadores, promovendo revoltas, pelas fugas individuais ou coletivas para os quilombos, pela redução do ritmo de trabalho e, em condições extremas, até o suicídio.

Após séculos de luta e resistência, os escravizados conquistaram a liberdade, que foi oficializada pela Lei Áurea, assinada em 1888, no entanto, desde então, a luta e a resistência continuam.

A conquista de direitos na atualidade

Atualmente, um dos principais símbolos da resistência das comunidades afrodescendentes é a luta pela demarcação dos territórios remanescentes de quilombos. Isso porque eram nesses espaços que os grupos de africanos e afrodescendentes viviam e conviviam de acordo com suas tradições e modo de vida.

Os atuais habitantes dos quilombos, descendentes de africanos e afrodescendentes, são conhecidos como quilombolas e, assim como seus antepassados, continuam a luta por direitos e pela liberdade.

As escolas quilombolas são uma das conquistas das comunidades quilombolas. Nessas instituições, são valorizados e respeitados elementos de suas culturas e história, de modo a combater os problemas que ainda permanecem, como o racismo e o preconceito.
Ao lado, foto da Escola Municipal Nossa Senhora Aparecida, no quilombo Catitu do Meio, em Berilo (MG). Foto de 2018.

Quem são os quilombolas?

Você sabe quem pode ser considerado quilombola na atualidade? O texto a seguir apresenta uma definição acerca dos quilombolas, também conhecidos como remanescentes de quilombo.

[...]

Os remanescentes de quilombo são definidos como grupos étnico-raciais que tenham também uma trajetória histórica própria, dotado de relações territoriais específicas, com presunção de ancestralidade negra relacionada com a resistência à opressão histórica sofrida, e sua caracterização deve ser dada segundo critérios de autoatribuição atestada pelas próprias comunidades [...].

Territórios remanescentes de quilombos. *Instituto Socioambiental*. Disponível em: <https://uc.socioambiental.org/territ%C3%B3rios-de-ocupa%C3%A7%C3%A3o-tradicional/territ%C3%B3rios-remanescentes-de-quilombos>. Acesso em: 30 jul. 2018.

Um direito garantido por lei

O direito à posse da terra pelas comunidades quilombolas já era garantido pela Constituição Federal de 1988, no entanto, ainda assim, muitos territórios de quilombos eram ocupados ou invadidos por fazendeiros e madeireiros, por exemplo, que não respeitavam os limites do território e prejudicavam a população quilombola.

Somente em 2003, com o Decreto Federal n. 48878 que se estabeleceu um procedimento sistemático para a identificação, o reconhecimento, a delimitação, a demarcação e a titulação das terras quilombolas.

Quantos são? Onde estão?

Atualmente, existem cerca de 2500 comunidades quilombolas no Brasil, que foram certificadas pelo órgão responsável do governo federal, a Fundação Cultural Palmares, criada em 1988 com o intuito de promover e preservar a cultura afro-brasileira. Observe o mapa a seguir.

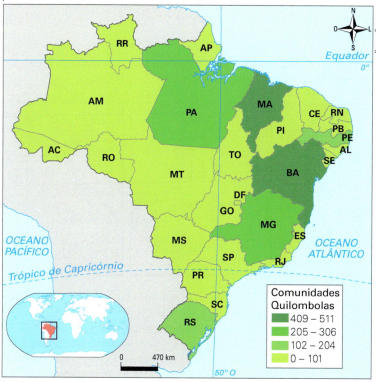

Comunidades quilombolas certificadas pela Fundação Palmares – 2018

Fonte: Certidões expedidas às comunidades remanescentes de quilombos. *Fundação Cultural Palmares*. Disponível em: <http://www.palmares.gov.br/wp-content/uploads/2016/06/COMUNIDADES-CERTIFICADAS.pdf>. Acesso em: 6 nov. 2018.

Para investigar

As tiras e os debates da atualidade

As tiras são um tipo de história em quadrinhos, normalmente em formato de uma faixa horizontal, veiculadas em diversos meios, como jornais, revistas e internet.

Muitas tiras abordam os problemas e os desafios do mundo atual, trazendo uma reflexão por meio da crítica, do humor e da ironia. Com a utilização de poucos quadros, organizados em uma sequência de ação, é apresentada determinada situação que tem o desfecho no último quadro. Observe a análise das tiras a seguir.

No primeiro quadro, somos apresentados a uma situação na qual o amigo afirma que Armandinho (chamado de "Dinho") corre igual "menininha".

No segundo quadro, Armandinho agradece o comentário, entendendo-o como um elogio.

Alexandre Beck. *Armandinho*. Disponível em: <http://tirasarmandinho.tumblr.com/post/105304896009/tirinha-original>. Acesso em: 6 nov. 2018.

Alexandre Beck/Acervo do artista

Armandinho, de cabelos azuis, é a personagem principal desta tira.

No último quadro, o artista buscou ironizar comentários machistas, que desvalorizam as mulheres, e finalizou a história com Armandinho elogiando sua amiga (Fê), assumindo uma postura humilde, seguindo a lógica estabelecida no segundo quadro.

Esta tira faz parte de uma série identificada como: "Os ricos se divertem". A personagem principal chama-se Jonas.

No primeiro quadro, Jonas faz um comentário racista, questionando o garçom sobre a presença de uma família afrodescendente no hotel.

André Dahmer. *Malvados*. Disponível em: <www.malvados.com.br/tirinha1390.gif>. Acesso em: 6 nov. 2018.

André Dahmer/Acervo do artista

Depois, o garçom tenta justificar a presença da família ao afirmar que eles pagaram a hospedagem e, portanto, têm o direito de estar ali.

No último quadro, Jonas mantém seu posicionamento racista ao afirmar que a família afrodescendente só está ali por ter dinheiro. Nesse desfecho, o artista mostrou a ironia da situação, pois fica implícito que Jonas é rico e dá bastante valor ao dinheiro, mas utiliza esse argumento para desvalorizar o direito do outro.

Na página anterior, vimos duas tiras que abordam o machismo e o racismo, respectivamente. Essas e outras questões do mundo contemporâneo podem aparecer nas tiras. Temas relacionados ao meio ambiente, à desigualdade social, ao contexto político e econômico e ao cotidiano de modo geral são alguns exemplos de abordagem desses recursos.

Analise a tira a seguir e responda às questões.

Alexandre Beck. *Folha de S.Paulo*, 10 out. 2015. Folhinha, p. 7.

1. Quem é a personagem principal dessa tira?

2. Descreva o que acontece nos quadros **1**, **2** e **3**.

3. Identifique o assunto que foi abordado pelo artista e em qual das frases isso fica mais evidente.

4. De acordo com o contexto da tira, explique a fala inicial do adulto no primeiro quadro.

5. Transcreva a fala que faz referência à disseminação do preconceito por diversos meios da sociedade.

6. Leia as frases a seguir sobre o papel das tiras na atualidade. Depois, transcreva-as no caderno, corrigindo as incorretas.

  a) As tiras são um recurso ultrapassado, que só abordam temas de outras épocas e não estabelecem relação com o tempo presente.

  b) Os artistas aproveitam para discutir temas polêmicos e levantar reflexões atuais por meio das tiras.

  c) As tiras são veiculadas em meios de comunicação que atingem grande parte da população, como a internet.

  d) O humor e a ironia são elementos que não aparecem nas tiras.

Atividades

Organizando o conhecimento

1. O que você entendeu sobre a má distribuição de renda? Como esse problema afeta a população brasileira na atualidade?

2. Como é possível combatermos o preconceito e a intolerância? Cite um exemplo que você estudou no capítulo.

3. Explique o que é homofobia. Por que esse é um tema que vem sendo bastante discutido no Brasil e no mundo?

4. Qual é a importância da demarcação das Terras Indígenas? Comente sobre o assunto.

Conectando ideias

5. Analise a charge abaixo e depois responda às questões.

Angeli. *Folha de S.Paulo*, São Paulo, 6 jun. 1990.

a) Descreva as personagens representadas na charge do artista brasileiro Angeli. O que elas estão fazendo?

b) Qual o principal problema social que pode ser identificado por meio da charge? Explique como você chegou a essa resposta.

c) Quais têm sido os meios utilizados no Brasil para combater o problema social destacado na charge?

d) Identifique a data de publicação dessa charge. Em sua opinião, a crítica feita pelo artista é válida na atualidade? Por quê? Converse com os colegas e apresente os seus argumentos.

6. Leia e interprete o texto e o gráfico abaixo. Depois, responda às questões.

> [...]
> Art. 2º Toda mulher, independentemente de classe, raça, etnia, orientação sexual, renda, cultura, nível educacional, idade e religião, goza dos direitos fundamentais inerentes à pessoa humana, sendo-lhe asseguradas as oportunidades e facilidades para viver sem violência, preservar sua saúde física e mental e seu aperfeiçoamento moral, intelectual e social.
> [...]
>
> *Presidência da República – Planalto.* Disponível em: <www.planalto.gov.br/ccivil_03/_ato2004-2006/2006/lei/l11340.htm>. Acesso em: 19 jul. 2018.

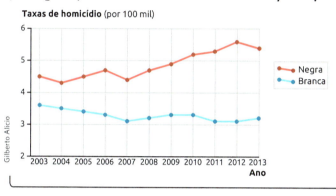

Fonte: Julio Jacobo Waiselfisz. *Mapa da Violência 2015*: homicídio de mulheres no Brasil. p. 36. Disponível em: <www.mapadaviolencia.org.br>. Acesso em: 19 jul. 2018.

a) O artigo citado pertence a uma lei brasileira que combate a violência contra as mulheres. Qual é o nome dessa lei?

b) Quando ela foi aprovada? Qual é a importância dela em nosso país?

c) Analise as informações contidas no gráfico. O que elas indicam?

d) O que podemos afirmar após relacionar o artigo de lei com os dados do gráfico?

e) Em sua opinião, quais problemas sociais geram esses dados apresentados no gráfico? Converse com os colegas.

7. Leia as manchetes abaixo e responda às questões a seguir:

> **Indígenas protestam por demarcação de terras em Brasília**
>
> *CBN*, 26 abr. 2018. Disponível em: <http://cbn.globoradio.globo.com/media/audio/178221/indigenas-protestam-por-demarcacao-de-terras-em-br.htm>. Acesso em: 15 ago. 2018.

> **No Brasil, um milhão de indígenas buscam alternativas para sobreviver**
>
> *Exame*, 19 abr. 2018. Disponível em: <https://exame.abril.com.br/brasil/no-brasil-um-milhao-de-indigenas-buscam-alternativas-para-sobreviver>. Acesso em: 15 de ago. 2018.

a) A qual problema social se referem as duas manchetes?

b) Em sua opinião, o que pode ser feito para solucionar esse problema? Converse com os colegas.

CAPÍTULO 17
Meio ambiente, qualidade de vida e sustentabilidade

Nos dias atuais, a palavra **sustentabilidade** costuma ser bastante empregada, no Brasil e no mundo, tanto nos meios de comunicação como nos variados setores da sociedade. A sustentabilidade consiste em atender ao que é absolutamente necessário para nossa sociedade, causando o mínimo possível de danos ao meio ambiente, conservando os recursos naturais do planeta para que as gerações futuras possam satisfazer suas próprias necessidades. No entanto, a ação humana tem colocado cada vez mais em risco a conservação dos recursos naturais e da biodiversidade de nosso planeta.

▌O aquecimento global

Um dos graves problemas ambientais causados pela ação humana é o aquecimento global. O excesso da emissão de gás carbônico, causada principalmente pela queima de combustíveis fósseis, como petróleo e carvão mineral, e de outros gases poluentes na atmosfera provoca a **intensificação do efeito estufa**, que faz a temperatura média do planeta subir. Observe o esquema abaixo.

O efeito estufa é um fenômeno que ocorre naturalmente na atmosfera. Nele, parte da radiação solar é absorvida pela superfície da Terra, transformada em calor. Uma parte dessa radiação é refletida de volta para o espaço, enquanto outra parte é retida pela atmosfera terrestre. Por causa disso, a Terra mantém uma temperatura média ideal para a vida no planeta.

Atualmente, com a grande quantidade de gases de efeito estufa emitidos na atmosfera pelas atividades humanas, uma menor quantidade de radiação é refletida de volta para o espaço, enquanto uma parte maior fica retida na atmosfera. Isso intensifica o efeito estufa e pode estar relacionado com o aumento da temperatura média do planeta.

Ilustrações: Somma Studio

O aquecimento global pode causar graves consequências, como o derretimento das geleiras, que provoca desequilíbrio ambiental e aumento do nível dos oceanos. Além disso, pode causar o excesso de chuvas e tempestades em algumas regiões, provocando alagamentos e grandes estragos; e a falta de chuvas em outras, acarretando dificuldades econômicas e sociais para os habitantes desses lugares.

A produção de resíduos

Tudo o que consumimos causa algum tipo de impacto sobre o ambiente. Qualquer produto necessita de recursos do planeta para ser produzido, seja ele industrializado ou não.

Além de serem feitos com a utilização de recursos naturais, os produtos que consumimos geram resíduos que, se não forem reciclados, ou descartados de forma correta, podem permanecer na natureza por centenas de anos. Encontrar um destino correto para os resíduos que produzimos é um desafio para nossa sociedade.

Veja as principais etapas do **processo de reciclagem** do plástico.

Criança deposita resíduo de plástico em cesto de coleta seletiva, na cidade de São Paulo (SP). Foto de 2016.

Os resíduos passam pela triagem, onde são separados. Na foto, esteira de triagem de resíduos recicláveis na cidade de São José dos Campos (SP), em 2015.

No final do processo, os grãos de plástico podem ser transformados em diversos objetos. Acima, cadeiras feitas de plástico reciclado. Foto de 2016.

Na usina, o plástico é higienizado, reciclado e transformado em grãos, prontos para receber uma nova forma. Na foto, usina de reciclagem de plástico em Manaus (AM), em 2010.

Depois da triagem, o plástico é prensado para ser enviado à usina de reciclagem. Na foto, plástico prensado na cidade de Lagoa Santa (MG), em 2015.

Outra alternativa que pode amenizar o problema da produção de resíduos e seus impactos ambientais é a prática do **consumo consciente**. Ao conhecermos os impactos que nosso consumo causa no ambiente, podemos nos conscientizar e mudar nossos hábitos comprando somente o que realmente necessitamos e buscando fazer com que os produtos adquiridos tenham maior durabilidade, por exemplo.

O consumo consciente deve tornar-se um hábito, pois pequenas transformações no cotidiano de cada um de nós podem ter um grande impacto no futuro de nossa sociedade, garantindo a sustentabilidade do planeta.

A alimentação e a produção de alimentos

Subalimentação: alimentação insuficiente, deficiente.

De acordo com a Organização das Nações Unidas para Alimentação e Agricultura (cuja sigla, em inglês, é FAO), de 2015 para 2016, houve um aumento da subalimentação no mundo, que atingiu 815 milhões de pessoas, o equivalente a 11% da população global (em 2015, eram 777 milhões de subalimentados). A maior parte das pessoas que sofrem por causa da fome encontra-se no sul da Ásia e na África Subsaariana. Entre as causas desse aumento estão situações de conflitos, problemas climáticos, como seca, e crises econômicas que têm atingido diversas regiões.

Novos desafios no Brasil

Desde 1990, a FAO realiza cálculos anuais de pessoas subalimentadas no mundo. Após esses cálculos, é divulgado O Mapa da Fome, que reúne e analisa dados sobre a situação da segurança alimentar da população mundial, fazendo diagnósticos por regiões e países.

Em 2014, o Brasil saiu do Mapa da Fome, ou seja, a fome atingia menos de 5% da população. De acordo com a FAO no Brasil:

> [...]
> Entre as ações que contribuíram para o alcance desse objetivo estão: políticas de segurança alimentar e nutricional como a transferência condicional de renda tendo como exemplos o programa Bolsa Família e o benefício da prestação continuada. Também é importante destacar o apoio à agricultura familiar com ações que visam facilitar o acesso ao crédito, prestar assistência técnica e proporcionar maior segurança aos agricultores familiares.
>
> Brasil em resumo. *FAO no Brasil*. Disponível em: <http://www.fao.org/brasil/fao-no-brasil/brasil-em-resumo/pt/>. Acesso em: 18 ago. 2018.

A crise econômica que atinge o Brasil desde 2014, o aumento do desemprego e o congelamento nos gastos públicos por 20 anos (aprovado pelo governo em 2016), entre outras questões, no entanto, podem fazer com que o Brasil retorne ao Mapa da Fome.

Água e produção de alimentos

Um dos maiores desafios da atualidade é atender à necessidade de se produzir grandes quantidades de alimentos com reduzidos impactos ambientais. Atualmente, cerca de 70% da água doce consumida no mundo é utilizada somente para a agricultura, fato que tem preocupado as autoridades mundiais.

O uso racional da água e políticas de controle dos recursos naturais são importantes para garantir um equilíbrio entre a produção de alimentos e o consumo de água. Devem ser estimuladas novas maneiras de utilização e de reutilização do recurso, como o armazenamento da água da chuva para irrigação, limpeza e higiene.

Irrigação de plantação de feijão em Guaranésia (MG). Foto de 2018.

A expansão da fronteira agrícola

Não é só o uso racional dos recursos hídricos que preocupa os pesquisadores e ecologistas. O avanço da chamada fronteira agrícola, ou seja, das terras cultiváveis para plantio em larga escala, tem gerado conflitos no campo.

Na Região Norte, na Amazônia, por exemplo, muitas terras originalmente ocupadas por povos indígenas, quilombolas e por pequenos produtores agrícolas têm sido invadidas e ocupadas por grandes latifundiários, que utilizam a terra para se dedicar à agricultura monocultora e à criação de gado para exportação.

Esses conflitos pela terra geram desemprego e expulsão dos camponeses de suas terras de origem, chegando a registrar, inclusive, casos de morte por assassinato nesses conflitos.

A necessidade cada vez maior de espaço para o cultivo de produtos para exportação é uma das principais causas para o avanço da fronteira agrícola no Brasil. Ao lado, vista aérea mostrando área da floresta Amazônica devastada para ser usada na agropecuária, em Canarana, Mato Grosso. Foto de 2018.

Desmatamento e desequilíbrio ambiental

O avanço das fronteiras agrícolas gera diversos problemas. Além da violência no campo, outra questão importante é o desmatamento da floresta Amazônica. A necessidade de abrir áreas agricultáveis ou de pasto para pecuária tem levado à diminuição das áreas de floresta.

Esse desmatamento intensifica o desequilíbrio ambiental, prejudicando a fauna, a flora e acabando com os recursos naturais dos quais as comunidades indígenas necessitam para manter o seu modo de vida tradicional.

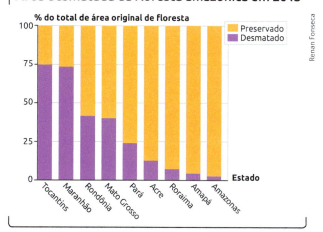

Fonte: Taxas anuais de desmatamento na Amazônia Legal Brasileira (AMZ). *OBT-INPE*. Disponível em: <http://www.obt.inpe.br/prodes/dashboard/prodes-rates.html>. Acesso em: 6 nov. 2018.

O uso de agrotóxicos

O aumento da demanda e a busca por maior lucratividade levam muitos latifundiários a utilizarem uma grande quantidade de agrotóxicos para ampliar a produção agrícola.

Na última década, houve um grande aumento no uso de agrotóxicos. O Brasil, desde o ano de 2009, é responsável pelo consumo de cerca de 20% da produção mundial de agrotóxicos.

Esses dados têm chamado a atenção, pois muitas das substâncias utilizadas na agricultura, apesar de aumentar a produtividade, podem causar problemas na saúde do consumidor. O problema fica ainda maior se comparado aos outros países da Europa, por exemplo, pois muitas das substâncias utilizadas em nosso país são proibidas ou possuem um limite máximo de uso diferente em outros países. Observe o gráfico abaixo.

Limite máximo de resíduos em alimentos na Europa e no Brasil

Alimento	Tipo de agrotóxico	Limite UE	Limite no Brasil	Quantas vezes o limite no Brasil é maior que na UE
Arroz	2,4-D Herbicida	0,10	0,20	2
Milho	Atrazina Herbicida	0,05	0,25	5
Citros	Acefato Inseticida/Acaricida	0,01	0,20	20
Soja	Glifosato Herbicida	0,05	10,00	200
Feijão	Malationa Inseticida/Acaricida	0,02	8,00	400

Fonte: Larissa Mies Bombardi. *Geografia do uso de agrotóxicos no Brasil e conexões com a União Europeia*. São Paulo: FFLCH USP, 2017. p. 251-260.

Os alimentos orgânicos

A produção orgânica de alimentos tem sido uma das principais atividades de pequenos produtores, estimulando também a agricultura familiar. Na foto, agricultores trabalham em plantação de alface orgânica, em Araquari (SC). Foto de 2018.

O uso de agrotóxicos pode gerar diversos problemas de saúde ao consumidor, tanto pela contaminação dos alimentos quanto pela água dos rios, que é contaminada durante o processo de pulverização do agrotóxico na lavoura.

Por isso, cada vez mais pessoas têm procurado o consumo de alimentos orgânicos, ou seja, alimentos produzidos sem o uso de inseticidas ou herbicidas. Além da manutenção da saúde, existem outros benefícios para o consumo do produto orgânico. Os principais, apontados pelo Conselho Brasileiro de Produção Orgânica e Sustentável (Organis), são: melhor sabor dos alimentos e a questão da sustentabilidade, uma vez que o plantio de produtos orgânicos geralmente é feito pelo pequeno produtor e com métodos e recursos que não agridem o ambiente.

Saúde

Nos últimos anos, a medicina teve avanços importantes. Novas vacinas, novos remédios e tratamentos médicos foram desenvolvidos para melhorar as condições de vida e a saúde da população mundial.

No Brasil, principalmente a partir da segunda metade do século XX, alguns fatores foram essenciais nesse avanço, como o uso dos antibióticos, a adoção de medidas preventivas no sistema de saúde pública e a expansão da rede de saneamento básico.

Esses fatores possibilitaram uma redução da taxa de mortalidade e, consequentemente, um aumento da expectativa de vida no país. Dessa forma, nos últimos anos, o número de idosos no Brasil tem crescido, o que exige maior atenção do Poder Público a essa parcela da população.

Um fato que reflete o aumento da expectativa de vida no Brasil é o número de idosos inseridos atualmente no mercado de trabalho. De acordo com dados do IBGE, no ano de 2015 o Brasil tinha aproximadamente 15 milhões de idosos e, entre eles, cerca de 6,5 milhões atuantes no mercado de trabalho.

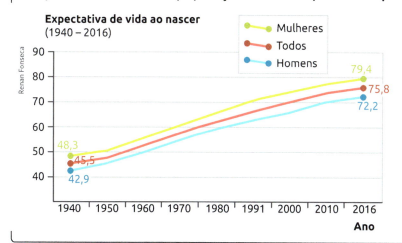

A expectativa de vida da população brasileira (1940-2016)

Fonte: Expectativa de vida do brasileiro sobe para 75,8 anos. *Agência de notícias IBGE*. Disponível em: <https://agenciadenoticias.ibge.gov.br/agencia-noticias/2012-agencia-de-noticias/noticias/18469-expectativa-de-vida-do-brasileiro-sobe-para-75-8-anos>. Acesso em: 6 nov. 2018.

> De acordo com o gráfico e com o texto, qual parcela da população cresceu e tende a aumentar nos próximos anos? Somente a melhoria na área da saúde garante qualidade de vida a essa população? Comente.

Motorista de táxi na cidade de São Paulo (SP). Foto de 2017.

O estatuto do idoso

O crescimento da população acima de 60 anos de idade no Brasil torna cada vez mais necessária a discussão e a aplicação dos direitos dos idosos no país. Para isso, desde 2003 existe uma lei que estabelece esses direitos. A lei abrange aspectos como a proteção, a educação, o trabalho e a habitação dos idosos.

A seguir, você vai conhecer alguns trechos desse regulamento, chamado Estatuto do Idoso.

> **Regulamento:** é um conjunto de regras que tem por objetivo instruir sobre o funcionamento de uma instituição, da sociedade ou de uma parte dela, determinando condutas. Há normas que guiam a elaboração e a redação de leis que fazem parte de um regulamento, as quais são chamadas de técnica legislativa.

LEI N. 10 741, DE 1º DE OUTUBRO DE 2003.

Dispõe sobre o Estatuto do Idoso e dá outras providências.

TÍTULO I

Disposições Preliminares

Art. 1º É instituído o Estatuto do Idoso, destinado a regular os direitos assegurados às pessoas com idade igual ou superior a 60 (sessenta) anos.

Art. 2º O idoso goza de todos os direitos fundamentais inerentes à pessoa humana, sem prejuízo da proteção integral de que trata esta Lei, assegurando-se-lhe, por lei ou por outros meios, todas as oportunidades e facilidades, para preservação de sua saúde física e mental e seu aperfeiçoamento moral, intelectual, espiritual e social, em condições de liberdade e dignidade.

Art. 3º É obrigação da família, da comunidade, da sociedade e do Poder Público assegurar ao idoso, com absoluta prioridade, a efetivação do direito à vida, à saúde, à alimentação, à educação, à cultura, ao esporte, ao lazer, ao trabalho, à cidadania, à liberdade, à dignidade, ao respeito e à convivência familiar e comunitária.

[...]

Idosos durante apresentação de dança na Festa das Cerejeiras, realizada na cidade de São Paulo (SP). Foto de 2016.

TÍTULO II
Dos Direitos Fundamentais
CAPÍTULO I
Do Direito à Vida

Art. 8º O envelhecimento é um direito personalíssimo e a sua proteção um direito social, nos temos desta Lei e da legislação vigente.

Art. 9º É obrigação do Estado, garantir à pessoa idosa a proteção à vida e à saúde, mediante efetivação de políticas sociais públicas que permitam um envelhecimento saudável e em condições de dignidade.

CAPÍTULO II
Do Direito à Liberdade, ao Respeito e à Dignidade

Art. 10º É obrigação do Estado e da sociedade assegurar à pessoa idosa a liberdade, o respeito e a dignidade, como pessoa humana e sujeito de direitos civis, políticos, individuais e sociais, garantidos na Constituição e nas leis.

§ 1º O direito à liberdade compreende, entre outros, os seguintes aspectos:

I – faculdade de ir, vir e estar nos logradouros públicos e espaços comunitários, ressalvadas as restrições legais;

II – opinião e expressão;

III – crença e culto religioso;

IV – prática de esportes e de diversões;

V – participação na vida familiar e comunitária;

VI – participação na vida política, na forma da lei;

VII – faculdade de buscar refúgio, auxílio e orientação.

[...]

Lei n. 10 741, de 1º de outubro de 2003. *Presidência da República - Planalto*. Disponível em: <http://www.planalto.gov.br/ccivil_03/leis/2003/L10.741.htm>. Acesso em: 31 jul. 2018.

Idosas durante atividade de lazer promovida em um centro para idosos, na cidade de São Paulo (SP). Foto de 2016.

1. Você conhecia os direitos tratados no Estatuto do Idoso?

2. Você considera importante a existência de um estatuto que estabelece direitos para os idosos? Por quê?

3. No dia a dia, esses direitos, previstos em lei para os idosos, são praticados? Justifique sua resposta.

Os espaços públicos

Espaços públicos são locais que podem ser compartilhados por toda a população, como parques, praças, ruas e calçadas, e que permitem o convívio entre diferentes pessoas e grupos. Muitos espaços públicos são utilizados para atividades culturais e de lazer, essenciais para a formação e para o compartilhamento da cultura e da identidade de uma localidade.

Ocupação e conservação

Espaços públicos pouco frequentados tendem a ser abandonados e, em muitos casos, depredados. Por isso, a ocupação de praças e quadras poliesportivas, entre outros espaços, ajuda em sua conservação, mantendo elementos como a iluminação e o saneamento do local disponíveis para a população.

Nas últimas décadas, várias pessoas deixaram de frequentar alguns espaços públicos, preferindo opções de locais privados, como os *shopping centers*. Isso ocorreu por diversos motivos, como a segurança que muitos locais privados oferecem e a falta de projetos que promovam atividades e ocupação dos espaços públicos. Além disso, o crescimento mal planejado de algumas cidades faz com que haja uma deficiência de novos espaços públicos, principalmente nas periferias.

Movimentos de ocupação do espaço público

Nos últimos anos, diversos movimentos sociais estão estimulando a construção de praças, jardins, parques, entre outros locais, e revitalizando os espaços públicos já existentes. Na cidade de Curitiba, no Paraná, por exemplo, o movimento social Mobiliza Curitiba lançou, em 2015, a campanha Mapeando Curitiba. Por meio dela, foram identificados vários espaços vazios ou não utilizados na cidade e foram feitas sugestões de ocupação e utilização desses espaços.

Outro exemplo vem da cidade de São Paulo, com o movimento A Batata Precisa de Você, que procura ocupar o largo da Batata, no bairro de Pinheiros. O local era uma grande área pavimentada sem qualquer tipo de aproveitamento. O movimento instalou bancos e plantas no largo e, atualmente, promove diversos eventos culturais, esportivos e educativos. Esse movimento também reivindica investimentos do Poder Público para transformar oficialmente o local em um espaço público de lazer.

Voluntários organizam mutirão para plantar árvores no bairro de Pinheiros, São Paulo (SP). Foto de 2017.

O trânsito nas grandes cidades e a poluição

A frota de automóveis em nosso país tem crescido com bastante rapidez, muitas vezes sem investimentos na infraestrutura necessária para acompanhar esse crescimento. Assim, nas grandes cidades brasileiras, os congestionamentos são um problema constante, fazendo com que milhares de pessoas percam demasiado tempo no trânsito.

Outro grave problema causado pela intensa circulação de automóveis é a poluição do ar. Em algumas cidades, como São Paulo, cerca de 90% dessa poluição é gerada por automóveis, de acordo com os dados apresentados pela Companhia Ambiental do Estado de São Paulo (Cetesb). Diversas doenças são causadas ou agravadas pela poluição do ar. Segundo um levantamento divulgado em 2018 por uma agência da ONU, a Organização Mundial da Saúde (OMS), nove em cada dez pessoas no mundo respiram ar contendo níveis elevados de poluentes. De acordo com essa agência, por ano, são registradas cerca de 7 milhões de mortes no mundo associadas à poluição do ar.

Na foto, congestionamento em avenida de São Paulo (SP), no ano de 2017.

Mobilidade urbana

Garantir um sistema de transporte adequado à população é um dos grandes desafios dos governantes nas cidades brasileiras.

Para haver diminuição da poluição do ar e dos congestionamentos é preciso investir em transporte público de qualidade e em outros meios de transporte alternativos, como a bicicleta.

Em cidades como Curitiba, no Paraná, e Goiânia, em Goiás, experiências com faixas exclusivas para ônibus tiveram bons resultados, mas não foram capazes de resolver todos os problemas de mobilidade.

A mobilidade urbana precisa ser planejada de modo que não privilegie um único meio de transporte, mas estimule o uso de meios alternativos, como a integração entre linhas de ônibus, ciclovias, metrôs e trens, por exemplo.

A acessibilidade

Para que prevaleça o direito de ir e vir dos indivíduos, a mobilidade deve ser garantida a todos, inclusive às **pessoas com deficiência** ou com **mobilidade reduzida** (que precisam de bengalas, de andadores ou de outros suportes para se locomover), proporcionando-lhes acessibilidade, ou seja, possibilidade de acesso e participação na vida social com segurança e autonomia, independentemente de suas condições. Por isso, os espaços públicos devem possuir elementos como calçadas táteis, rampas, elevadores e sinais sonoros para garantir a total mobilidade dessas pessoas.

Criança com deficiência física embarca em ônibus adaptado para cadeirantes. Rio de Janeiro (RJ). Foto de 2016.

A bicicleta como meio de transporte

Você gosta de andar de bicicleta? Costuma usá-la como meio de transporte? O uso da bicicleta para locomoção vem ganhando espaço no Brasil por diversas razões. Podemos citar como exemplo questões ecológicas, econômicas e relacionadas à saúde. Como vimos na unidade **5** deste volume, há anos que se reconhecem os benefícios de seu uso em várias partes do mundo: ela é um veículo ecologicamente correto, pois não gera poluição do ar como os automóveis, e tem um baixo custo de manutenção, sendo uma alternativa econômica de meio de transporte. Ao andar de bicicleta, você também se exercita fisicamente, trazendo benefícios a sua saúde, além de se divertir.

Leia a seguir o relato de Ana Paula Monteiro, moradora da cidade de Brasília, Distrito Federal, que utiliza a bicicleta como meio de transporte e ensina sua filha, Sol, a fazer o mesmo.

[...]

Pedalo diariamente. Vou à faculdade e busco a Sol na escola. [...] Ela adora andar de bicicleta. Largou as rodinhas aos quatro anos. Sempre que possível, pedalamos juntas. [...]

Aproveito esses momentos para ensinar à minha filha a melhor forma de se portar no trânsito, a distância que devemos manter dos carros e o respeito aos pedestres. Quero que a Sol entenda que não precisamos depender do automóvel. E, principalmente, procuro mostrar a ela a grande descoberta que a bicicleta me proporcionou: uma nova perspectiva sobre o tempo e o espaço. Um olhar mais profundo, atento e prazeroso sobre a cidade e as pessoas.

Roberta Faria (Org.). *Eu amo bike*: 50 histórias de quem ama andar de bicicleta. São Paulo: MOL, 2013. p. 31.

Ciclistas promovem passeio para estimular o uso da bicicleta, na cidade de São Paulo (SP). Foto de 2017.

262

Segurança no trânsito

Quando utilizamos a bicicleta, é importante ter atenção em algumas regras para garantir a segurança dos ciclistas, dos pedestres e de todos no trânsito. Leia a seguir recomendações para evitar acidentes.

- Ande sempre no mesmo sentido dos automóveis, nunca na contramão.
- Utilize equipamentos de segurança, como o capacete e a sinalização noturna.
- Faça a manutenção de sua bicicleta regularmente.
- Evite as vias de trânsito rápido e com veículos pesados.
- Preste muita atenção nos cruzamentos.
- Respeite os sinais de trânsito.

Qual a diferença entre ciclovia e ciclofaixa?

Muitas cidades brasileiras possuem ciclovias e ciclofaixas, que proporcionam maior segurança aos ciclistas. Conheça a diferença entre elas.

1 **Ciclovia**: pista destinada exclusivamente à circulação de bicicletas em que há uma separação física, como uma mureta ou meio-fio, em relação ao espaço destinado para os automóveis. Abaixo, ciclovia em Vitória (ES). Foto de 2018.

2 **Ciclofaixa**: pista destinada exclusivamente à circulação de bicicletas demarcada apenas por uma faixa pintada no chão. Abaixo, ciclofaixa na cidade de São Paulo (SP). Foto de 2016.

263

Atividades

Organizando o conhecimento

1. Você considera importante se preocupar com a sustentabilidade do planeta? Por quê?
2. O que você entendeu sobre consumo consciente? Você o pratica? De que maneira?
3. Quais são os problemas relacionados à alimentação no Brasil atualmente?
4. Quais fatores influenciaram a queda da mortalidade e o aumento da expectativa de vida no Brasil? Qual é a principal consequência desse aumento?
5. Que problemas são causados pela excessiva utilização do automóvel como meio de transporte nas grandes cidades brasileiras?
6. Quais são os benefícios de utilizar a bicicleta como meio de transporte?

Conectando ideias

7. Como vimos neste capítulo, cerca de 70% da água doce utilizada em nosso planeta é destinada à agricultura. O gráfico a seguir representa aproximadamente quantos litros de água são necessários para produzir um quilo de cada alimento. Analise os dados do gráfico e depois responda às questões.

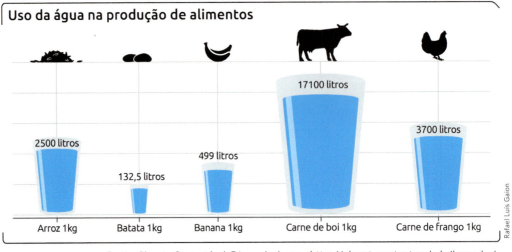

Fonte: *Planeta Sustentável*. Disponível em: <http://planetasustentavel.abril.com.br/download/stand2-painel4-agua-virtual.pdf>. Acesso em: 19 jul. 2018

a) Para a produção de qual dos alimentos representados é utilizada uma maior quantidade de água? E para qual deles é necessária uma menor quantidade de água?

b) De que maneira podemos tentar economizar água ao consumir alimentos?

c) Converse com seus pais ou responsáveis e verifique quais são os alimentos mais consumidos por vocês. Depois, escolha alguns produtos e pesquise em livros, em revistas ou na internet para saber a quantidade de água necessária para a produção deles. Por fim, compare os resultados da sua pesquisa com os dos colegas.

8. Leia o trecho a seguir sobre os impactos causados pelo aquecimento global. Depois, responda às questões.

Os tesouros que o aquecimento global destruirá

A humanidade não terá como salvar todo o legado histórico do planeta que está ameaçado pelo aumento das temperaturas

Se a memória se perder, a história será um relato vazio. Restarão palavras soltas, fios desconexos. A mudança climática ameaça o patrimônio cultural do mundo. Compromete a lembrança e sua narrativa. Nada parece estar a salvo. Sítios arqueológicos, itens enterrados, restos de naufrágios, cidades, cemitérios, castelos, templos. A lista dos lugares em perigo é um catálogo que exibe a potencial destruição cultural do planeta. [...]

[...] No Egito, o templo de Nadura, dentro do oásis de El Kharga, está cada vez mais próximo de se tornar – verdadeiramente – uma ruína. As altas temperaturas, os fortes ventos e a abrasão deterioraram quase metade de sua estrutura. "Se a perda continuar nesse ritmo, as inscrições, os símbolos e os hieróglifos desaparecerão completamente em 2150", advertiu em uma entrevista recente Hossam Ismael, professor de climatologia da Universidade de Assiut (Egito).

[...]

Miguel Angel García Vega. Os tesouros que o aquecimento global destruirá. *El País*, 7 jun. 2018. Disponível em: <https://brasil.elpais.com/brasil/2018/05/30/ciencia/1527693564_365205.html>. Acesso em: 30 ago. 2018.

a) De acordo com o texto, o que a mudança climática está ameaçando?
b) O texto cita exemplos de locais que podem não estar a salvo. Quais são eles?
c) O que aconteceu com o templo de Nadura, no Egito?
d) O que o professor de climatologia Hossam Ismael advertiu sobre o possível futuro do Egito?

Verificando rota

Você considera importante estudarmos os assuntos apresentados nesta unidade? Escolha um dos temas pelo qual você mais se interessou e produza uma lista com os tópicos que chamaram a sua atenção. Depois, troque sua lista com a de um colega. Leia os tópicos dele e converse sobre as opiniões apresentadas. Para finalizar, procure responder aos questionamentos a seguir.

- Por que é importante estudarmos o mundo contemporâneo?
- Existe algum tema que você gostaria de estudar de forma mais aprofundada? Qual?
- Você teve dúvidas ao estudar os conteúdos desta unidade? Quais?
- O que você acredita que seja possível fazer para esclarecer essas dúvidas?
- Você acha que os temas estudados podem ajudar a compreender melhor os problemas que atingem a população mundial? E a população do Brasil? Por quê?

Ampliando fronteiras

Indígenas e sustentabilidade

Como estudamos nesta unidade, as mudanças climáticas causadas pelo efeito estufa provocam diversas consequências para o planeta Terra. Uma dessas consequências diz respeito às migrações de populações para outras regiões, principalmente a de populações indígenas.

Com a escassez de recursos de determinados locais, várias populações indígenas tendem a se deslocar para lugares diferentes de onde estão acostumadas a viver, o que acarreta muitos impactos na vida dessas pessoas, como impactos culturais, no modo de viver, etc.

A preservação da natureza

Há grande dificuldade na vigilância das áreas de reservas de preservação florestal (maior ainda fora dos territórios protegidos), principalmente por causa do alto custo que essa vigilância exige. O enorme interesse de empresários dos setores madeireiro e minerador e de fazendeiros nas regiões de florestas é outro empecilho para a implementação de ações que preservem o meio ambiente.

De acordo com um estudo publicado em 2011 pelo Programa das Nações Unidas para o Meio Ambiente (Pnuma), é mais lucrativo preservar a floresta do que desmatá-la. Por isso, é importante o incentivo à produção e à comercialização de produtos florestais não madeireiros, como óleos, resinas, frutos, ervas e borracha, por populações indígenas e por agricultores familiares, já que esses produtos abastecem indústrias, como a de cosméticos, e geram renda, além de valorizar a cultura desses povos.

Para coletar o açaí, os homens sobem no açaizeiro e retiram os cachos com os frutos.

Depois de coletado, as mulheres retiram os frutos do cacho e os depositam em cestos.

Waldomiro Neto

Proteção aos indígenas

Segundo um relatório publicado em 2014 pela World Resources Institute (WRI) em parceria com o Rights and Resources Initiative (RRI), países onde os povos indígenas tiveram áreas legalmente delimitadas para habitação reduziram muito o desmatamento e, consequentemente, acumularam enormes taxas de carbono (leia o boxe). Na Amazônia brasileira, os territórios indígenas apresentam desmatamento mais de dez vezes menor do que em outras áreas da floresta.

A cultura indígena não apenas favorece a manutenção, como expande a floresta ao plantar e cultivá-la. Assim, proteger a cultura indígena, além de garantir os direitos humanos dessa população, é uma maneira de preservar também o planeta em que vivemos.

Conheça, na ilustração a seguir, o modo como as populações nativas coletam o açaí.

Estoque natural

Os tecidos vegetais das plantas armazenam carbono, o que contribui para reduzir a emissão de gás carbônico (um dos gases que provocam o efeito estufa) na atmosfera. Por isso, florestas como a Amazônica funcionam como grandes depósitos do elemento no planeta. Essa é uma das razões da importância de se manter a floresta viva.

1. Qual a importância de garantir os direitos dos povos indígenas para a preservação do meio ambiente?

2. Explique por que a preservação da floresta viva é importante para a redução do efeito estufa.

3. De acordo com o artigo 225 da Constituição Federal:

> [...] Todos têm direito ao meio ambiente ecologicamente equilibrado, bem de uso comum do povo e essencial à sadia qualidade de vida, impondo-se ao Poder Público e à coletividade o dever de defendê-lo e preservá-lo para as presentes e futuras gerações.
> [...]
>
> Brasil. *Constituição da República Federativa do Brasil*: promulgada em 5 de outubro de 1988. Em: Antônio Luiz de Toledo Pinto e outros (Coord.). São Paulo: Saraiva, 2005. p. 156. (Coleção Saraiva de Legislação).

- Segundo o texto e o que você estudou na unidade, que tipo de ações a sociedade e o Poder Público poderiam ter no sentido de assegurar um planeta sustentável para as próximas gerações? Converse com os colegas se algumas dessas ações poderiam ser realizadas em sua escola e pensem em como isso poderia ser colocado em prática.

▶ Aprenda mais

UNIDADE 1 — O Brasil República

Essa tal Proclamação da República

Nesse livro, você vai descobrir de maneira divertida como ocorreu a Proclamação da República e a consolidação do regime republicano no Brasil. Por meio de ilustrações, fotos de época e documentos históricos, você vai conhecer o contexto do final do século XIX e obter informações sobre as principais personagens e acontecimentos desse momento histórico de nosso país.

Edison Veiga. *Essa tal Proclamação da República*. São Paulo: Panda Books, 2009.

UNIDADE 2 — O mundo em conflito

Cavalo de Guerra

O filme se passa durante a Primeira Guerra Mundial e conta a história de lealdade entre o cavalo Joey e seu dono. Na narrativa, ambos vivem as consequências do conflito armado que aterrorizou a população europeia no início do século XX. Após anos separados, por causa da guerra, será que Joey reencontrará seu dono?

Cavalo de Guerra. Direção: Steven Spielberg. Estados Unidos, 2011 (146 min).

UNIDADE 3 — O totalitarismo e a Segunda Guerra Mundial

Trinity: a história em quadrinhos da primeira bomba atômica

Essa história em quadrinhos, do ilustrador e escritor estadunidense Jonathan Fetter-Vorm, se passa no contexto da origem do Projeto Manhattan, nos Estados Unidos, responsável pela construção da bomba atômica, no início da década de 1940. A história aborda desde os primeiros estudos sobre o átomo, no século XIX, até o lançamento das bombas sobre as cidades japonesas de Hiroshima e Nagasaki, em 1945.

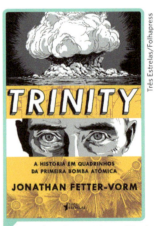

Jonathan Fetter-Vorm. Tradução de André Czarnobai. *Trinity: a história em quadrinhos da primeira bomba atômica*. São Paulo: Três Estrelas, 2013.

UNIDADE 4 — Autoritarismo e democracia no Brasil

Museu Virtual de Brasília

Construída no período do governo de JK para ser a nova capital do país, Brasília representou a modernização empreendida nas décadas de 1950 e 1960 no Brasil. Acesse no *site* o *tour* virtual das principais construções da cidade, vídeos de antigos moradores, informações históricas, entre outros recursos.

Museu Virtual de Brasília. Disponível em: <http://linkte.me/wyh3c>. Acesso em: 6 nov. 2018.

UNIDADE 5 — A divisão do mundo na Guerra Fria

Um pedacinho de chão: adolescência, guerra e futebol na Palestina

A narrativa desse livro se passa na Cisjordânia, no Oriente Médio, território de disputa entre israelenses e palestinos. Em meio ao conflito, o adolescente Karim Aboudi luta para manter suas amizades e para continuar a praticar futebol, assim como outros jovens de sua idade.

Elizabeth Laird. Tradução de Marcos Bagno. *Um pedacinho de chão*: adolescência, guerra e futebol na Palestina. São Paulo: Ática, 2007.

UNIDADE 6 — A ditadura militar no Brasil

O ano em que meus pais saíram de férias

O filme conta a história do jovem Mauro, na época em que seus pais estão sendo perseguidos pelo governo ditatorial e precisam deixá-lo com o avô. Como o garoto vai conseguir lidar com a ausência dos pais? Assista ao filme e compreenda melhor o contexto da década de 1970 no Brasil, visto sob a perspectiva de uma criança.

O ano em que meus pais saíram de férias. Direção: Cao Hamburger. Brasil, 2006 (110 min).

UNIDADE 7 — O Brasil e o mundo contemporâneo

The breadwinner (A ganha-pão)

Nessa animação, você conhecerá a história de Parvana, uma menina afegã que, após a prisão injusta de seu pai, precisa se disfarçar de menino para poder trabalhar e garantir o sustento de sua família em meio a um cenário de guerras e preconceitos enraizados. Baseado no livro *The Breadwinner*, produção homônima de Deborah Ellis, esse filme denuncia a violência e a opressão pelas forças talibãs no Afeganistão e nos faz refletir sobre costumes culturais que inferiorizam as mulheres e as privam de participar da sociedade com dignidade, liberdade e respeito.

The breadwinner (A ganha-pão). Direção: Nora Twomey. Canadá/Irlanda/Luxemburgo, 2017 (94 min).

Os pichadores de Jabalia: a vida em um campo de refugiados palestino

Nesse livro, você vai conhecer o cotidiano dos refugiados que vivem no campo de Jabalia, na região da Faixa de Gaza. Acompanhe a história por meio do olhar do jovem soldado israelense Youval, conhecendo seu dia a dia e seus amigos.

Ouzi Dekel. *Os pichadores de Jabalia*: a vida em um campo de refugiados palestino. São Paulo: SM, 2006 (Coleção De Olho Aberto).

UNIDADE 8 — Os desafios do mundo contemporâneo

O mundo de Aisha: a revolução silenciosa das mulheres no Iêmen

Inspirada nas entrevistas e nos relatos reunidos por uma jornalista, esta história em quadrinhos traz à tona o polêmico tema da opressão e da violência sofridas pelas mulheres em alguns países do Oriente Médio na atualidade.

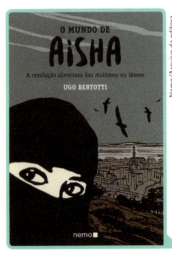

Ugo Bertotti. Tradução de Fernando Scheibe. *O mundo de Aisha*: a revolução silenciosa das mulheres no Iêmen. São Paulo: Nemo, 2015.

Referências bibliográficas

Ariès, Philippe; Duby, Georges (Dir.). *História da vida privada*. Trad. Hildegard Feist. São Paulo: Companhia das Letras, 1995. 5 v.

Baussier, Sylvie. *Pequena história do tempo*. Trad. Pauline Alphen. São Paulo: SM, 2005 (Coleção Pequenas Histórias dos Homens).

Bethell, Leslie (Coord.). *História da América Latina*. São Paulo: Edusp; Brasília: Fundação Alexandre Gusmão, 2004-2005. 6 v.

Bloch, Marc. *Apologia da história ou o ofício do historiador*. Trad. André Telles. Rio de Janeiro: Jorge Zahar, 2001.

Boschi, Caio César. *Por que estudar História?* São Paulo: Ática, 2007.

Bosi, Ecléa. *Memória e sociedade*: lembranças de velhos. São Paulo: Companhia das Letras, 1994.

Caldeira, Jorge (Org.). *Brasil*: a história contada por quem viu. São Paulo: Mameluco, 2008.

Carvalho, José Murilo de. *Os bestializados*: o Rio de Janeiro e a República que não foi. São Paulo: Companhia das Letras, 2006.

Costa, Emília Viotti da. *Da Monarquia à República*: momentos decisivos. 9. ed. São Paulo: Ed. Unesp, 2010.

D'Amorim, Eduardo. *África e Brasil*. São Paulo: FTD, 2015.

Del Priore, Mary (Org.). *História das mulheres no Brasil*. 8. ed. São Paulo: Contexto, 2006.

Del Priore, Mary; Venancio, Renato. *Uma história da vida rural no Brasil*. Rio de Janeiro: Ediouro, 2006.

Doratioto, Francisco. *Maldita guerra*: nova história da Guerra do Paraguai. São Paulo: Companhia das Letras, 2002.

Duby, Georges. *A Europa na Idade Média*. Lisboa: Teorema, 1989.

Fairbank, John King; Goldman, Merle. *China*: uma nova história. Trad. Marisa Motta. Porto Alegre: L&PM, 2008.

Faria, Sheila de Castro. *Viver e morrer no Brasil colônia*. São Paulo: Moderna, 1999 (Coleção Desafios).

Fausto, Boris. *História do Brasil*. 14. ed. São Paulo: Edusp/FDE, 2012 (Coleção Didática).

Ferreira, Antonio Celso; Bezerra, Holien Gonçalves; De Luca, Tania Regina (Org.). *O historiador e seu tempo*: encontros com a história. São Paulo: Unesp/Anpuh, 2008.

Ferreira, Marieta de Moraes; Amado, Janaína (Org.). *Usos e abusos da história oral*. Rio de Janeiro: FGV, 2006.

Ferreira, Olavo Leonel. *Visita à Grécia Antiga*. São Paulo: Moderna, 2003 (Coleção Desafios).

França, Jean Marcel Carvalho. *A construção do Brasil na literatura de viagem dos séculos XVI, XVII e XVIII*: antologia de textos (1591-1808). Rio de Janeiro: José Olympio; São Paulo: Unesp, 2012.

Franco Júnior, Hilário. *A Idade Média*: nascimento do Ocidente. São Paulo: Brasiliense, 2006.

Funari, Pedro Paulo. *A vida quotidiana na Roma Antiga*. São Paulo: Annablume, 2003.

_____. *Grécia e Roma*. 4. ed. São Paulo: Contexto, 2007 (Coleção Repensando a História).

Guarinello, Norberto Luiz. *Os primeiros habitantes do Brasil*. 5. ed. São Paulo: Atual, 1994 (Coleção A Vida no Tempo do Índio).

Gomes, Marcos Emílio (Coord.). *A Constituição de 1988, 25 anos*: a construção da democracia & liberdade de expressão. São Paulo: Instituto Vladimir Herzog, 2013.

Hernandez, Leila Maria Gonçalves Leite. *A África na sala de aula*: visita à história contemporânea. São Paulo: Selo Negro, 2005.

Hetzel, Bia; Negreiros, Silvia (Org.). *Pré-História brasileira*. Rio de Janeiro: Manati, 2007.

Hobsbawm, Eric J. *A Era das revoluções*: Europa 1789-1848. 25. ed. Trad. Maria Tereza Lopes; Marcos Penchel. Rio de Janeiro: Paz e Terra, 2009.

Karnal, Leandro. *Estados Unidos*: a formação da nação. 4. ed. São Paulo: Contexto, 2007 (Coleção Repensando a História).

Karnal, Leandro et al. *História dos Estados Unidos*: das origens ao século XXI. 3. ed. São Paulo: Contexto, 2015.

Le Goff, Jacques. *As raízes medievais da Europa*. Petrópolis: Vozes, 2010.

Leick, Gwendolyn. *Mesopotâmia*: a invenção da cidade. Trad. Álvaro Cabral. Rio de Janeiro: Imago, 2003.

Lewis, Bernard. *O Oriente Médio*: do advento do cristianismo aos dias de hoje. Trad. Ruy Jungmann. Rio de Janeiro: Jorge Zahar, 1996.

Lowe, Norman. *História do mundo contemporâneo*. Trad. Cataldo Costa. Porto Alegre: Penso, 2011.

Mendonça, Marina Gusmão de. *Histórias da África*. São Paulo: LCTE, 2008.

Moraes, Mário Sérgio de. *50 anos construindo a democracia*: do golpe de 64 à Comissão Nacional da Verdade. São Paulo: Instituto Vladimir Herzog, 2014.

Munanga, Kabengele; Gomes, Nilma Lino. *O negro no Brasil de hoje*. São Paulo: Global, 2006 (Coleção Para Entender).

Napolitano, Marcos. *1964*: História do regime militar brasileiro. São Paulo: Contexto, 2014.

Novais, Fernando A. (Dir.). *História da vida privada no Brasil*. São Paulo: Companhia das Letras, 1997. 5 v.

Paula, Eunice Dias de; Paula, Luiz Gouveia de; Amarante, Elizabeth. *História dos povos indígenas*: 500 anos de luta no Brasil. Petrópolis: Vozes/Cimi, 1986.

Perry, Marvin. *Civilização Ocidental*: uma história concisa. Trad. Waltensir Dutra; Silvana Vieira. 3. ed. São Paulo: Martins Fontes, 2002.

Pestana, Fábio. *Por mares nunca dantes navegados*: a aventura dos descobrimentos. 2. ed. São Paulo: Contexto, 2015.

Pilagallo, Oscar (Ed.). *O sagrado na história*: judaísmo. São Paulo: Duetto, 2010. v. 2. (Coleção História Viva).

_____ . *O sagrado na história*: islamismo. v. 3. São Paulo: Duetto, 2010 (Coleção História Viva).

Pinsky, Carla Bassanezi; Luca, Tania Regina de (Org.). *O historiador e suas fontes*. São Paulo: Contexto, 2012.

Pinsky, Carla Bassanezi (Org.). *Fontes históricas*. 2. ed. São Paulo: Contexto, 2006.

Pinsky, Jaime; Pinsky, Carla Bassanezi (Org.). *História da cidadania*. São Paulo: Contexto, 2003.

Prezia, Benedito; Hoornaert, Eduardo. *Brasil indígena*: 500 anos de resistência. São Paulo: FTD, 2000.

Rede, Marcelo. *A Grécia Antiga*. São Paulo: Saraiva, 1999. (Coleção Que História é Esta?).

Ricardo, Beto; Ricardo, Fany (Ed.). *Povos indígenas no Brasil*: 2011-2016. São Paulo: Instituto Socioambiental, 2017.

Schaan, Denise Pahl. *Cultura marajoara*. Rio de Janeiro: Senac Nacional, 2009.

Schumaher, Schuma; Brazil, Vital. *Mulheres negras do Brasil*. Edição condensada. Rio de Janeiro: Senac Nacional, 2013.

Schwarcz, Lilia Moritz (Dir.). *História do Brasil nação*. Rio de Janeiro: Objetiva; Madri: Fundação Mapfre, 2011-2014. 5 v.

Sevcenko, Nicolau. *Literatura como missão*: tensões sociais e criação cultural na Primeira República. São Paulo: Companhia das Letras, 2003.

Silva, Kalina Vanderlei; Silva, Maciel Henrique. *Dicionário de conceitos históricos*. São Paulo: Contexto, 2006.

Soon, Tamara. *Uma breve história do islã*. Trad. Maria Helena Rubinato Rodrigues de Sousa. Rio de Janeiro: José Olympio, 2011.

Souza, Marina de Mello e. *África e Brasil africano*. São Paulo: Ática, 2006.

Thompson, Edward P. *A formação da classe operária inglesa*. Trad. Denise Bottmann; Renato Busatto Neto; Cláudia Rocha de Almeida. Rio de Janeiro: Paz e Terra, 1987. 3 v. (Coleção Oficinas da História).

Todorov, Tzvetan. *A conquista da América*: a questão do outro. Trad. Beatriz Perrone Moisés. 4. ed. São Paulo: Martins Fontes, 2010.

Tota, Antonio Pedro. *Os americanos*. São Paulo: Contexto, 2009.

Turazzi, Maria Inez; Gabriel, Carmen Teresa. *Tempo e história*. São Paulo: Moderna, 2000.

Vainfas, Ronaldo (Dir.). *Dicionário do Brasil Colonial*: 1500-1808. Rio de Janeiro: Objetiva, 2000.

_____. *Dicionário do Brasil Imperial*: 1822-1889. Rio de Janeiro: Objetiva, 2002.

Visentini, Paula Fagundes; Ribeiro, Luiz Dario Teixeira; Pereira, Analúcia Dnilevicz. *História da África e dos africanos*. Petrópolis: Vozes, 2013.

Whitrow, G. J. *O que é tempo?* Uma visão clássica sobre a natureza do tempo. Trad. Maria Ignez Duque Estrada. Rio de Janeiro: Jorge Zahar, 2005.